D0239964

Handwoordenboek der psychologie

Handwoordenboek der psychologie

2500 begrippen uit de psychologie, voor onderwijs en praktijk

Drs. F.F.O. Holzhauer / Drs. J.J.R. van Minden

Van Loghum Slaterus

Opgedragen aan Tida Schröder en aan de zes andere vrouwen, die zo'n belangrijk deel van ons leven uitmaken.

Typografische vormgeving: Karel Martens gvn

ISBN 90 6001 355 7

Inhoud

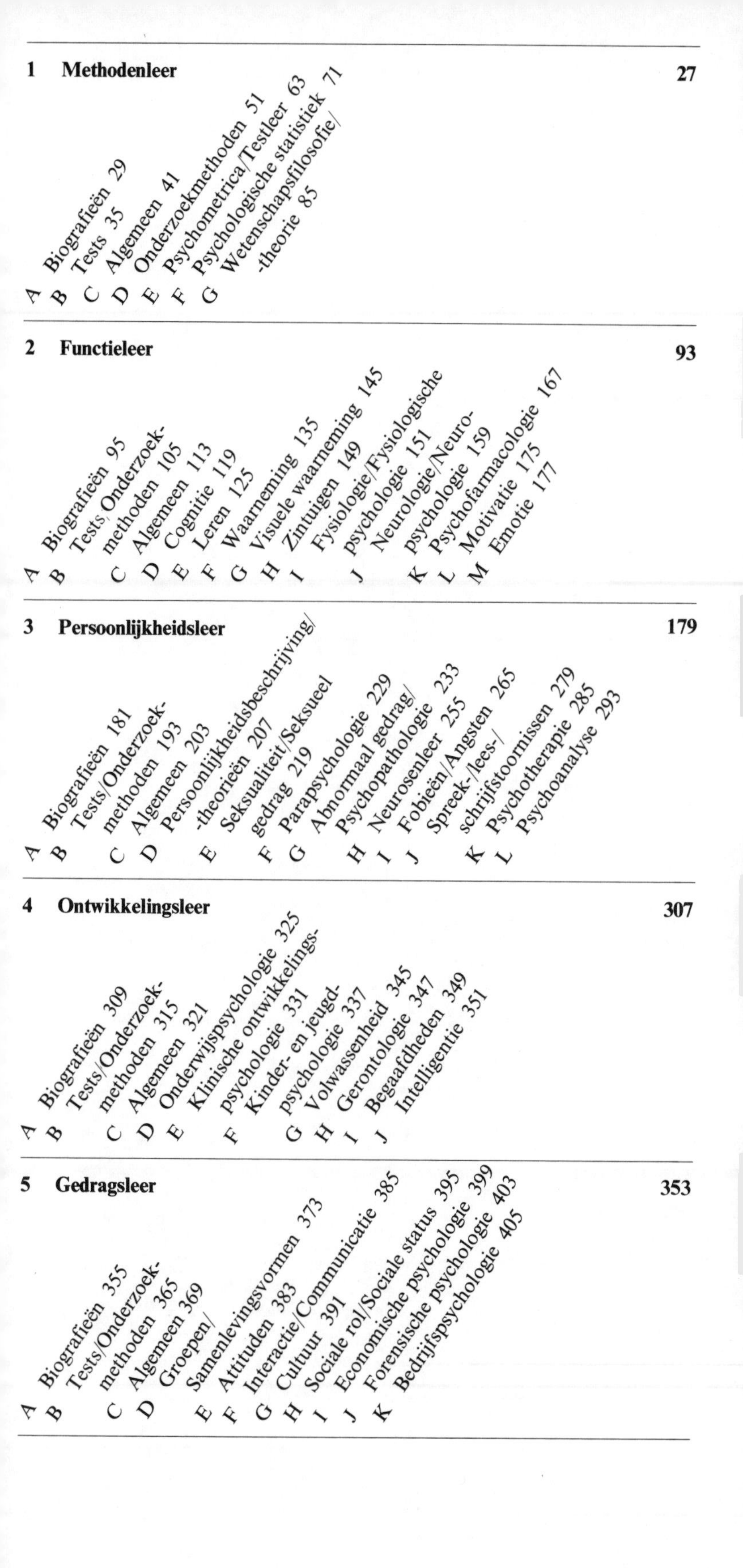

Ten geleide

De vaktaal van de psycholoog omvat circa 40.000 termen. Het zijn er zoveel, en ze hebben betrekking op zulke specialistische onderzoekgebieden in de psychologie, dat zelfs de gemiddelde psycholoog ze niet alle kan kennen. Uit dit geheel hebben wij een selectie gemaakt. We hebben ruim 2.500 termen bijeengebracht, die voor een eerste kennismaking belangrijk zijn. Deze 2.500 termen zijn door ons volgens een bepaald systeem (zie hierna) gerangschikt in een vijftal 'basisgebieden', die elk weer zijn onderverdeeld.

De psychologie bestaat (in haar huidige vorm) nog geen 100 jaar. In de loop van deze tijd zijn er vele nieuwe begrippen ontstaan. Sommige begrippen komen oorspronkelijk uit andere wetenschappen. Dat is begrijpelijk: de jonge psychologie heeft onbevangen termen geleend uit bijvoorbeeld de filosofie, de medische wetenschap, de psychiatrie, de biologie, de natuurkunde etc. Vaak werd de betekenis van deze termen enigszins veranderd. Of werd totaal afgeweken van de oorspronkelijke bedoeling. Dit betekent, dat eenzelfde woord, in verschillende wetenschappelijke kennisgebieden, een verschillende betekenis kan hebben. Omgekeerd heeft de psychologie ook veel nieuwe termen geschonken aan andere wetenschappen: aan de pedagogie bijvoorbeeld en aan de massacommunicatie. Maar ook aan de medische wetenschap en de psychiatrie.
De psychologie is als een alcoholhoudende drank, schreven wij in ons boek 'Psychologie, theorie & praktijk'. Het laat zich uitstekend mixen met andere wetenschappen. Er zijn vele werkterreinen, waar de psycholoog als adviseur een rol speelt. Het is dan ook begrijpelijk, dat de psychologische vaktaal (sommigen spreken van jargon), zich als een olievlek verbreid heeft. Ook in de normale dagelijkse spreektaal zijn veel van oorsprong psychologische begrippen (of via de psychologie bekend geworden begrippen) opgenomen. Enkele voorbeelden:
- conditioneren
- intelligentiequotiënt (IQ)
- motivatie
- attitude
- interactie

Als we het hebben over onze medemensen gebruiken we nogal eens termen uit de psychologie: 'Jan, is vreselijk gefrustreerd door dat werk; ik kan me dat wel indenken, ik zou er ook een complex van krijgen.' Veel psychologische termen zijn huishoudtermen geworden. De psychologie is een onderwerp dat zich gezellig laat bespreken op feestjes en andere bijeenkomsten. Het is een wetenschap die zich met het menselijk gedrag bezighoudt. Geen wonder dat veel mensen het interessant vinden.

Basisbegrippen en secties

Bij de opbouw van dit handwoordenboek zijn we uitgegaan van de bekende vijfdeling in basisgebieden van de Nederlandse hoogleraar in de psychologie, Prof. Dr. H.C.J. Duijker (in deze volgorde):
- methodenleer
- functieleer
- persoonlijkheidsleer
- ontwikkelingsleer
- gedragsleer

Dit zijn de vijf basisgebieden voor psychologische theorievorming en onderzoek. Deze vijf basisgebieden hebben we elk weer ingedeeld in een aantal secties. Een sectie is een subgebied van een bepaald basisgebied (waarnemingsleer bijvoorbeeld is een subgebied van de functieleer). Of het is een praktijkgebied, of een verwant gebied, dat sterke bindingen heeft met dit basisgebied. (Voorbeeld: de bedrijfspsychologie is een gebied dat sterke bindingen heeft met de gedragsleer.)
Wat deze bindingen of relaties betreft verwijzen wij de lezer naar ons eerder genoemde boek. In feite is het niet zo belangrijk of een bepaalde sectie nu onder functieleer of onder gedragsleer is gerangschikt: in sommige gevallen is beide mogelijk. *Het is onze bedoeling geweest om verwante termen die tot één (werk)terrein behoren, bij elkaar te rangschikken.* Dit maakt het voor de lezer toegankelijk en geeft hem de kans bepaalde verwante termen direct op dezelfde bladzijde of in de buurt terug te vinden. Voor wat dit betreft is de psychoanalyse een duidelijk voorbeeld. Dit is een terrein (wij hebben het gerangschikt bij de persoonlijkheidsleer) met een geheel eigen begrippen-apparaat. Vele termen uit de psychoanalyse zijn gemeengoed geworden. De lezer treft ze in dit handwoordenboek bij elkaar aan.

Indeling per basisgebied

Elk basisgebied is op dezelfde manier ingedeeld in secties. Eerst volgen een aantal secties die we in *elk* basisgebied behandelen. Dit zijn:
- biografieën (van bekende Nederlandse en buitenlandse psychologen),
- tests/onderzoekmethoden,
- algemeen.

Dan worden per basisgebied die secties opgenomen, die tot dit gebied gerekend kunnen worden. Zo rekenen wij de psychoanalyse tot de persoonlijkheidsleer en de onderwijspsychologie tot de ontwikkelingsleer.

Opbouw van dit woordenboek

Dit handwoordenboek is anders opgebouwd dan de meeste. Over het algemeen treft de lezer in een woordenboek een reeks begrippen aan, die alfabetisch zijn gerangschikt. In feite is het een onsamenhangende reeks termen die zoals in elk woordenboek als los zand aan elkaar hangen.

Dit woordenboek bestaat uit twee delen:
a. Een *zoekregister*, waar de complete lijst begrippen alfabetisch is gerangschikt. In dit zoekregister staat achter elk begrip het bladzijdenummer vermeld waar u het betreffende woord kunt vinden.
b. Een *vijftal basisgebieden*, waarbinnen de begrippen zijn verzameld, die op dit basisgebied betrekking hebben. Elk basisgebied is weer onderverdeeld in secties. De begrippen in elke sectie zijn alfabetisch gerangschikt.

Op deze manier zijn alle begrippen die een zeker onderling verband hebben in secties bij elkaar gebracht. Dit geeft een overzicht binnen een gebied en maakt tevens het leren van bepaalde begrippen gemakkelijker.

Voor wie is dit handwoordenboek bestemd?

Dit handwoordenboek werd samengesteld voor al diegenen, die voor hun opleiding, beroepsmatig of uit interesse, iets te maken hebben met de psychologie. Zij zullen daarbij vaak woorden lezen of horen, die ze niet direct thuis kunnen brengen. Wij richten ons in de eerste plaats tot personen, die geïnteresseerd zijn in de *betekenis van een bepaalde term, zonder dat zij alle achtergronden hoeven te weten.* Vaak zullen dit ook mensen 'uit de praktijk' zijn. Daarom is er gebruik gemaakt van vele voorbeelden. De termen zijn kort omschreven. De beschrijving gaat direct in op de essentie. In principe is dit handwoordenboek bestemd voor een viertal groepen lezers.

1. Studenten Hoger Beroeps Onderwijs. De opbouw en de keuze van de begrippen zijn geheel aangepast aan de wensen en behoeften van deze lezerskring.

2. Beroepsbeoefenaren, die in hun werk iets te maken hebben met de psychologie en die een boek achter de hand willen hebben om bepaalde termen op te zoeken. Wij denken hierbij aan:
- accountants
- acteurs
- ambtenaren
- artsen (zie ook 3)
- bedrijfsleiders
- detailhandelsleiders
- didactici
- economen (3)
- film- en TV-regisseurs
- filosofen (3)
- fysiotherapeuten
- industriële vormgevers
- jeugdleiders
- journalisten
- juristen (3)
- kadertrainers
- kinderverzorgsters
- kleuterleidsters
- logopedisten
- marketingadviseurs
- marktonderzoekers
- militair kader
- mondhygiënisten
- opleiders, leraren
- onderwijzers
- organisatiedeskundigen
- pedagogen (3)
- personeelschefs
- politici
- psychologisch assistenten
- psychiaters (3)

- public relations adviseurs
- reclamedeskundigen
- reclasseringsambtenaren
- redacteuren
- schrijvers
- secretaresses
- sociaal werkers
- sociologen (3)
- stewardessen
- tandartsen, tandheelkundige adviseurs (3)
- tekstschrijvers
- theologen (3)
- verpleegkundigen
- verkoopleiders
- vertegenwoordigers
- voorlichters
- welzijnswerkers
- wijkverpleegkundigen

3. Studenten en afgestudeerden uit diverse wetenschappelijke disciplines. Bij voorbeeld studenten psychologie die in hun eerste jaar moeite hebben met de veelheid van termen die op hen afkomt. Verder: studenten sociologie, studenten aan de juridische faculteit, medisch studenten etc. etc. Maar ook voor afgestudeerden en praktisch werkzame academici (zie de lijst onder 2).

4. Al diegenen, die iets meer willen weten van de psychologie, die woorden in de krant lezen die ze niet begrijpen, of die in een conversatie op begrippen stuiten die ze maar half kennen. Kortom: voor iedereen die wel eens de krant leest (want daar komen heel wat aan de psychologie ontleende termen in voor!).

Korte omschrijvingen

Wij hebben gestreefd naar een gemakkelijk toegankelijk overzicht van de belangrijkste begrippen uit de psychologie. De begrippen zijn kort omschreven in eenvoudige termen, waarbij vermeden is weer nieuwe begrippen te introduceren, die voor de lezer onbekend kunnen zijn. Wij hebben geprobeerd om de omschrijvingen zo eenvoudig mogelijk te maken, zonder te verwijzen naar achtergronden, die alleen voor specialisten interessant zijn. Waar mogelijk zijn voorbeelden toegevoegd. Op deze wijze is een lijst ontstaan van ruim 2.500 begrippen, die alle kort en duidelijk zijn behandeld en die de lezer de gewenste essentiële informatie geven.

Nederlandse en buitenlandse psychologen

Wij hebben in dit boek een groot aantal namen van bekende buitenlandse psychologen opgenomen, zoals gebruikelijk in handwoordenboeken op dit terrein. De lezer zal dan ook een aantal bekende buitenlanders aantreffen: Freud, Adler, Jung, Eysenck, Watson, Fromm etc. etc. Wij hebben tevens een aantal namen van Nederlandse hoogleraren opgenomen. Daartoe hebben wij begin 1976 een vragenlijst toegezonden aan de betreffende personen. De respons was zeer hoog. Toch zijn niet allen opgenomen. In de volgende druk hopen wij de complete lijst te kunnen opnemen. Wellicht heeft de lezer suggesties voor andere op te nemen namen.

Het innemen van standpunten

Bij het definiëren van begrippen is het gemakkelijk om standpunten in te nemen. Bepaalde zaken kunnen geaccentueerd worden, ongewenste punten kunnen worden weggemasseerd. Bepaalde modes kunnen worden verwerkt. Wij hebben geprobeerd zo algemeen mogelijk te blijven door ons te beperken tot een zakelijke omschrijving van de begrippen. De meest voorkomende betekenis is door ons aangehouden – deze is naar onze mening voor de lezer het belangrijkste.

Dankwoord

Bij het samenstellen van dit handwoordenboek hebben wij steun gehad van verschillende kanten. Allereerst onze vrouwen en dochters. Verder van Drs. A. Slot en Drs. T. Verhallen die zo vriendelijk waren delen van de tekst door te lezen. Zij verdienen onze dank.
Verder danken wij Fons Drabbe, die ons heeft geïnspireerd en geholpen bij de opzet. Onze dank gaat ook uit naar Puck Swart, die onvermoeibaar alles heeft overgetypt op haar typemachine, waar al sinds jaren iets loos is met de letter n.
Tevens bedanken wij Marguérite op de Laak, die vele uren bezig is geweest (zuchtend en fronsend) met het corrigeren, waarbij ze o.a. nu eindelijk eens gebruik kon maken van haar klassieke opleiding. Zij heeft ons vele uren extra werk bezorgd en ons vele rampen bespaard.
Wij hopen, dat dit handwoordenboek aan zijn doel beantwoordt. Voor kritische opmerkingen houden wij ons aanbevolen.

Amsterdam,
Maison de la Poste
najaar 1976

Voorvoegsels, achtervoegsels en combinatievormen, die in de psychologie vaak worden gebruikt

Zoals in elke wetenschap wordt ook in de psychologie gebruik gemaakt van Griekse en Latijnse woorden en van voor- en achtervoegsels uit die (oude) talen. (Ook in de spreektaal komen we vele woorden tegen, die aan het Grieks of Latijn zijn ontleend.)
In de volgende lijst is een overzicht opgenomen van veel voorkomende voor- en achtervoegsels (zie de linkerkolom). In de middelste kolom worden deze vertaald of toegelicht. In de rechterkolom zien we een voorbeeld. (Alle in de rechterkolom voorkomende woorden, komen ook in dit woordenboek voor.)

a	niet, zonder, geen	asthenie
ab- (abs-)	weg van, niet	abnormaal
ad- (ac-, af-, ag-, al-, an-, ap-, ar-, as-, at-)	in de richting van, naar, er heen	affect
-aal	met, volgens	normaal
ambi-	beide	ambigu
an- (ana-)	overeenkomstig	analoog
ante-	vóór, vroeger, eerder	anterieur
anti-	tegen	antidepressiva
auto-	zelf	autocratisch
bi-	twee, dubbel	binair
bio-	leven	biologie
cent- (centi-)	honderd	centiel
cefalo-	hersenen, hoofd	cefalodynie
cerebro-	hersenen	cerebrotonie
-cide	dood, vernietiging	suïcide
contra-	tegen	contraconcitionering
di-	twee	dichotomie
dis-	gescheiden, apart	dispositie
dys-	ziek, beschadigd	dyslexie
ecto-	buiten, buitenkant	ectomorf
encefalo-	hersenen	encefalogram
endo- (end-, ent-, ento-)	binnen, in	endogeen
epi-	boven, op	epifenomeen
eu-	wel, goed, plezierig, prettig	eugenetica
ex-	uit, vanuit	exogamie
-filie	lust, verlangen	homofilie

-graaf (-gram)	het schrijven	myograaf, myogram
gyn- (gyno-)	vrouw	gynofobie
hemi-	half	hemisfeer
hetero-	verschillend, anders	heteroseksueel
homo-	gelijk, hetzelfde	homoseksueel
hyper-	boven, hoger	hypernormaal
hypno-	slaap	hypnolepsie
hypo-	beneden, onder	hypomanie
-ie	ziekte, toestand	fobie
-iatrie	genezen	psychiatrie
inter-	tussen	interactie
intro-	naar binnen	introversie
-itis	ontsteking	encefalitis
kine-	beweging	kinesthesie
-lagnie	lust	urolagnie
-lalie	spraak	echolalie
-lepsie	kramp, verstijving	epilepsie
-logie	kennis, leer, wetenschap	psychologie
-manie	zucht, verlangen, waanzin, razernij	pyromanie
meta-	achter, te midden van	metapsychologie
micro-	klein	micropsie
mono-	een, enkel	monogamie
multi-	veel	multidisciplinair
myo-	spier	myograaf
neo-	nieuw	neo-behaviorisme
non-	niet	nonparametrisch
-oïde	zoals, lijkend op, -achtig	paranoïde
omni-	alles, allen	omnibus
ortho-	recht, direct, juist	orthogenese
-ose	ziekte	psychose
-osmie	geur, reuk	hyperosmie
pan-	alles	panfobie
para-	boven, meer dan	paranormaal
-pathie	ziekte	psychopathie
ped-	kind	pediatrie
-fobie	vrees, angst	agorafobie
fren-	geest, hersenen	frenologie
fylo-	soort, ras, stam	fylogenetisch
poly-	veel	polyandrie
post-	na, achter	posthypnotisch
pre-	vóór	predictie
pseudo-	onecht, onwaar, onjuist	pseudologia fantastica
psycho-	geest, ziel	psychologie
retro-	terug, achter, achteraf	retrogressie

somno-	slaap	somnambulisme
socio-	groep, gezelschap	sociologie
sub-	onder, beneden, lager	subliminaal
super-	hoger, boven	superego
syn-	samen, samengaand	syndroon
tachy-	snel	tachylalie
tele-	ver	telepathie
-tomie	snede	leucotomie
trans-	over	transvestisme
uni-	een, enkel	unidimensionaal

Wegwijzer voor de gebruiker

Bovenaan elke bladzijde van dit handwoordenboek staan verschillende aanduidingen. In het linkervak staat steeds een *cijfer*. Dit is het cijfer van het basisgebied. Er zijn *vijf basisgebieden:*

basisgebied 1 is methodenleer
basisgebied 2 is functieleer
basisgebied 3 is persoonlijkheidsleer
basisgebied 4 is ontwikkelingsleer
basisgebied 5 is gedragsleer

Elk basisgebied is onderverdeeld in een aantal *secties.* Deze secties zijn aangeduid met hoofdletters: A, B, C, D etc. Elke sectie vertegenwoordigt een *specialisme* of een bepaald *subgebied* binnen de psychologie. Binnen elke sectie zijn de begrippen of namen alfabetisch gerangschikt. Binnen elke sectie treft u termen aan, die betrekking hebben op dat specialisme of subgebied.

Aan de zijkant van elke bladzijde is, op verschillende hoogte, een *zwarte balk* afgedrukt. De plaats van de zwarte balk geeft steeds een bepaald basisgebied aan.
Raadpleeg steeds eerst het zoekregister (blz. 3 e.v.). Daar vindt u een complete lijst, alfabetisch gerangschikt, van alle begrippen die in dit woordenboek voorkomen.

Deel I
Zoekregister

In het op de volgende bladzijden afgedrukte zoekregister worden 2.500 bijeengebrachte termen uit de psychologie alfabetisch gerangschikt. Achter elk woord staat een getal. Dit is het *bladzijdenummer* waar u het betreffende woord kunt vinden.
Als u op de aangewezen bladzijde zoekt, zult u daar het gezochte woord vinden, temidden van andere termen uit hetzelfde gebied. Op deze wijze beschikt u over een reeks woordenlijsten binnen één woordenboek. Verwante termen, synoniemen, termen met eenzelfde achtergrond staan bij elkaar gerangschikt.

Raadpleeg steeds eerst het zoekregister! Zonder zoekregister kan het moeilijk zijn om een bepaalde term te vinden.

Zoekregister

B

C

D

E

F

G

H

J

K

L

M

N

O

P

Q

R

S

T

U

V

W

Deel II
Begripsomschrijvingen

Op de volgende bladzijden zijn de ruim 2.500 begrippen gerangschikt naar basisgebied en per basisgebied naar secties.
Binnen elke sectie zijn de begrippen alfabetisch gerangordend. De hiernavolgende tekst is het gemakkelijkst toegankelijk door eerst het zoekregister te raadplegen (zie blz. 3 e.v.).
De basisgebieden worden aangeduid met *cijfers*:

1. methodenleer
2. functieleer
3. persoonlijkheidsleer
4. ontwikkelingsleer
5. gedragsleer

De secties zijn aangeduid met *letters* (A, B, C, D etc.).
Letters en cijfers zijn boven aan elke bladzijde aangegeven.

Raadpleeg steeds eerst het zoekregister!

De namen en woorden in dit handwoordenboek zijn ingedeeld in de vijf *basisgebieden* die men in de psychologie onderscheidt:

basisgebied 1 is methodenleer
basisgebied 2 is functieleer
basisgebied 3 is persoonlijkheidsleer
basisgebied 4 is ontwikkelingsleer
basisgebied 5 is gedragsleer

Dit is

basisgebied 1
Methodenleer

Elk basisgebied is onderverdeeld in een per basisgebied verschillend aantal *secties*. In *dit* basisgebied komen de volgende secties voor:

Binnen elk van de secties zijn de namen en begrippen steeds alfabetisch opgenomen.

ADVIES VOOR DE GEBRUIKER

Raadpleeg steeds eerst het zoekregister (blz. 3 en verder). Daar vindt u een complete lijst, alfabetisch gerangschikt, van alle begrippen die in dit woordenboek voorkomen.

In het zoekregister vindt u achter elk begrip de bladzijde waar u dat begrip kunt vinden.

Bezembinder, Th.G.G., 1931–
Studeerde psychologie in Nijmegen (1951–1958), Urbana (Ill.) (1960) en in Ann Arbor (Mich.) (1963). Studeerde o.m. bij Coombs, door wie hij nogal beïnvloed is. Promoveerde in 1961 aan de Katholieke Universiteit van Nijmegen op het proefschrift: 'Een Experimentele Methode om de Juistheid van Interpersonale Perceptie zuiver te Bepalen'. Als mathematisch psycholoog houdt hij zich bezig met meet- en schaaltheorie en keuzeprocessen. Sinds 1969 is hij hoogleraar in de mathematische psychologie aan de Nijmeegse universiteit. Hij was hier van 1971 tot 1974 voorzitter van de subfaculteit psychologie. In 1970 werd hij benoemd tot Research Associate van het Oregon Research Institute te Eugene, in de Amerikaanse staat Oregon.
Hij publiceerde o.m.: Van Rangorde naar Continuum (1970); Theorieën en Modellen (1976); tijdschriftartikelen met als titel Psychologische Supposities in Sociometrische Methoden; Experience of Real Similarity and Person Perception; De Inconsistentie van Ratioschattingen; Testing Expectation Theories of Decision Making Without Measuring Utility or Subjective Probability.

Boring, Edwin G., 1886–1968
Amerikaans psycholoog die voornamelijk naam heeft gemaakt door zijn geschiedenisbeschrijving van de psychologie. Hij was hoogleraar aan de Harvard Universiteit en verrichtte veel onderzoek op het gebied van de zintuigen.

Drenth, P.J.D., 1935–
Studeerde aan de Vrije Universiteit te Amsterdam bij Waterink. Deed in 1958 doctoraalexamen. Promoveerde in 1960 op het proefschrift: 'Een onderzoek naar de motieven bij het kiezen van een beroep'. Houdt zich bezig met testontwikkeling, intelligentietheorie, arbeids- en organisatiepsychologie. Voelt zich beïnvloed door het werk van L.J. Cronbach, J.P. Guilford, H.J. Eysenck, P. E. Meehl en A.D. de Groot. Behoort niet tot een bepaalde richting in de psychologie, maar voelt zich verwant aan het neo-behaviorisme. Is secretaris van de Raad voor Wetenschappelijk Onderzoek in de Psychologie, lid van de Raad van Bestuur ZWO, lid van de Raad van Bestuur CITO (Arnhem) en is redacteur/contributing editor van diverse tijdschriften in binnen- en buitenland. Werd in 1967 hoogleraar aan de Vrije Universiteit te Amsterdam. Leeropdracht: psychodiagnostiek en arbeids- en organisatiepsychologie.
Is auteur van vele boeken en artikelen over testpsychologie en arbeids- en organisatiepsychologie. Heeft tevens een groot aantal tests vervaardigd. (Test voor Niet-Verbale Abstractie; Amsterdamse Kinder Intelligentie Test; Verbale Aanleg Testserie; Numerieke Aanleg Test; Schaal voor Interpersoonlijke Waarden; Applicatie Programmeurs Test)

Geer, J.P. van de, 1926–
Promoveerde in 1957 aan de Rijks Universiteit te Leiden op het onderwerp Psychological Study of Problem Solving. Hij heeft psychologie aan deze universiteit gestudeerd (1947–1953). Werd beïnvloed door Guttman en Coombs. In 1963 werd hij benoemd tot hoogleraar aan de Leidse universiteit. Zijn leeropdracht luidt: methodologie, in het bijzonder de data-theorie in verband met het sociaal-wetenschappelijk onderzoek. Hij is sterk geïnteresseerd in perceptie en data-theorie. Hij publiceerde o.m.: Introduction to Multivariate Analysis (1970).

Groot A.D. de, 1914–
Studeerde wiskunde van 1932–1937, daarna wijsbegeerte (psychologie) van 1937–1941 met wiskunde en theoretische natuurkunde als bijvakken aan de G.U. te Amsterdam. Studeerde bij de bekende psycholoog Géza Révész. Promoveerde in 1946 op: 'Het denken van de schaker' (Universiteit van Amsterdam). Houdt zich bezig met cognitie (denk- maar ook dieptepsychologie), testconstructie, intelligentie, psychometrica, toegepaste psychologie, methodologie, onderwijskunde. Voelt zich o.a. beïnvloed door het werk van Mannoury, Popper, Selz, Freud, Adler, Jung, Galton, H.A. Simon en H. Gulliksen. Is oprichter geweest en directeur van het RITP (1958–71), was mede-oprichter van het SVO (1966) en oprichter van het CITO. Werd in 1950 hoogleraar aan de Universiteit van Amsterdam. Leeropdracht achtereenvolgens: 1. toegepaste psychologie en de toepassing van statistische methoden (1950–1962); 2. methodenleer, inzonderheid van de toegepaste psychologie; 3. grondslagen en methodenleer van de sociale wetenschappen, inzonderheid de psychologie (1971–).
Is schrijver van een groot aantal boeken en artikelen, waarvan diverse vertaald zijn. Bekend is zijn standaardwerk 'Methodologie' (1961), waarvan in 1969 een Engelse vertaling verscheen. Werd in 1973 lid van de KNAW en verwierf in datzelfde jaar een eredoctoraat in Gent.

Guilford, Joy P., 1897–
Guilford is hoogleraar geweest aan de University of Southern California te Los Angeles. Zijn belangstelling betrof klinische psychologie, persoonlijkheidsleer, psychologische statistiek en intelligentie. Dit leidde tot een model van de intelligentie (genaamd de structuur van de intelligentie). Deze structuur, een kubus, bevat zeer veel intelligentievariabelen. Voorts was hij promotor van de factoranalyse in de psychologie. Hij deed eveneens veel onderzoek op het gebied van de persoonlijkheidstestleer. Zijn theorieën komen goed tot uitdrukking in zijn boek 'The Nature of Human Intelligence' (1967).
Zijn belangwekkendste publikaties zijn: Three faces of Intellect (1957) (in the American Psychologist); Personality (1959); Factorial Angles to Psychology (1961) (in Psychological Review); Psychometric Methods (1964); Fundamental Statistics in Psychology and Education (1965).
Zie ook: Klinische psychologie/Intelligentie/Factoranalyse.

Hall, Granville Stanley, 1844–1924
Vooraanstaand Amerikaans psycholoog. Niet alleen vanwege zijn wetenschappelijke kwaliteiten, maar ook door zijn organisatietalent.

Stichter van het eerste Amerikaanse psychologisch laboratorium (1883). Hij was oprichter van de American Psychological Association en tevens eerste voorzitter hiervan. Voorts was hij oprichter van het tijdschrift American Journal of Psychology. Hij haalde Freud en Jung naar de Verenigde Staten en verspreidde hierdoor de psychoanalyse in de V.S. Hij heeft bij Wundt gestudeerd.
Zie ook: American Psychological Association/Wundt/Freud/Jung.

Hofstee, W.K.B., 1936–
Studeerde psychologie bij B.J. Kouwer en J.Th. Snijders te Groningen van 1954–1961. Promoveerde ook aldaar op: 'Method effects in absolute and comparative judgement' (1967). Werd in 1969 benoemd tot hoogleraar in Groningen. Leeropdracht: 'psychologie'. Houdt zich bezig met persoonlijkheid, selectie en beoordeling, methodologie en onderwijsresearch. Voelt zich beïnvloed door het werk van B.J. Kouwer, J.Th. Snijders en A.D. de Groot. Publiceerde over methodologie en persoonsbeoordeling.

Roskam, E.E., 1932–
Studeerde psychologie en filosofie aan de Rijksuniversiteit van Leiden (1950–1958). Promoveerde in 1968 (bij J.P. van de Geer) op het proefschrift: 'Metric analysis of ordinal data in psychology'. Houdt zich bezig met mathematische psychologie, psychometrie, meet- en schaaltheorie en multivariate analyse. Is sinds 1970 lid van de redactie van het Nederlands Tijdschrift voor de Psychologie en is voorzitter van de sectie psychologie van de Academische Raad (1975–1977). Werd in 1971 hoogleraar aan de Katholieke Universiteit van Nijmegen in de mathematische psychologie. Werkte enige tijd bij Coombs in de Verenigde Staten (1968/69).
Heeft de volgende publikaties op zijn naam staan: Data Theorie en Metrische Analyse (1970); Mathematische Psychologie als Theorie en Methode (1972); A Mathematical and Empirical Study of two Multidimensional Scaling Algorithms (samen met Lingoes, J.C., 1973); Theorieën en Modellen (samen met Bezembinder, Th.G.G., 1976); Multivariate Analysis of Change and Growth (1976).

Sanders, C., 1921–
Studeerde van 1938 tot 1947 aan de V.U. te Amsterdam. Na het afleggen van het kandidaatsexamen in de wis- en natuurkunde, is hij psychologie gaan studeren (bij Prof. Waterink). Promoveerde in 1954 (Leiden) op de dissertatie: 'De Rangeer-Test. Proeve ener Methode van quantitatief en qualitatief Intelligentie Onderzoek'. Sinds 1962 is hij hoogleraar aan de V.U. In de subfaculteit psychologie bezet hij de leerstoel geschiedenis van de psychologie en theoretische psychologie en wijsbegeerte van de psychologie. Is ook hoogleraar aan de Centrale Interfaculteit van de V.U. (wijsbegeerte van de psychologie heet zijn leerstoel hier). Hij is voorzitter van de Stichting voor Toegepaste Psychologie in Amsterdam. Is geïnteresseerd in probleemgeschiedenis van de psychologie, fundamentele psychologie, wijsbegeerte van de psychologie, geloof/wereldbeschouwing en psychologie. Van zijn hand verschenen (boeken): Hoe Ontvang ik Mijn Medemens (samen met Hogewind, F.J.E., 1958); Christelijk Geloof en Empirische Psychologie (1962); De Taal van de Predikant (1969); De Behavioristische

Revolutie in de Psychologie (1972); Inleiding in de Grondslagen van de Psychologie (samen met Eisenga, L.K.A., en van Rappard, J.F.H., 1976).

Snijders, J.Th., 1910–
Studeerde te Leuven (1932–1934) wijsbegeerte en psychologie, te Nijmegen (Theologicum der Augustijnen, 1935–1938) theologie, en te Nijmegen (K.U., 1938–1942) psychologie en wijsbegeerte, bij o.a. Michotte en Rutten. Promoveerde in 1946 (Nijmegen) op: 'Zelfcorrectie en Zelfkritiek bij Kinderen in de Kleuterperiode'. Werd in 1949 benoemd tot hoogleraar te Groningen (R.U.), leeropdracht: 'psychologie'. Is beïnvloed door het werk van Rutten (vooral zijn idee van 'gewone psychologie') en door zijn vrouw (Dr. N. Snijders-Oomen; testpsychologie, gedragsobservatie). Houdt zich bezig met/heeft zich beziggehouden met: testconstructie (voornaamste tests: SON, GIT en ISI), de psychologie van gehoorgestoorden, school- en beroepskeuze (tot ca. 1960), onderwijs-psychologie en psychologie-onderwijs en met centrale begrippen en methoden van de sociale wetenschappen. Behoort niet tot een bepaalde groep of richting in de psychologie. Was van 1949–1965 directeur van het Psychologisch Instituut van de R.U. Groningen en voorzitter van (achtereenvolgens) de Verenigde Faculteiten, de Subfaculteit Psychologie en de Faculteit Sociale Wetenschappen. Was van 1952–1959 voorzitter van het NIP, van 1952–1969 Nederlands afgevaardigde bij het IAAP (International Association of Applied Psychology), was in 1968 organisator van het 16e congres van het IAAP te Amsterdam. Is sinds 1967 meer betrokken in het universiteitsbestuur dan in de psychologie. Is bezig met de voorbereiding van een universitaire vestiging in Friesland, die in 1976 start. Voor curriculum vitae zie: Psychologie in 1975, bundel opgedragen aan Prof. Dr. J.Th. Snijders, 1975.
Publiceerde o.a.: Niet verbaal intelligentieonderzoek van horenden en doven (1970, met Snijders-Oomen, N., vertaald in het Duits, Engels en Frans); de niet-verbale intelligentieschaal SON (1975, met Snijders-Oomen, N.; de ISI-schoolvorderingen en intelligentietest Vorm I en II (1968, met Welten, V.) etc.

Thurstone, Louis L., 1887–1955
Was hoogleraar aan de Universiteit van Chicago. Zijn studiegebieden betroffen testleer, psychometrica, leerpsychologie. Verrichtte veel werk op het gebied van attitudeschalen, wat resulteerde in de Thurstone Attitude Schaal. Eveneens was hij constructeur van een intelligentietest: de 'Primary Mental Abilities Test'. Deze test, gebaseerd op zijn theorie dat intelligentie uit vele (7) verschillende factoren bestaat, was nogal tegengesteld aan intelligentietests die uitgingen van één algemene (g) factor intelligentie. Schreef een aantal artikelen met Thelma Gwynne Thurstone (zijn vrouw).
Publikaties: The Nature of Intelligence (1924); Measurements of Attitudes (1929); Primary Mental Abilities (1938); Factorial Studies of Intelligence (met Thurstone, T.G.) (1941); Multiple factor analysis (1947).
Zie ook: Testleer/Psychometrica/Leerpsychologie/Attitude/Intelligentietest.

Warries, E., 1926–
Psychologiestudie te Amsterdam (GU, 1957–1965), bij o.a. A.D. de Groot. Promoveerde in 1968 te Amsterdam op: 'Externe en interne vormings-

cursussen: een evaluatieonderzoek'. Houdt zich bezig met school-, leer- en onderwijspsychologie. Verder met onderwijsresearch, toetsconstructie, leerplanontwikkeling en evaluatieresearch. Voelt zich beïnvloed door B.S. Bloom, A.D. de Groot, R.L. Ebel, R.M. Gagné, R.W. Tyler en verder door de filosoof E.W. Beth en de linguist J.B. Carroll. Werd in 1972 hoogleraar aan de TH Twente. Leeropdracht: 'algemene en vergelijkende onderwijskunde'. Publiceerde over o.a.: vormingscursussen; meten van leerprestaties; toetsen in het onderwijs en leerboekonderzoek.

Zeeuw, G. de, 1936–
Wiskundige De Zeeuw heeft zich verdienstelijk gemaakt voor de psychologie en andragologie op het gebied van de methodologie. Studeerde wiskunde en statistiek in Leiden (1955–1962), econometrie in Rotterdam (1960–1962) en statistiek en mathematische psychologie aan de Stanford Universiteit in de Verenigde Staten (1963–1964). Promoveerde in 1974 aan de Universiteit van Amsterdam op een werk getiteld: 'Model denken in de Psychologie'. Voelt zich beïnvloed door Suppes, Simon, H.A., Piaget, Papert en Bruner. Sinds 1974 is hij hoogleraar aan de Universiteit van Amsterdam, met als leeropdracht: 'algemene andragologie, in het bijzonder de methodenleer van het andragologisch onderzoek'. Zijn interessen gaan uit naar methodenleer, beschrijving, beïnvloeding van processen van handelen. Van zijn hand verschenen onder meer: 'Subjective Probability: Theory, Experiments, Applications' (red. samen met Wagenaar, W.A. en Vlek, C.A.J., 1970); 'Psychodiagnostische Perspectieven' (samen met Soudijn, K.A., 1973); 'Over de Rechtvaardiging van Onderzoeksvoorschriften' (samen met Soudijn, K.A., 1975); 'Wat máák je eigenlijk, als andragoloog' (samen met Kersten, A., 1976). Naast deze tijdschriftartikelen publiceerde hij voorts: Problems of Psychological and Artificial Intelligence (1973); Are Subjective Probabilities Probabilities? (samen met Wagenaar, W.A., 1974).

Als u een bepaald woord hier niet kunt vinden, raadpleeg dan het zoekregister (blz. 3 en verder).

Meer biografische gegevens treft u aan bij de andere basisgebieden. Raadpleeg steeds eerst het zoekregister (blz. 3 e.v.). Daar vindt u een complete lijst van alle begrippen (en persoonsnamen!) die in dit woordenboek voorkomen.
Als er naar uw mening (hier of elders) namen of woorden ontbreken, die volgens u in een volgende druk wel zouden moeten worden opgenomen, dan verzoeken wij u vriendelijk contact op te nemen met de uitgever: Van Loghum Slaterus, Postbus 23 Deventer. Bij voorbaat dank voor de moeite!

Basisgebied:
Methodenleer

Sectie:
Tests

Ambigu
Letterlijk: dubbelzinnig. In de psychologie spreekt men over ambigue prikkels of ambigu materiaal. Men bedoelt hiermee materiaal dat op meerdere manieren uitgelegd of aanschouwd kan worden, wegens dubbelzinnigheid of vaagheid van dit materiaal. Inktvlekken van de Rorschachtest zijn ambigu.
Zie ook: Rorschachtest.

Antwoordtendentie
Neiging van personen om antwoorden te geven, die beïnvloed zijn door de vraagstelling, de volgorde van de vragen etc. in een test of vragenlijst.
Voorbeeld: wanneer iemand bij een test vijf maal achtereen 'ja' heeft gezegd, zal hij geneigd zijn de zesde maal 'nee' te antwoorden. Hij verwacht dat de samensteller van de test nooit zoveel 'ja'-vragen achter elkaar kan hebben gezet...
Synoniemen: Response set/Response stijl.

Associatietest
Associatie = samenvoeging, vereniging.
Een type psychologische test waarbij de geteste persoon meestal een zin moet aanvullen. Voorbeeld: mijn vader is...
Zie ook: Zinaanvullingstest.

Bipolariteit
Letterlijk: tweepoligheid. Woordpaar dat bestaat uit twee tegengestelde woorden. Voorbeelden: hard-zacht, wit-zwart, mooi-lelijk. Bipolariteiten gebruikt men bij een bepaald type vragenlijsten, waar de proefpersoon moet aangeven wat het meest van toepassing is (mijn werk is: prettig-onprettig, zwaar-licht etc.). Dit soort vragenlijsten heet semantische differentiaal.
Zie ook: Semantische differentiaal.

Directe test
Test waarbij redelijkerwijze aangenomen mag worden dat de geteste persoon bekend is met het doel van de test. Zoals bij een intelligentietest: het meten van intelligentie.
Zie ook: Intelligentietest/Indirecte test.

Educated guess
Letterlijk: gok met kennis (Engels). Het goed raden van het juiste antwoord op een testvraag. Bij een multiple choice vraag raadt men vaak eerder het correcte dan het foutieve antwoord, ook wanneer men denkt het antwoord niet te weten. Dit komt omdat men toch wel enige kennis bezit over het onderwerp in ruime zin.
Zie ook: Multiple choice vraag.

Geijkte psychologische test
Een test die in alle opzichten uitgetest is, op allerlei groepen en in allerlei geografische gebieden. Een geijkte test is altijd genormeerd. Zo'n test is gevalideerd en de betrouwbaarheid is bekend. Men weet wat men eraan heeft. Slechts weinig Nederlandse tests zijn geijkt. Het ijken is een langdurige en kostbare geschiedenis.
Zie ook: Validiteit/Betrouwbaarheid.

Groepstest
Psychologische test die tegelijkertijd aan vele personen (groep) wordt afgenomen. Voordelen hiervan in vergelijking met de individuele test zijn: tijdbesparing, geldbesparing en veelal de mogelijkheid om de testresultaten machinaal te verwerken.

IJken
Meet- en weegtoestellen toetsen aan de gestelde eisen. Wanneer aan deze eisen wordt voldaan kan een merk, goedkeuringsteken worden verstrekt ('garantiebewijs').
Zie ook: Geijkte psychologische test.

Indirecte test
Test waarbij de geteste persoon niet weet wat de test meet, waartoe de test dient (en wat er met de testresultaten gebeurt).
Zie ook: Directe test.

Individuele test
Psychologische test die aan één persoon wordt afgenomen, i.t.t. een groepstest.
Zie ook: Groepstest.

Ipsatieve schaal
Ipse (Latijn) = zelf.
Een test waarbij men het gedrag van de onderzochte persoon zelf als standaard gebruikt. Voorbeeld: een schaal waarmee men de genezing van de patiënt aantoont. Verbetering en verslechtering van diens toestand wordt vergeleken met eerdere metingen op deze schaal.

Leugenschaal
Een schaal die in een aantal psychologische tests voorkomt en aangeeft of iemand consequente antwoorden geeft ('niet liegt').

Lokale norm
Lokaal = plaatselijk.
Een norm die alleen geldt op een bepaalde plaats (in een bepaald gebied, provincie bijvoorbeeld).
Zie ook: Landelijk genormeerde psychologische test.

Meervoudige-keuzevraag
Een type vraag dat in een aantal psychologische tests voorkomt. Bij de vraag zijn verschillende antwoordmogelijkheden gegeven. Het juiste antwoord

moet door de geteste persoon worden gekozen en aangekruist.
Voorbeeld: een beitel is:
a. een vogel,
b. een stuk gereedschap,
c. een gat in het ijs,
d. een soort nagerecht.
Synoniem: Multiple choice vraag.

Mental testing movement
Letterlijk (Engels): geestelijke test beweging. Een stroming binnen de psychologie, eind vorige eeuw, die psychologische tests ontwikkelde. Deze stroming was geen hechte 'school' in de psychologie, maar bestond uit een aantal personen, die meenden dat tests belangrijk waren. Tegenwoordig is elke psycholoog hiervan overtuigd. De stroming is opgenomen in de psychologie.
Zie ook: Scholen in de psychologie.

Multiple choice test
Test die bestaat uit uitsluitend meervoudige-keuzevragen.
Zie ook: Meervoudige-keuzevraag.

Multiple choice vraag
Letterlijk: meervoudige-keuzevraag. Een testvraag waarbij één van de gegeven antwoorden correct is.
Synoniem: Meervoudige-keuzevraag.
Zie ook: Meervoudige-keuzevraag.

Niveautest
Soort psychologische test die wordt gekenmerkt door de opklimmende moeilijkheidsgraad van de testvragen. De eerste vragen zijn uiterst gemakkelijk, voor iedereen; zij worden steeds moeilijker.

Osgood schaal
Reeks vragen (vragenlijst) bestaande uit bipolariteiten (twee polen).
Voorbeeld: mijn werk is: prettig-onprettig, licht-zwaar, mannenwerk-vrouwenwerk, etc. Ontwikkeld door de Amerikaanse psycholoog Charles Osgood.
Synoniem: Semantische differentiaal.
Zie ook: Semantische differentiaal.

Paper and pencil test
Letterlijk (Engels): papier- en potloodtoets. Men bedoelt hiermee een schriftelijke, meestal intelligentietest (ja/nee antwoorden, bijvoorbeeld).
Zie ook: Intelligentietest.

Paralleltests
Twee (of meer) tests die hetzelfde begrip meten en statistisch met elkaar overeenkomen. Wie goed is in de ene test moet dit ook in de andere zijn.

Psychologische test
Toets; een meetinstrument in de psychologie om twee of meer mensen te vergelijken op een objectieve manier.
Synoniemen: Test/Toets.
Zie ook: Test.

Response set
Response (Engels) = antwoord, reactie. Set (Engels) = gewoonte.
Synoniemen: Antwoordtendentie/Response stijl.
Zie ook: Antwoordtendentie.

Response stijl
Neiging om op een bepaalde wijze een antwoord op een testvraag te geven, welke beïnvloed is door de vorm van de vraagstelling.
Synoniemen: Antwoordtendentie/Response set.
Zie ook: Antwoordtendentie.

Schaal
Een meetinstrument, zoals een psychologische test, vragenlijst (verhoudingsmaatstaf, waarmee men personen, objecten, vergelijkt).

Self rating schaal
Letterlijk (Engels): zelfbeoordelingsschaal. Test of deel van een test, waarbij de geteste persoon zichzelf beoordeelt.

Semantische differentiaal
Semantiek = leer van de *betekenis* van woorden. Differentiaal = veranderlijke grootheid.
Een soort psychologische test, ontworpen door de Amerikaanse psycholoog Osgood. De test heeft tot doel gevoelsbetekenissen van begrippen (woorden) te meten. Voorbeeld: het begrip moeder heeft voor iedereen een andere betekenis. Deze betekenis kan samenhang vertonen met iemands persoonlijkheid. De schaal is opgebouwd uit een groot aantal bipolariteiten (woordparen).
Synoniem: Osgood schaal.
Zie ook: Persoonlijkheid/Bipolariteit.

Sequentie-effect
Sequentie = volgorde.
Een effect dat bij tests en beoordelingen voorkomt. De volgorde van een bepaald aantal stimuli noopt de persoon iets of iemand, *anders* te beoordelen of aan te geven, dan dat hij bij een andere volgorde zou doen. Voorbeeld: een leraar zal bij het nakijken van proefwerken, na vier slechte blaadjes geneigd zijn het vijfde (dat ietsje beter is) een veel beter cijfer te geven dan de voorafgaande proefwerken. Het effect is subjectief (persoonsgebonden).
Synoniem: Volgorde-effect.

Snelheidstest
Soort psychologische test die als doel heeft na te gaan *hoe snel* iemand een test kan doen, en niet hoe *goed* iemand het kan doen.

Subtest
Sub (Latijn) = onder.
Onderdeel van een test. Onderdeel van een intelligentietest bijvoorbeeld. De meeste intelligentietests bestaan uit een aantal subtests.

Test
Test is het Engelse woord voor toets; meetinstrument dat volgens een systematische, meestal objectieve methode, twee of meer mensen vergelijkt. De test is het meetinstrument bij uitstek van de psycholoog.
Synoniemen: Psychologische test/Toets.

Testangst
De bezorgdheid van een te testen persoon, dat hij het er slecht vanaf zal brengen. Ernstige testangst verstoort de testresultaten. (Lichte testangst is een normaal verschijnsel.)

Testbatterij
Een verzameling (aantal) psychologische tests. De batterij kan bestaan uit:
– een serie tests die altijd bij elkaar horen en gemeenschappelijke dingen meten (een vaste serie);
– een serie tests die niets gemeenschappelijks hebben, maar alleen voor één keer gezamenlijk worden gebruikt.

Testconstructie
Het vervaardigen van een psychologische test: een zéér tijdrovende en kostbare zaak.

Toeschrijvingstest
Soort psychologische test die veel op een multiple choice test lijkt. Deze vorm is echter moeilijker. De persoon moet telkens de juiste combinaties maken (items aan elkaar toeschrijven). Voorbeeld: de opdracht luidt: 'maak de juiste combinaties/de juiste paren'.

1. Haarlem	a. Friesland
2. Maastricht	b. Noord-Holland
3. Den Bosch	c. Limburg
4. Leeuwarden	d. Noord-Brabant

Zie ook: Multiple choice test.

Toets
Het Nederlandse woord voor test. (Het eigenaardige is dat het woord test vaker wordt gebruikt dan het woord toets.) Een toets is een controle (werkt het en functioneert het?) na de vervaardiging van iets. In Nederland kennen we de schooltoets. (Heeft de scholing effect en welk?)
Synoniemen: Psychologische test/Test.

Als u een bepaald woord hier niet kunt vinden, raadpleeg dan het zoekregister (blz. 3 en verder).

Volgorde-effect
Volgorde van de stimuli (bijvoorbeeld de vragen in een vragenlijst) leidt tot een bepaalde manier van antwoorden.
Synoniem: Sequentie-effect.
Zie ook: Sequentie-effect.

Waar/Niet waar item
Een meervoudige-keuzevraag in een test waarbij de persoon een uitspraak wordt voorgelegd. Hij moet deze beoordelen door aan te geven of deze uitspraak waar is, of niet waar (andere mogelijkheden zijn er niet).
Voorbeeld: IJsland is een koninkrijk.
- Waar.
- Niet waar.
Zie ook: Meervoudige-keuzevraag.

Advies
Datgene uit de rapportering, waarin de psycholoog de door hem verkregen gegevens in een raadgeving of conclusie vervat (N.I.P., 1975).

Ambivalentie
Ambo (Latijn) = beide; valere (Latijn) = waard zijn.
1. Het bestaan van twee tegengestelde houdingen of emoties (liefde en haat) binnen dezelfde persoon.
2. Het snel wisselen van emoties ten opzichte van elkaar.

American Psychological Association
(Afgekort: A.P.A.) Het eerste genootschap voor psychologen (Verenigde Staten). Momenteel de grootste 'psychologenvakbond' ter wereld. Het genootschap werd in 1891 door G.S. Hall opgericht.
Zie ook: Nederlands Instituut van Psychologen/Hall.

A.P.A.
Afkorting van American Psychological Association.
Zie ook: American Psychological Association.

Armchair psychologie
Letterlijk (Engels): leunstoel-psychologie. Een spottende naam voor de psychologie die niet experimenteel te werk ging, maar (de wildste) theorieën opstelde die nooit getoetst werden of konden worden. De armchairpsycholoog zit in zijn stoel, pijp in de mond en stelt theorieën op. (Op zich is het opstellen van theorieën natuurlijk nuttig – het is alleen wel zaak om ze wetenschappelijk te toetsen.)

Associatie
Letterlijk: samenvoeging, bijeenvoeging, verband. Een vaag en veel gebruikt begrip in diverse takken van de psychologie en de filosofie. Een relatie of verband tussen twee psychologische verschijnselen.

Astrologie
Astèr (Grieks) = ster.
Een zogenaamde occulte 'wetenschap'. Heeft niets te maken met serieuze, wetenschappelijke psychologiebeoefening. De astrologie pretendeert persoonlijkheidskenmerken te kunnen voorspellen aan de hand van de datum en het uur van de geboorte van een persoon. Dit soort 'damesblad-psychologie' is erg populair. Veel mensen kennen hun dierenriemteken en lezen met graagte elke week wat ze de komende periode kunnen verwachten op het gebied van liefde, geld en gezondheid.
Zie ook: Occulte wetenschappen.

A-typisch
Letterlijk: niet-typisch. Geval, persoon, voorwerp, gegeven, dat duidelijk afwijkt van de meerderheid. Iemand die gekleed is in een nudistenkamp is a-typisch. Een communist in een gezelschap liberalen eveneens. Dit geldt ook voor een stotteraar, een bedelaar, een spiritist etc. in de Nederlandse samenleving in het algemeen. Niet in een vereniging van stotteraars, bedelaars of spiritisten.

Basisgebieden van de psychologie
De vijf hoofdgebieden binnen de psychologie. Deze gebieden komen onder vele namen voor. De basisgebieden zijn: methodenleer, functieleer, persoonlijkheidsleer, ontwikkelingsleer en gedragsleer. De indeling is afkomstig van de Amsterdamse hoogleraar Duijker. De basisgebieden zijn theoretische pijlers van de psychologie. Een basisgebied is wat anders dan een specialisme. Specialismen zijn meestal toegepast-wetenschappelijke gebieden (praktijk).
Zie ook: Methodologie/Functieleer/Ontwikkelingsleer/Persoonlijkheidsleer/Gedragsleer.

Beslissingsproces
Proces dat voorafgaat aan het nemen van een beslissing door één of meerdere personen. Meestal wordt bedoeld alle intellectuele activiteiten bij de persoon die een beslissing neemt. Men bestudeert hoe de beslissing tot stand is gekomen. Gebeurde dit op emotionele of rationele gronden? Gebeurde het systematisch? Welke zaken speelden allemaal een rol?

Borderline
Letterlijk (Engels): grenslijn. Grensgeval wat betreft ziekte, intelligentie e.d. Een borderline geval is moeilijk te plaatsen. Voorbeeld: is deze persoon nu net wél ziek of net níet ziek?

B.P.S.
Afkorting van British Psychological Society.
Zie ook: British Psychological Society.

British Psychological Society
Britse beroepsvereniging van psychologen. Deze organisatie is een zustervereniging van de Nederlandse N.I.P. Zij is aangesloten bij de I.U.P.S. (International Union of Psychological Science).
Zie ook: Nederlands Instituut van Psychologen/International Union of Psychological Science.

Cliënt van psycholoog
Degene, die zich tot de psycholoog wendt, of tot deze wordt gezonden voor een psychologisch advies betreffende hemzelf en/of voor psychologische bijstand betreffende hemzelf, of voor een onderzoek, op grond waarvan op onpersoonlijke wijze beslissingen betreffende hemzelf kunnen worden genomen (bijv. bij kwantitatief groepsonderzoek, waarbij op grond van statistische gegevens beslissingen worden genomen omtrent selectie of indeling). Ook wanneer een advies aan derden (ouders, bedrijfsdirectie e.a.)

wordt gegeven, is de persoon over wie het advies wordt gegeven, de cliënt (N.I.P., 1975).

Comparatieve psychologie
Letterlijk: vergelijkende psychologie. Een deel van de psychologie, waarbinnen men zich bezighoudt met het op wetenschappelijke basis vergelijken van het gedrag van mens en dier.

Covert behavior
Letterlijk (Engels): bedekt, heimelijk gedrag. Gedrag dat niet gemakkelijk (met het oog) waar te nemen is. Men heeft apparatuur nodig om dit gedrag te meten of te registreren. Voorbeeld: denkprocessen, gevoelens, associaties etc. Is ook door middel van introspectie te bestuderen. Het tegengestelde is overt behavior.
Zie ook: Overt behavior/Introspectie.

De Psycholoog
Verenigingsorgaan van het Nederlands Instituut van Psychologen. Het verschijnt maandelijks en wordt uitgegeven door bovenstaande vereniging. Naast verenigingsnieuws bevat het achtergrondinformatie en populair-wetenschappelijke artikelen, zowel theoretisch als verslagen van experimenten.
Zie ook: Nederlands Instituut van Psychologen.

Deutsche Gesellschaft für Psychologie
Overkoepelende nationale organisatie in West-Duitsland voor psychologen. Deze organisatie is aangesloten bij de I.U.P.S. Zij is vergelijkbaar met het Nederlandse Instituut van Psychologen.
Zie ook: Nederlands Instituut van Psychologen/International Union of Psychological Science.

Discipline
Letterlijk: leer, kennis, wetenschap. Men gebruikt de term voornamelijk in de samenstellingen interdisciplinaire en multidisciplinaire samenwerking. Interdisciplinaire samenwerking: samenwerking tussen twee wetenschappelijke kennisgebieden. Multidisciplinaire samenwerking: samenwerking op een studiegebied met afgevaardigden van meer(dere) wetenschappen.
Synoniemen: Wetenschap/Kennisgebied.

Dossier
Het geheel van gegevens over de cliënt of proefpersoon met de interpretaties en adviezen (N.I.P., 1975).
Zie ook: Proefpersoon.

Dynamische psychologie
Overkoepelende term voor psychologische stromingen (scholen, denkrichtingen) waar men veel onderzoek verrichtte naar oorzaak en gevolg van gedrag (motieven, drives etc.). Voorbeelden: Psychoanalyse (Freud); veldtheorie (Lewin).
Zie ook: Psychoanalyse/Veldtheorie/Freud/Lewin.

Efficiency
Letterlijk (Engels): doelmatigheid. Verhouding tussen resultaat en bestede energie. De minimale tijd of energie die aan een bepaalde maximale prestatie gespendeerd is. Het betreft een optimaal punt, wat betreft de verhouding tussen tijd of energie en resultaat. Minder tijd zou een minder goed resultaat te zien hebben gegeven. Méér tijd zou geen vruchten hebben afgeworpen.

Endogene factor
Endon (Grieks) = binnen.
Van binnen uit afkomstige factor. Voorbeeld: een geestesziekte wordt bepaald door endogene factoren (de eigen persoonlijkheid) of door exogene factoren (de inwerking van de omgeving, slecht milieu etc.).
Zie ook: Exogene factor.

Epifenomeen
Letterlijk: opper(boven)verschijnsel (fenomeen = verschijnsel).
1. Een verschijnsel dat samengaat met een ander verschijnsel, zonder dat er enig verband tussen beide verschijnselen bestaat.
2. Een symptoom dat niet rechtstreeks in verband staat met de oorzaak van de ziekte.
Voorbeeld: tweeling wordt tijdens een hevig onweer geboren. (De tweeling had ook eerder of later geboren kunnen worden. Het onweer oefende geen invloed hierop uit.)

Exogene factor
Ek (Grieks) = buiten.
Term die aangeeft dat de factor in kwestie afkomstig is van buiten af en niet van binnen. Exogeen heeft veelal betrekking op de situatie, omgeving van de persoon. Het tegengestelde is endogene factor.
Zie ook: Endogene factor.

Fundamentele beroepssituatie
De situatie waarin psycholoog en cliënt of proefpersoon zich bevinden bij elk professioneel contact (N.I.P., 1975).
Zie ook: Proefpersoon.

Gedrag
Een kernbegrip uit de psychologie. Alle activiteiten van een (menselijk) organisme, die waarneembaar of registreerbaar zijn of tot waarneembare of registreerbare toestandswijzigingen leiden. (Voorbeelden van gedrag: hardlopen, huilen, denken, dromen, tot zover dit (met behulp van apparaten) te registreren is.) De term gedrag vervangt eigenlijk de termen ziel, geest, etc. als kernbegrip.

Gedrag (tijdschrift)
Nederlandstalig wetenschappelijk tijdschrift op het gebied van de psychologie. Het verschijnt zes maal per jaar. Redactie: Erasmuslaan 16, Nijmegen.

Geheimhoudingsplicht
Voorschrift dat vastgelegd is in de beroepsethiek voor psychologen. Psychologen dienen de door hen verzamelde (test) gegevens geheim te houden, wanneer door publikatie schade wordt gedaan aan de belangen van hun patiënten/cliënten.

Interdisciplinair
Inter (Latijn) = tussen, te midden van; discipline = leer, kennis, wetenschap.
Een (wetenschappelijk) kennisgebied, dat ontstaan is tussen twee (of meer) andere (wetenschappelijke) gebieden, van waaruit het 'gevoed' wordt noemt men interdisciplinair. Voorbeeld: marktonderzoek.
Zie ook: Discipline.

International Union of Psychological Science
Internationale organisatie, waarbij de meeste nationale overkoepelende psychologenverenigingen (zoals het Nederlandse Instituut van Psychologen) zijn aangesloten. Het I.U.P.S. organiseert diverse internationale congressen en geeft enige internationale vaktijdschriften uit.
Zie ook: Nederlands Instituut van Psychologen.

Interpretatie door psycholoog
Alles wat de psycholoog afleidt of concludeert uit de gegevens van en over de cliënt of proefpersoon.
Zie ook: Proefpersoon.

I.U.P.S.
Afkorting van International Union of Psychological Science.
Zie ook: International Union of Psychological Science.

Kennisgebied
Een wetenschap of een deel ervan, waarbinnen men kennis (feiten, theorieën) heeft verzameld of aan het verzamelen is. Elk kennisgebied heeft zijn eigen studieobject. Voorbeelden: psychologie; biologie; sterrenkunde (astronomie); scheikunde (chemie); natuurkunde (fysica) etc.
Synoniemen (min of meer): Wetenschap/Discipline.

Kunstpsychologie
Een psychologisch specialisme dat in Nederland en België vrijwel onontwikkeld is. Men houdt zich hier bezig met het bestuderen van het gedrag van de kunstenaar en de artistieke prestaties van de mens, gezien vanuit psychologisch gezichtspunt. Muziekpsychologie kan beschouwd worden als onderdeel van de meer omvattende kunstpsychologie.
Zie ook: Muziekpsychologie.

Als u een bepaald woord hier niet kunt vinden, raadpleeg dan het zoekregister (blz. 3 en verder).

Methodenleer
Psychologisch basisgebied; houdt zich bezig met methoden van onderzoek.
Synoniem: Methodologie.
Zie ook: Methodologie.

Methodologie
Een van de vijf basisgebieden van de psychologie. Zij houdt zich bezig met wetenschappelijke methoden van onderzoek. Methodologie bestaat uit twee gebieden: normatieve methodologie en descriptieve methodologie.
Synoniem: Methodenleer.
Zie ook: Basisgebieden van de psychologie/Descriptieve methodologie/Normatieve methodologie.

Multidisciplinair
Letterlijk: multus (Latijn) = veel; discipline = leer, kennis, wetenschap. Een (wetenschappelijk) kennisgebied, dat ontstaan is tussen een veelheid (aantal; meer dan twee) van andere (wetenschappelijke) gebieden, van waaruit het 'gevoed' wordt, noemt men multidisciplinair. Voorbeeld: politieke wetenschappen. Dit wordt gevoed door o.m. sociologie, psychologie, communicatieleer, culturele antropologie.
Zie ook: Discipline.

Muziekpsychologie
Psychologisch specialisme, dat men als onderdeel van de kunstpsychologie kan beschouwen. De muziekpsychologie is in Nederland en België vrijwel onontwikkeld. Muziekpsychologie houdt zich bezig met de studie van het muzikaal gedrag van de mens en probeert antwoorden te geven op vragen als:
a. Wat is muzikale aanleg, hoe kan die worden ontwikkeld?
b. Hoe verloopt het leerproces van iemand die een muziekinstrument leert bespelen?
c. Het appreciëren van muziek, hoe ontstaat dat?
d. Hoe verloopt de waarneming van muziek?
Zie ook: Kunstpsychologie.

Nederlands Instituut van Psychologen
Het is een genootschap, een soort 'psychologenvakbond'. (Afkorting: N.I.P.) Naar schatting is circa 75% van alle Nederlandse psychologen hierbij (vrijwillig) aangesloten. Er zijn in Nederland ruim 3.000 psychologen (begin 1976). Het N.I.P. geeft een maandblad uit (De Psycholoog) en organiseert congressen.
Zie ook: American Psychological Association.

Nederlands Tijdschrift voor de Psychologie en haar Grensgebieden
Psychologisch vaktijdschrift waarin wetenschappelijke artikelen worden opgenomen. Verschijnt achtmaal per jaar en wordt uitgegeven door Van Loghum Slaterus.

N.I.P.
Afkorting van Nederlands Instituut van Psychologen.
Zie ook: Nederlands Instituut van Psychologen.

Normatieve methodologie
Deel van de methodologie. Houdt zich bezig met het aangeven van normen, (spel)regels en waarden van het wetenschappelijk onderzoek.
Zie ook: Methodologie.

O
1. Afkorting van organisme.
2. Afkorting van omgeving (milieu).

Wordt in de psychologie gebruikt, o.m. in formules.
Zie ook: Organisme.

Occulte wetenschappen
Occultus (Latijn) = verborgen.
Verzamelnaam voor allerlei geheime, verborgen disciplines (alchemie, kabbala e.d.), die door een waas van mystiek zijn omgeven. Zij hebben meestal vrijwel niets met echte wetenschapsbeoefening te maken. Wél houden zij zich soms bezig met allerlei (gedrags)verschijnselen waar gevestigde wetenschappen geen antwoord op kunnen geven. Of het antwoord van de occulte wetenschappen erg bevredigend is, valt te betwijfelen.
Synoniem: Occultisme.

Occultisme
Geheime, verborgen disciplines (alchemie, kabbala etc.).
Synoniem: Occulte wetenschappen.
Zie ook: Occulte wetenschappen.

Opdrachtgever van psycholoog
Degene, die aan de psycholoog de opdracht geeft tot het uitbrengen van een psychologisch advies of het verlenen van psychologische bijstand (N.I.P., 1975).

Operationele definitie
Veel voorkomend soort definitie in de psychologie. Een definitie die te maken heeft met de te volgen operaties (= meetwijzen). De definitie wordt 'opgehangen' aan een meetbaar begrip en zo toegankelijk gemaakt.
Voorbeeld: creativiteit is datgene wat een creativiteitstest meet.
Zie ook: Deductie.

Overt behavior
Letterlijk (Engels): open gedrag. Gedrag dat gemakkelijk, met het oog, waar te nemen is. D.w.z. zonder meet- en registratieapparatuur. Het tegengestelde is covert behavior.
Zie ook: Covert behavior.

Psychologie (definities)
1. De wetenschap van de systematische bestudering van het menselijk gedrag, zowel van de mens als individu als van de mens in groepsverband, zowel zintuiglijk als anderszins waarneembaar gedrag als intern gedrag, mits (potentieel) waarneembaar.
2. De wetenschap van het menselijk gedrag.

3. Datgene wat psychologen bestuderen.
4. De wetenschap die gedrag en mentale activiteit bestudeert.

Psychologisch rapport
Schriftelijke vastlegging van onderzoek- of testresultaten. Een rapport dat door een psycholoog wordt uitgebracht aan zijn opdrachtgever. Het rapport is meestal een diagnose van een patiënt of een beschrijving van iemands persoonlijkheid en capaciteiten (voor selectiedoeleinden en school- en beroepskeuze). Een rapport bevat veelal advies, naar aanleiding van het psychologisch (test)onderzoek.
Zie ook: Beroepskeuzepsychologie/Rapport.
Synoniem: Rapport.

Psychologisme
Alles (willen) herleiden, terugbrengen tot datgene wat het onderwerp van studie van de psychologie is (gedrag). Dit gebeurt niet alleen door psychologen, maar ook door anderen, bijvoorbeeld sociologen. Zij herleiden dan groepsvorming tot bijvoorbeeld individueel gedrag.
Zie ook: Pedagogisme.

Psycholoog
Degene die volgens de door het N.I.P. gestelde normen bevoegd is psychologische praktijk uit te oefenen (N.I.P., 1975). Dat is bijna altijd een persoon, die met goed gevolg het doctoraal examen psychologie aan een Nederlandse universiteit of hogeschool heeft afgelegd.
Zie ook: Psychologie/Nederlands Instituut van Psychologen.

Rapport
1. Alles wat t.a.v. de rapportering schriftelijk wordt vastgelegd en aan de opdrachtgever ter hand wordt gesteld (N.I.P., 1975). Schriftelijke vastlegging van onderzoek- of testresultaten.
2. Goede relatie tussen twee individuen (bijvoorbeeld psycholoog en cliënt) in een psychologische situatie.
Synoniem: Psychologisch rapport.

Rapportering
De mondelinge of schriftelijke mededeling, gedaan door de psycholoog betreffende de cliënt of proefpersoon (N.I.P., 1975).
Zie ook: Proefpersoon.

Scholen in de psychologie
Een school is een denkrichting, een stelsel van opvattingen omtrent een bepaalde zaak. Meestal is er een voorman (leider, meester) en zijn er groepen volgelingen (leerlingen). Tussen 1890 en 1930 bestonden er in Europa en in de Verenigde Staten verschillende denkrichtingen in de psychologie. Deze stromingen bestudeerden verschillende onderwerpen, en hadden ook veelal verschillende onderzoekmethoden. De scholen werden gevormd door groepjes mensen met overeenkomende denkbeelden. De scholen bestreden elkaar soms hevig in de psychologische vaktijdschriften. De strijd is inmiddels definitief gestreden. De belangrijkste scholen waren:

Structuralisme, Functionalisme, Gestaltpsychologie, Behaviorisme, Hormische psychologie en Psychoanalyse.
Zie ook: Structuralisme/Functionalisme/Gestaltpsychologie/Behaviorisme/Hormische psychologie/Psychoanalyse.

Specifieke beroepssituatie
De situatie, zover deze met behoud van de fundamentele beroepssituatie, wordt bepaald door de aard van de opdracht (N.I.P., 1975).
Zie ook: Fundamentele beroepssituatie.

Trial
Letterlijk (Engels): proef, poging. Gelegenheid waarin een reactie zich voordoet, of zich voor zou moeten doen. Voorbeeld: hoeveel trials heeft iemand nodig om het Wilhelmus uit het hoofd te leren? Hoeveel trials heeft een proefpersoon in een experiment (of proefdier in een doolhof) nodig om een bepaalde taak te verrichten?

Variabele
Alles wat kan variëren in een (experimentele) situatie. Variabelen kunnen zijn: leeftijden, inkomens, pijn, ziekteduur, bezit van voertuigen. Een variabele moet altijd kwantitatief uitgedrukt (kunnen) worden.

Variabiliteit
Onderhevig zijn aan schommelingen, veranderingen. Elk organisme is onderhevig aan variabiliteit (slapen/waken; honger/verzadiging; prikkelbaar/gelukkig).

Ad hoc onderzoek
Ad hoc (Latijn) betekent letterlijk: tot dit, tot deze zaak, tot dit moment. Veelgebruikte term in sociaal-wetenschappelijk onderzoek. Onderzoek dat in principe slechts één keer wordt verricht, om één bepaald probleem op te lossen. Doel is meestal problemen die men *nu* heeft, *nu* op te lossen. Het betreft een eenmalige meting, i.t.t. een psychologische test, die meermalen wordt gebruikt.
Zie ook: Test.

Afhankelijke variabele
De variabele in een onderzoek, waarvan de waarden aan verandering onderhevig zijn door verandering van de onafhankelijke variabele. De afhankelijke variabele wordt *niet* door de experimentator gemanipuleerd. De onafhankelijke wél. Men *meet* de afhankelijke variabele. Voorbeeld: hoe reageert men op testvragen (= afhankelijke variabele) als men hongerig is, afgeleid wordt door muziek, een vliegtuig overvliegt etc.
Zie ook: Onafhankelijke variabele/Variabele.

Basic research
Letterlijk (Engels): fundamenteel onderzoek. Laboratoriumonderzoek dat theoretisch de basis van een wetenschap (of een deel daarvan) moet vormen. Het betreft veelal ook het ontwikkelen van nieuwe instrumenten (tests), methoden en technieken.
Synoniemen: Fundamenteel onderzoek/Zuiver wetenschappelijk onderzoek.
Zie ook: Laboratorium.

Biased sample
Biased (Engels) = bevooroordeeld, scheef. Sample (Engels) = steekproef, monster.
Synoniem: Scheefgetrokken steekproef.
Zie ook: Scheefgetrokken steekproef.

Bootstraps-effect
Letterlijk (Engels): voetangel, val. Het verwisselen van criterium en voorspeller bij een test. Bijvoorbeeld: eerst valideert men een intelligentietest met behulp van leraren. (Een hoog I.Q. moet overeenkomen met een goed oordeel van de leraar.) Nadat de test is gevalideerd, gebruikt men de intelligentietest op omgekeerde manier: men voorspelt schoolsucces (aan de leraar) met behulp van de intelligentietest.
Synoniem: Münchhausen-effect.

Als u een bepaald woord hier niet kunt vinden, raadpleeg dan het zoekregister (blz. 3 en verder).

Case study
Case (Engels) = geval, zaak; letterlijk: bestudering van een geval.
De studie van één enkel (ziekte)geval binnen de psychologie. Dit in tegenstelling tot een experiment, waarin het vrijwel altijd om meer gevallen (personen) gaat.
Synoniem: Casuïstiek.

Casuïstiek
Casus (Latijn) = geval.
Bestudering van één geval.
Synoniem: Case study.
Zie ook: Case study.

Checklist
Letterlijk (Engels): controlelijst.
Een hulpinstrument bij het voeren van open interviews en gesprekken. Op deze lijst staan de onderwerpen die in het gesprek ter sprake moeten komen. Het is geen gestructureerde vragenlijst, meer een gesprekshandleiding.

Controlegroep
Een groep proefpersonen in een experiment die als contrast dient voor de experimentele groep. Voorbeeld: experimentele groep A krijgt tijdens een experiment een behandeling met therapie a. Controlegroep B krijgt geen behandeling. Wat is, na het experiment, het verschil tussen A en B?
Zie ook: Matching/Experimentele groep/Experiment.

Dagboekmethode
Een techniek in het sociaal-wetenschappelijk onderzoek, waarbij een persoon een dagboek bijhoudt (notities maakt) van de dagelijkse gebeurtenissen, meningen, activiteiten etc. Doel is van dag tot dag (regelmatig) gegevens te verzamelen. Deze gegevens kunnen zijn: werking van geneesmiddelen, kijken naar TV-programma's, kopen van produkten, lichamelijke klachten etc.

Delphi methode
Delphi: de stad in het oude Griekenland, waar priesteressen de toekomst aan personen voorspelden. Een techniek die gebruikt wordt om de toekomst (op bepaalde gebieden) te voorspellen. Men vraagt een groep experts op een bepaald gebied, aan te geven welke gebeurtenissen en trends *zij persoonlijk verwachten.* Al deze denkbeelden worden verzameld. Hierop wordt een voorspelling gebaseerd.

Descriptief onderzoek
Letterlijk: beschrijvend onderzoek. Een type onderzoek in de psychologie. Een descriptief (beschrijvend) onderzoek heeft als doel zekere zaken te registreren of te inventariseren. Descriptief onderzoek is meestal vóór-onderzoek.

Desk research
Letterlijk (Engels): onderzoek aan het bureau. Het verzamelen van

onderzoekgegevens die afkomstig zijn uit andere onderzoeken. Deze gegevens worden nu, voor een ander doel aangewend. Desk research werkt dus met 'oud bestaand materiaal'. Er wordt geen veldwerk verricht.
Zie ook: Veldwerk.

Diepte-interview
Een mondeling vraaggesprek waarvan het doel is achter dieperliggende motieven voor het gedrag te komen. Dat betekent steeds langdurig op alle relevante antwoorden dóórvragen. Het diepte-interview gebruikt men nogal eens in het kwalitatieve marktonderzoek. Voorbeeld: men probeert er achter te komen welke dieperliggende motieven er voor een consument zijn om een DAF te kopen en niet een andere auto in dezelfde prijsklasse. De naam diepte-interview raakt enigszins in diskrediet. Men spreekt liever over extended interview (= uitgebreid vraaggesprek).
Synoniem: Extended interview.
Zie ook: Interview/Kwalitatief marktonderzoek.

Double blind
Letterlijk (Engels): dubbel blind. Een vorm van experimentatie, die vooral veel gebruikt wordt bij onderzoek naar geneesmiddelen. Bij dit type onderzoek weten gebruikers *en* onderzoekers niet wie welk geneesmiddel heeft gebruikt. Men maakt gebruik van twee geneesmiddelen: een testprodukt en een placebo (een produkt, dat geen enkele uitwerking kan hebben). Voorbeeld: bij het onderzoek naar een nieuw slaapmiddel dient men aan bepaalde personen (de experimentele groep) het slaapmiddel toe, en aan anderen (de controlegroep) een vitaminepreparaat (placebo). Na afloop van het experiment gaat men na wie wat heeft gebruikt, met welk gevolgen.
Zie ook: Experimentele groep/Controlegroep/Placebo.

Dubbelzinnige vraag
Vraag in interview, enquête die op tweeërlei manier door de ondervraagde geïnterpreteerd kan worden. Het is dan ook niet duidelijk, wat er met het uiteindelijke antwoord van de ondervraagde bedoeld wordt. Dubbelzinnige vragen zijn onbruikbaar.

E
Afkorting van experimentator. Wordt gebruikt in wetenschappelijke onderzoekverslagen.
Zie ook: Experimentator.

Enquête
Letterlijk (Frans): (vragenlijst voor een) onderzoek. Ook wel het onderzoek zelf.
Synoniem: Poll/Opiniepeiling.
Zie ook: Poll.

Experiment
Wetenschappelijk onderzoek dat onder strenge, gecontroleerde voorwaarden wordt uitgevoerd. Er wordt hierbij getracht een situatie op te bouwen zonder (of met zo min mogelijk...) storende factoren. Experimenten vinden meestal

plaats in een laboratorium (maar ook wel in het veld). Doel is meestal tevoren opgestelde hypothesen te toetsen.
Synoniem: Onderzoek (wetenschappelijk).
Zie ook: Laboratorium/Hypothese.

Experimental design
Letterlijk (Engels): experimenteel ontwerp. De blauwdruk voor een wetenschappelijk onderzoek. Het geeft aan hoe het onderzoek moet verlopen, welke proefpersonen gekozen zullen worden, hoe de verwerking van de onderzoeksresultaten moet zijn, welke hypothesen getoetst zullen worden, de manier waarop etc.
Synoniem: Experimentele opzet.
Zie ook: Experiment.

Experimentator
1. Degene die een experiment leidt.
2. Degene die een experimenteel onderzoek opzet, uitdenkt, organiseert.

Experimentele groep
Een groep proefpersonen in een experimenteel onderzoek. Deze groep heeft in tegenstelling tot de controlegroep één bijzonderheid, waar het juist om te doen is. Bijvoorbeeld: de experimentele groep krijgt oefening, een geneesmiddel, een dieetkuur etc. De controlegroep krijgt niets van dat alles. Na het onderzoek wordt het verschil tussen beide groepen gemeten.
Zie ook: Matching/Controlegroep.

Experimentele ingreep
De ingreep, manipulatie, die de experimentator doet in een wetenschappelijk onderzoek. Meestal bestaat de ingreep uit het veranderen van één variabele. Men gaat dan na hoe dit de andere variabelen beïnvloedt. Bijvoorbeeld: een groep onderzochte kinderen krijgt plotseling ander speelgoed. Onderzocht wordt hoe hun gedrag zich wijzigt.
Zie ook: Experiment/Afhankelijke variabele/Onafhankelijke variabele.

Experimentele opzet
De opzet van een experiment, het ontwerp (de blauwdruk) van een experiment.
Synoniem: Experimental design.
Zie ook: Experimental design.

Experiments in real life settings
Letterlijk (Engels): experimenten in de werkelijkheid. Men experimenteert in een bestaande situatie, dus niet in het laboratorium. Men past deze onderzoekstechniek toe, omdat het niet mogelijk is op een andere manier te onderzoeken. Voorbeeld: onderzoeken wat het effect is van het ingrijpen van de politie bij een demonstratie.
Zie ook: Experiment.

Exploratief onderzoek
Exploratie = verkenning, doorzoeking.

Een hoofdtype-onderzoek in de psychologie. Meestal dient het als vóóronderzoek. In het exploratieve onderzoek worden over alle waargenomen verschijnselen direct hypothesen opgesteld. Deze worden in een ander soort onderzoek (toetsingsonderzoek) pas getoetst.
Zie ook: Hypothese/Toetsingsonderzoek.

Extended interview
Letterlijk (Engels): uitgebreid vraaggesprek.
Een extended interview is een vraaggesprek dat verder of dieper gaat dan een normaal huis-tuin-en-keuken onderzoek. Er wordt langer doorgevraagd, 'moeilijke' gespreksonderwerpen worden niet gemeden, er wordt dieper op problemen ingegaan.
Synoniem: Diepte-interview.
Zie ook: Diepte-interview.

Filtervraag
Een vraag in een interview (enquête) waarmee men een aantal personen wil selecteren. Voorbeeld: een vraag over autobezit. Hierna kunnen aan autobezitters vragen worden gesteld (over het verkeer, weggebruikers, etc.).

Fundamenteel onderzoek
Wetenschappelijk onderzoek, dat nogal fundamenteel van aard is; onderzoek dat geen direct praktisch nut heeft, maar dat voor de wetenschap van zeer groot belang is, omdat anderen er op kunnen voortbouwen.
Synoniemen: Basic research/Zuiver wetenschappelijk onderzoek.
Zie ook: Basic research.

Gesloten vraag
Vraag (in een enquête) waarop de proefpersoon alleen maar op één bepaalde manier kan antwoorden (ja/nee, bijvoorbeeld). Voorbeeld: vindt u dat Nederland een koninkrijk moet blijven? ja/nee.
Tegengestelde: open vraag.
Zie ook: Open vraag/Enquête.

Groepsdiscussie
Vorm van sociaal-wetenschappelijk onderzoek waardoor men met behulp van een *open* discussie met een aantal (meestal tien à twaalf) personen achter dieper liggende motieven hoopt te komen. Het kan gaan om bijvoorbeeld aankoopmotieven of om meningen over politieke kwesties etc. Vaak dient de groepsdiscussie als vóórstudie voor een groot onderzoek. Wordt veel gebruikt in het marktonderzoek. De resultaten dienen alleen als aanwijzing (indicatie) te worden gebruikt.

Heuristische methode
Heuristiek = kunst van het (uit)vinden.
1. Onderzoekmethode die leidt tot nieuwe denkwijzen en ideeën.
2. Het zoeken naar deze denkwijzen en ideeën.

Instrumenteel-nomologisch onderzoek
Nomologisch betekent wetkundig.
Een hoofdtype onderzoek in de psychologie, waarbij door middel van een instrument, meestal een test, wordt getracht bijdragen te leveren aan de theorie. Meestal gebeurt dit door experimentatie.
Zie ook: Test/Theorie.

Intensive studies of field situations
Letterlijk (Engels): diepgaande studies over (in) veldsituaties.
I.t.t. surveymethoden beperkt men zich hier tot kleinere groepen mensen, zoals schoolklassen, bepaalde bedrijven e.d. Voorbeeld: men bestudeert zeer diepgaand de gewoonten van een bepaalde groep studenten in een bepaalde studentenflat. (Dus niet: het wonen van Nederlandse studenten.)
Zie ook: Survey methode.

Interpretatief-theoretisch onderzoek
Een hoofdtype onderzoek in de psychologie. Het staat min of meer voor 'kamergeleerden-onderzoek'. De onderzoeker (theoreticus) gaat een aantal (al dan niet experimentele) studies na en probeert zekere theorieën en hypothesen op te stellen over verbanden die hij hierin meent waar te nemen. Samenvatten van verschillende onderzoekresultaten, van verschillende onderzoekers, in één theorie.
Zie ook: Theorie/Hypothese.

Interview
Mondeling vraaggesprek. In de loop der tijden heeft men technieken ontwikkeld om interviews zo goed mogelijk te laten verlopen. Het interview wordt in de meeste psychologische specialismen toegepast, om gegevens te verkrijgen.
Synoniem: Vraaggesprek.

Introspectie
Letterlijk: naar binnen kijken. Het beschrijven van de eigen gevoelens tijdens een experiment. De proefpersoon zegt de experimentator hoe hij zich voelde, waaraan hij dacht, wat hij vermoedde etc. Introspectie was in vroeger tijd een belangrijke methode van psychologisch onderzoek. De Behavioristen keerden zich tegen de introspectie als methode. Toch is het in sommige onderzoekingen zeer bruikbaar.
Zie ook: Experiment/Behaviorisme.

Kluger Hans
Een Duits wonderpaard waarvan men meende dat het in staat was te rekenen. Het dier gaf correcte antwoorden op rekensommetjes door met zijn hoef op de grond te tikken. Na verloop van tijd kwam men er achter dat het paard niet rekende, maar nauwkeurig op zijn meester lette. *Zonder het te weten* gaf deze door onwillekeurige bewegingen 'het juiste antwoord aan' (dichtknijpen van de handen, stemverheffing etc.). Kluger Hans is een klassieke waarschuwing voor onderzoekers: er zijn vele factoren waarmee je in een onderzoek rekening moet houden!

Laboratorium
Een ruimte of een complex van ruimten waarbinnen men wetenschappelijk onderzoek verricht. Het laboratorium staat meestal vol met allerlei meetapparatuur en is meestal vrij van geluiden en andere storingen van buitenaf. Er zijn vele soorten laboratoria: chemische, natuurkundige, maar ook psychologische.

Laboratoriumdier
Dier dat in een (psychologisch) laboratorium bij onderzoek betrokken is: rat, konijn, aap, duif etc. Onderzoek wordt verricht naar allerlei zaken: leren, reactie, groepsgedrag etc. De dieren worden goed behandeld. Er wordt in psychologische laboratoria geen vivisectie gepleegd.
Synoniem: Proefdier.
Zie ook: Proefdier.

Laboratoriumonderzoek
Een onderzoek in een laboratorium. Experimenteel-wetenschappelijk onderzoek gebeurt vrijwel altijd in een laboratorium.
Zie ook: Laboratorium/Experiment.

Laboratoriumrat
Rat (meestal een witte) die in een laboratorium bij onderzoek is betrokken.
Zie ook: Witte rat.

Leading question
Letterlijk (Engels): leidende vraag. Suggestieve vraag, die het antwoord in een bepaalde richting leidt. Voorbeeld: vindt u ook niet dat de reclame op de TV moet worden afgeschaft?
Synoniem: Suggestieve vraag.
Zie ook: Suggestieve vraag.

Leereffect
1. Effect van een leeronderzoek (proefpersoon kan rijtje woorden uit zijn hoofd opzeggen).
2. Een vertekening bij onderzoekresultaten die veroorzaakt is doordat de proefpersoon of ondervraagde intussen iets geleerd heeft. Dit ligt buiten het onderzoek, maar oefent er wel invloed op uit.
Voorbeeld: wanneer iemand in een half jaar twee maal dezelfde psychologische test aflegt zal hij de tweede keer betere resultaten behalen. Hij 'kent' de test. Hij heeft iets geleerd.

Matching
Letterlijk (Engels): gelijk maken, passend maken. Het gelijk maken van de experimentele en de controlegroep, op één uitzondering na. Deze uitzondering is het punt waar het in het onderzoek om gaat. Matching geschiedt om het

Als u een bepaald woord hier niet kunt vinden, raadpleeg dan het zoekregister (blz. 3 en verder).

gevonden experimentele resultaat te kunnen toeschrijven aan deze ene uitzondering.
Zie ook: Experiment/Experimentele groep/Controlegroep.

Münchhausen-effect
Naar Baron Von Münchhausen, een figuur uit (kinder)verhaal, die allerlei wonderlijke dingen deed, o.a. zichzelf aan zijn haar uit het moeras trekken. In het wetenschappelijk onderzoek bedoelt men ermee: met behulp van een test iets voorspellen aan personen, die als criterium meegewerkt hebben aan de test.
Synoniem: Bootstraps-effect.
Zie ook: Bootstraps-effect.

Naturalistische observatie
Het observeren (gadeslaan, bestuderen) van het gedrag van dieren in hun natuurlijke omgeving. Voorbeelden: vogels in een vogelreservaat, gedrag van zeekoeien in zee. Deze vorm van studie is wetenschappelijk gezien vrij primitief, maar vaak de enig mogelijke.
Zie ook: Observatie.

Onafhankelijke variabele
De variabele die door de experimentator wordt gemanipuleerd. (De afhankelijke variabele wordt *niet* gemanipuleerd.) Men gaat na welke invloed het ingrijpen op de onafhankelijke variabele heeft op de afhankelijke. Voorbeeld: wat voor invloed heeft een bepaalde lichtsterkte op de pupil? En welke een twee maal zo sterke lichtbron?
Zie ook: Afhankelijke variabele/Variabele.

Onderzoek
Activiteit(enreeks) gericht op het verkrijgen van kennis, waarbij gebruik gemaakt wordt van bepaalde systemen en waar bepaalde regels gelden.
Voorbeeld: onderzoek naar kanker, agressie, fobieën etc.
Zie ook: Experiment.

One-way-mirror
Letterlijk (Engels): éénrichtingsspiegel. Een spiegel die aan één kant een echte spiegel is (de kant van de te observeren proefpersoon) en aan de andere kant een *doorzichtige glazen plaat* is. De onderzoeker kan zo de argeloze proefpersoon bekijken. Wordt gebruikt bij onderzoeken waar de aanwezigheid van de observator storend is en de situatie zou kunnen veranderen.
Synoniem: One-way-screen.
Zie ook: Observeren/Proefpersoon.

One-way-screen
Doorkijkspiegel; één kant spiegel, niet doorzichtig, andere kant wel doorzichtig.
Synoniem: One-way-mirror.
Zie ook: One-way-mirror.

Open vraag
Vraagtype in een enquête of test waarin de ondervraagde of geteste persoon geheel vrij is in de bewoording van zijn antwoord. Dit in tegenstelling tot een gesloten vraag. (De taak van de ondervraagde is hier teruggebracht tot het aankruisen van een antwoord of het aangeven van een gekozen antwoord aan de hand van een aantal mogelijkheden.) Bij de open vraag kan de persoon in zijn eigen woorden antwoorden. Alles wordt zo letterlijk mogelijk genoteerd (of op de band opgenomen).
Synoniem: Opstelvraag.
Zie ook: Test.

Opstelvraag
Open vraag, ondervraagde is geheel vrij in de beantwoording.
Synoniem: Open vraag.
Zie ook: Open vraag.

Paarsgewijze vergelijking
Onderzoekstechniek waarmee men telkens twee stimuli met elkaar vergelijkt. Bij in totaal vijf verschillende stimuli, heeft men te maken met tien paren. Voorbeeld: smaakvoorkeur voor groenten: doperwten of rode kool, wat vindt men het lekkerst? Waar woont men het liefst: Amsterdam of Rotterdam? Amsterdam of Maastricht? Maastricht of Rotterdam? etc.

Participerend observator
Een onderzoeker die meedoet aan bepaalde activiteiten/groepen die hij bestudeert. Hij stelt zich als actief groepslid op. Voorbeeld: het bestuderen van het gedrag van Papoea's. De onderzoeker wordt 'stamlid'.

Pilot investigation
Pilot (Engels) = loods, gids; investigation (Engels) = onderzoek.
Vooronderzoek op kleine schaal, voordat aan het werkelijke grote onderzoek wordt begonnen. Doel: eventuele fouten op het spoor komen en corrigeren.
Synoniem: Pilot study.
Zie ook: Pilot study.

Pilot study
Vooronderzoek op kleine schaal, dat als doel heeft na te gaan of het uiteindelijk te houden sociaal-wetenschappelijk onderzoek juist is qua opzet, vragen etc. De pilot study is eigenlijk een miniatuuronderzoek, dat een afspiegeling vormt van het hoofdonderzoek. Men doet het om geen fouten of missers te maken. Men onderzoekt of alles loopt zoals het lopen moet. Het is niet de bedoeling cijfermateriaal te verzamelen.
Synoniem: Pilot investigation.

Pl
Afkorting van proefleider, degene die een onderzoek (experiment) leidt.
Zie ook: Proefleider.

Pp
Afkorting van proefpersoon, degene wiens gedrag wordt onderzocht in een onderzoek of test.
Zie ook: Proefpersoon.

Proefdier
Dier dat men voor experimentele doeleinden gebruikt, in het laboratorium. In de psychologie maakt men gebruik van ratten, duiven, apen, katten, etc.
Synoniem: Laboratoriumdier.

Proefleider
Veelal afgekort tot pl. De proefleider is degene die een experiment in een laboratorium leidt. Hij is degene die instructies geeft, toezicht houdt op de voortgang van het onderzoek e.d. Hij is meestal niet de persoon die het experimentele onderzoek heeft uitgedacht.
Zie ook: Experiment/Laboratorium.

Proefpersoon
1. Veelal afgekort tot pp. De persoon die vrijwillig meewerkt aan een onderzoek dat in een psychologisch laboratorium plaatsvindt. Proefpersonen zijn vaak eerstejaars psychologiestudenten, die in het kader van hun studie verplicht zijn een aantal uren mee te werken aan experimenten van hun keuze. Zij doen hiermee ervaring op.
2. Degene die, al of niet langs de weg van persoonlijk contact, door de psycholoog wordt onderzocht of geobserveerd in verband met algemene vragen van wetenschappelijke of praktische aard (bijvoorbeeld bij researchprojecten) (N.I.P., 1975).
Synoniem: Subject.
Zie ook: Laboratorium/Experiment.

Psychologisch laboratorium
Laboratorium (onderzoekplaats), waar psychologisch onderzoek wordt gedaan. Meestal bevinden deze laboratoria zich in universiteiten.
Zie ook: Laboratorium.

Questionnaire
Letterlijk (Frans): vragenlijst.
Lijst met vragen (voor onderzoek of test).
Synoniem: Vragenlijst.
Zie ook: Vragenlijst.

Representatieve steekproef
Representatief = vertegenwoordigend.
Een steekproef die zodanig is opgebouwd dat alle of een aantal elementen uit de populatie, waaruit de steekproef is getrokken, vertegenwoordigd zijn in de steekproef. Voorbeeld: een representatieve steekproef uit een stadsbevolking moet oude en jonge, rijke en arme, zieke en gezonde etc. personen bevatten. Elke geleding uit de bevolking moet in de steekproef voorkomen. De groep waaruit de steekproef wordt getrokken heet populatie of universum.
Zie ook: Steekproef/Populatie.

S

1. Afkorting van subject (= proefpersoon).
2. Afkorting van situatie.

Zie ook: Proefpersoon.

Scheefgetrokken steekproef
Steekproef die toevallig of opzettelijk niet representatief is voor de populatie waaruit ze getrokken is. Voorbeeld: een bevolkingssteekproef die te veel oudere personen telt.
Synoniem: Biased sample.
Zie ook: Steekproef/Populatie/Representatieve steekproef.

Steekproef
Een op een bepaalde wijze geselecteerd deel van een populatie. Meestal gaat het om een representatief deel van deze populatie. Een steekproef van personen is vergelijkbaar met een monster of proef van bijvoorbeeld een partij thee, tabak of kaas. Men neemt aan dat dit monster representatief is voor de gehele partij. Men behoeft dan niet de gehele partij te onderzoeken.
Synoniem: Monster.
Zie ook: Populatie/Representatieve steekproef.

Subject
De persoon die aan een onderzoek meewerkt, wiens gedrag wordt onderzocht, of die wordt getest.
Synoniem: Proefpersoon.
Zie ook: Proefpersoon.

Suggestieve vraag
Vraag in een interview, enquête, die slecht geformuleerd is. De vraagstelling geeft aan in welke richting de ondervraagde of geteste persoon het antwoord moet zoeken.
Voorbeeld: vindt u ook niet dat de belastingen in Nederland te hoog zijn? Een ondervraagde is snel geneigd 'ja' te zeggen. De vraag zou moeten luiden: hoe staat u tegenover de hoogte van de belastingen in Nederland? (Beter nog: specificeren welke belasting.)
Synoniem: Leading question.

Toegepast wetenschappelijk onderzoek
Onderzoek zoals dat in de praktijk (industrie bijvoorbeeld) wordt gedaan. Hier dienen problemen op meestal korte termijn te worden opgelost. Men maakt hierbij gebruik van meestal reeds beproefde wetenschappelijke onderzoekmethoden. I.t.t. zuiver wetenschappelijk onderzoek is men hier niet geïnteresseerd in het bedrijven van wetenschap of om de wetenschappelijke kennis (van fundamentele aard) te vergroten.
Zie ook: Basic research.

Toetsingsonderzoek
Een van de hoofdvormen van onderzoek in de psychologie. Het toetsingsonderzoek is meestal een experiment waarin tevoren opgestelde hypothesen worden getoetst.

Zie ook: Experiment/Hypothese/Toetsen/Statistische toets.

Veldobservatie
Onderzoekmethode (eigenlijk vrij primitief) waarbij men in het veld observeert: het gedrag van zeemeeuwen bijvoorbeeld.
Synoniem: Naturalistische observatie.
Zie ook: Naturalistische observatie.

Veldwerk
Het werk dat de (sociaal-wetenschappelijk) onderzoeker in het veld doet. Onder veld verstaat men: de alledaagse werkelijkheid. Veldwerk omvat het verzamelen van meningen van mensen, de antwoorden op vragenlijsten etc.

Vraaggesprek
Gesprek tussen (meestal) twee personen, waarbij de een (meestal aan de hand van een vragenlijst) vragen stelt aan de ander. Veel gebruikte methode in de psychologie, sociologie, het marktonderzoek, etc.
Synoniem: Interview.
Zie ook: Interview.

Vragenlijst
Een al dan niet gestandaardiseerde lijst met vragen. Invulling geschiedt óf door de ondervrager óf door de ondervraagde zelf. Vragenlijsten gaan meestal maar over één enkel onderwerp. Vragenlijsten gebruikt men in vrijwel elk psychologisch specialisme, zowel bij experimenten in laboratoria, als in de praktijk.
Synoniem: Questionnaire.
Zie ook: Test/Poll.

Witte rat
Het meest gebruikte proefdier in de psychologie. Men maakt gebruik van de rat, omdat deze:
- klein is (gemakkelijk hanteerbaar),
- volgens aanname basisgedrag (van de mens) vertoont,
- zich snel voortplant,
- goedkoop is (geringe voedselbehoefte).

Synoniem: Laboratoriumrat.

Zuiver wetenschappelijk onderzoek
Voor de wetenschap(sbeoefening) zeer belangrijk, fundamenteel onderzoek, waarop anderen kunnen voortbouwen. Nut van dit soort onderzoek ligt niet in het praktische vlak.
Synoniem: Basic research/Fundamenteel onderzoek.
Zie ook: Basic research.

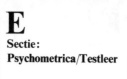

Begripsvaliditeit
Een vorm van validiteit. Het is de vraag naar het begrip dat gemeten wordt. Wordt dit begrip wel gemeten (door de desbetreffende testvragen)? Wat meten we eigenlijk? Voorbeeld: begripsvaliditeit van het begrip intelligentie. Meet de intelligentietest (met zijn testvragen) eigenlijk wel intelligentie? Of meet het creativiteit? Het bepalen van de begripsvaliditeit is lastig en tijdrovend.
Zie ook: Validiteit.

Beperkt genormeerde psychologische test
Een psychologische test die slechts op bescheiden schaal, en niet landelijk, genormeerd is. De normen gelden dan voor één beperkt geografisch gebied, zoals een stad, of een bepaalde school.
Zie ook: Landelijk genormeerde psychologische test/Test.

Betrouwbaarheid
Een betrouwbare test is een test waarbij men vindt dat de testresultaten stabiel blijven. Het is 'de mate waarin metingen repeteerbaar zijn'. De betrouwbaarheid van een test neemt toe met de lengte van de test.
Zie ook: Test.

Betrouwbaarheidscoëfficiënt
Een betrouwbaarheidscoëfficiënt is niets anders dan een correlatie-coëfficiënt. Het gaat dan om de correlatie tussen (bijvoorbeeld) twee gedeelten van een test.
Zie ook: Correlatiecoëfficiënt/Psychometrica/Test.

Coëfficiënt van de item-consistentie
In een cijfer uitgedrukte mate van samenhang van alle testvragen. Elke testvraag beschouwt men theoretisch als een aparte test. Men berekent de correlatiecoëfficiënt van alle testvragen.
Synoniem: Homogeniteitsindex.
Zie ook: Methode van item-analyse/Correlatiecoëfficiënt.

Coëfficiënt van de equivalentie
De correlatiecoëfficiënt van twee parallelle delen van een test. De mate van samenhang tussen twee delen van een test, uitgedrukt in een cijfer.
Zie ook: Parallelvormmethode/Correlatiecoëfficiënt.

Als u een bepaald woord hier niet kunt vinden, raadpleeg dan het zoekregister (blz. 3 en verder).

Coëfficiënt van de stabiliteit
De correlatiecoëfficiënt tussen de testresultaten die verkregen zijn door dezelfde groep personen tweemaal dezelfde test af te nemen. Het geeft het constant zijn van een test aan, uitgedrukt in een cijfer.
Zie ook: Test-hertest methode/Correlatiecoëfficiënt.

Concurrente validiteit
Concurrent = gelijktijdig.
Een vorm van validiteit. Men gaat hierbij na hoe twee verschillende criteria op hetzelfde ogenblik, tegelijkertijd, met elkaar overeenkomen. Bijvoorbeeld: de patiënt vult een vragenlijstje in over zijn eigen gesteldheid. Dit vergelijkt men met een door de klinisch psycholoog ingevulde vragenlijst over deze patiënt.
Zie ook: Validiteit.

Controlevalidatie
Validering van een test met behulp van een criterium dat *buiten* deze test ligt.
Synoniem: Cross validation.
Zie ook: Cross validation.

Criterium
Norm, maatstaf om iets mee te vergelijken, te toetsen. Voorbeeld: we testen iemands handvaardigheid. Het criterium is zijn handvaardigheid in zijn werk. We kunnen dan nagaan of de test wel klopt met de werkelijkheid.
Zie ook: Cross validation.

Cross validation
Letterlijk (Engels): kruisbevestiging, -bekrachtiging. Een test, testvraag of deel van een test vergelijken met een criterium (norm), die buiten deze test ligt. Men doet dit om 'vaste grond' voor de test te krijgen. Voorbeeld: een test die succes op de middelbare school voorspelt, wordt vergeleken met de eindexamencijfers bij het schoolverlaten. Personen wier succes voorspeld is, moeten hoge cijfers halen, anders deugt de test niet.
Zie ook: Validatie.

Cut-off score
Letterlijk (Engels): af te snijden aantal punten. Grenslijn in een test, kritische score.
Synoniemen: Kritische score/Cutting score.
Zie ook: Kritische score.

Cutting score
Letterlijk (Engels): af te snijden aantal punten. Grenslijn in een test, kritische score.
Synoniemen: Kritische score/Cut-off score.
Zie ook: Kritische score.

Error
Letterlijk (Engels): fout. Fout(en) in een onderzoek, van welke aard dan ook.
Synoniem: Meetfout.

Face validity
Letterlijk (Engels): validiteit op het eerste gezicht. Het valide *lijken* van een test, zonder dat de validiteit onderzocht is.
Synoniem: Schijnvaliditeit.
Zie ook: Schijnvaliditeit.

Foutenbron
Een oorzaak van fouten, die voorkomen bij het afnemen van een psychologische test. Foutenbronnen kunnen persoonsgebonden zijn (voorbeeld: testvragen slecht beantwoorden, omdat men ziek is), en aan de situatie liggen (voorbeeld: lawaai in aangrenzende lokaal).
Zie ook: Test.

Halveerbetrouwbaarheidscoëfficiënt
De correlatiecoëfficiënt tussen twee delen van een test. Het is de mate van samenhang tussen deze twee helften, uitgedrukt in een cijfer.
Zie ook: Splitsingsmethode/Correlatiecoëfficiënt.

Homogeniteitsindex
De onderlinge mate van samenhang tussen alle testvragen van een test. Het is een correlatiecoëfficiënt.
Synoniem: Coëfficiënt van de item-consistentie.
Zie ook: Methode van item-analyse/Correlatiecoëfficiënt.

Inhoudsvaliditeit
Inhoudsvaliditeit behelst de vraag of de in de test opgenomen vragen (items) kunnen worden beschouwd als een voldoende grote en voldoende gedifferentieerde representatieve steekproef van opgaven uit de verzameling van alle mogelijke vragen.
Zie ook: Steekproef.

Instrumentele utiliteit
De nuttigheid, de doeltreffendheid van een instrument, zoals een psychologische test. Men streeft er vanzelfsprekend naar om een test te ontwikkelen die geheel meet wat men wil dat hij meet. (Maar dit lukt niet altijd even goed.)

Inter-judge reliability
Judge (Engels) = beoordelaar, rechter. Reliability (Engels) = betrouwbaarheid. Overeenstemming tussen beoordelaars.
Synoniem: Intersubjectieve overeenstemming.
Zie ook: Intersubjectieve overeenstemming.

Interne consistentie
De mate waarin testvragen (in een testvragenlijst bijvoorbeeld) alle hetzelfde meten. De onderlinge samenhang van de testvragen. Deze

samenhang is meetbaar met behulp van Kuder-Richardson formules.
Zie ook: Kuder-Richardson formules.

Intersubjectieve overeenstemming
De overeenstemming die bestaat bij een aantal beoordelaars inzake een test, onderzoek, prestatie etc. Iedere beoordelaar geeft zijn eigen subjectieve beoordeling. Bij grote overeenstemming van al deze oordelen spreekt men van intersubjectiviteit, wat echter nog niet objectief betekent.
Synoniem: Inter-judge reliability.

Item
Onderdeel, stuk, punt, nummer (Engels). Het kleinste deel van een test, een testvraag bijvoorbeeld.

Kern-item methode
Een methode die met name gebruikt wordt bij studietoetsen. De toets heeft een aantal kern(hoofd)vragen. Deze hoofdvragen onderscheiden de slechte van de goede leerlingen.
Zie ook: Studietoets.

Kritische score
Een *gekozen* grenslijn in een test. Wanneer de kritische score 100 is betekent dat, dat iedereen die 100 punten of meer heeft, geslaagd is, aangenomen zal worden, gezond is etc. Iemand die minder dan 100 punten behaalt, is gezakt, wordt niet aangenomen, is ziek, etc. De keuze van deze kritische score is belangrijk. Hierdoor maakt men de groep der geslaagden groter of kleiner.
Synoniem: Cut-off score/Cutting score.

Kuder-Richardson formules
Een serie, door de heren Kuder en Richardson ontwikkelde, statistische formules, die tot doel hebben de homogeniteitsindex van een test te meten. Men berekent hiermee de samenhang van alle testvragen in een test.
Voorbeeld van een van deze formules:

$$r_1 I = \left(\frac{n}{N-1}\right)\left(\frac{\sigma^2 t - nM_pM_q}{\sigma^2 t}\right)$$

Zie ook: Homogeniteitsindex.

Landelijk genormeerde psychologische test
Voor de desbetreffende test zijn landelijke normen aangelegd. Het gaat dan meestal om normen voor leeftijd, sociale klasse, geografische normen als stad-platteland, geslacht. Wanneer de normen bekend zijn, is de geteste persoon meteen te vergelijken met zijn 'soortgenoten', leeftijdgenoten, medestedelingen, jongens etc.
Zie ook: Test.

Leeftijdnorm
Een gemiddelde score die bij een test fungeert als standaardscore voor een leeftijdgroep. Deze normen zijn verzameld na onderzoek. Zij staan vermeld in tabellen, die bij de test horen. Voorbeeld: de testresultaten van het

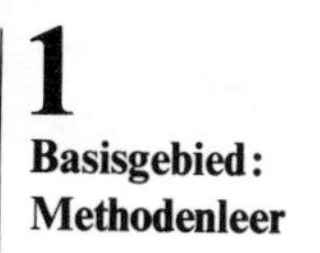

tienjarige jongetje Jan, worden vergeleken met de norm van de tienjarigen. Aan de hand hiervan trekt de psycholoog zijn conclusies. (Voorbeeld: Jan is dommer dan zijn leeftijdgenoten.)

Meetfout
Fout(en) die bij onderzoeken worden gemaakt, omdat het meetinstrument niet geheel perfect is.
Synoniem: Error.

Methode van item-analyse
Methode om de betrouwbaarheid van een test te meten. Uitgangspunt: men beschouwt alle testvragen als aparte tests. Dus een test die bestaat uit 45 vragen, ziet men theoretisch als 45 aparte tests. Men gaat na hoe het onderlinge verband is tussen de 45 vragen. Men kan nu berekenen hoe de samenhang tussen alle vragen is. Men drukt dit in een cijfer uit: de homogeniteitsindex.
Zie ook: Betrouwbaarheid/Homogeniteitsindex.

Moderator variabele
Moderator (Latijn) = leider, bestuurder.
Variabele die invloed heeft op de correlatie (samenhang) van de twee andere variabelen. Een moderator variabele is vaak: leeftijd, bepaalde persoonlijkheidstrek, opleiding, geslacht, etc.
Zie ook: Variabele.

Nationale norm
Een norm in een psychologische test, die gebaseerd is op de landelijke bevolking. De norm is tot stand gebracht aan de hand van een landelijke representatieve steekproef. Een test die landelijk genormeerd is heeft geldigheid voor het gehele land, en niet voor een bepaald gebied, zoals een test die lokaal (alleen in Brabant bijvoorbeeld), genormeerd is.
Zie ook: Representatieve steekproef.

Objectief criterium
In de psychologie spreekt men van een objectief criterium, wanneer men een resultaat van een psychologische test afzet tegen een niet psychologisch gegeven. Voorbeeld: men vergelijkt de IQ-score met de schoolcijfers van de geteste leerling. Of men gebruikt fysiologische meet- en registratieapparatuur als objectief criterium.
Zie ook: Criterium/I.Q.

Parallelvormmethode
Een onderzoekmethode waarbij men een groep personen op één dag twee paralleltests laat doen. De resultaten van beide tests worden vergeleken en de (cor)relatie tussen beide wordt berekend (men verkrijgt dan de coëfficiënt van equivalentie).
Zie ook: Paralleltests/Correlatiecoëfficiënt.

Predictieve validiteit
Predictie = voorspelling.

De predictieve validiteit van een test zegt hoe goed de test is in het correct voorspellen van toekomstig gedrag van de geteste persoon (bijvoorbeeld schoolsucces).
Zie ook: Validiteit.

Pretentie
Letterlijk: aanspraak. Bedoeling, reikwijdte van een theorie of test.

Psychometrica
Eigenlijk: het meten in de psychologie.
1. In engere betekenis: de statistiek, die nodig is voor het construeren en controleren van psychologische tests.
2. De leer van het meten en de meetinstrumenten in de psychologie.
3. De (niet-wetenschappelijke) leer van het waarzeggen/toekomst voorspellen.
Synoniem: Psychometrie.
Zie ook: Test.

Psychometrie
Het meten in de psychologie.
Synoniem: Psychometrica.
Zie ook: Psychometrica.

Schijnvaliditeit
Het geeft aan dat er mogelijk geen echte validiteit in het spel is. Een test die valide *lijkt*, maar het niet is, noemt men schijnvalide.
Synoniem: Face validity.
Zie ook: Test/Validiteit.

S.D. sleutel
S.D., afkorting van Social Desirability: sociale wenselijkheid.
Sleutel, formule, in sommige persoonlijkheidstests, waarmee men de sociaal wenselijke antwoorden er uit haalt.
Zie ook: Social desirability variabele.

Social desirability variabele
Een belangrijke variabele in persoonlijkheidstests en attitudeschalen. Men geeft vaak antwoorden op een vragenlijst, die sociaal wenselijk zijn. Dit is niet noodzakelijkerwijze het antwoord dat de persoon eigenlijk zou geven. wanneer hij eerlijk zou zijn. Voorbeeld: men geeft niet graag als antwoord, dat men in hart en nieren fascist is, of voorstander is van herinvoering van de doodstraf. (Sommigen doen het wél!)

Spearman-Brown correctieformule
Een statistische formule, die aangeeft hoe men de betrouwbaarheid van een gehalveerde (of verlengde) psychologische test kan bepalen.

De formule luidt: $r_n N = \frac{n r_1 I}{1 + (n - 1) r_1 I}$

Zie ook: Betrouwbaarheid/Test.

Splitsingsmethode
Men splitst een psychologische test in twee delen. Bijvoorbeeld in vragen met een even nummer en met een oneven nummer. Deze worden nu als twee aparte tests opgevat. De testresultaten tussen beide worden berekend en een correlatiecoëfficiënt wordt bepaald. Deze heet de halveerbetrouwbaarheids-coëfficiënt.
Zie ook: Psychometrica.

Standaardmeetfout
Schatting van de standaardafwijking van de meetfouten, die verband houden met een test. Men berekent de standaardmeetfout door het toepassen van een eenvoudige statistische formule.
Zie ook: Standaardafwijking/Meetfout.

Stanine
Afkorting van het Amerikaanse standard nine, letterlijk: standaard negen. Deze statistische maat werd ontwikkeld door Amerikaanse legerpsychologen tijdens de tweede wereldoorlog. Er werd met negen eenheden gewerkt, omdat negen het maximum aan informatie was dat in één kolom van een ponskaart kon worden opgenomen. Een groep geteste personen kan men o.a. in stanines indelen. Stanine 1 is het hoogst, 9 het laagst en 5 is het gemiddelde. Elke stanine vormt een negende deel van de verdeling van de groep (steekproef of populatie). De stanines komen overeen met de volgende percentages van de verdeling van een groep:

Stanines:	1	2	3	4	5	6	7	8	9
percentages:	4	7	12	17	20	17	12	7	4

De testprestaties van iemand in het derde stanine komen overeen met 12% van de gehele groep. Deze persoon behoort tot de 23% besten van het geheel.

Test-hertest methode
Om de betrouwbaarheid van een test te meten laat men een groep personen tweemaal dezelfde test doen. Hierna wordt de (cor)relatie tussen deze twee afnamen berekend. Deze correlatiemaat heet de coëfficiënt van de stabiliteit.
Zie ook: Betrouwbaarheid/Test/Correlatiecoëfficiënt.

Testleer
Een onderdeel van de psychologie dat zich bezighoudt met psychologische tests in het algemeen.
Zie ook: Test.

Testprofiel
Een grafische weergave van de testresultaten van een persoon, die een aantal psychologische tests heeft ondergaan. Op zo'n kaart ziet men hoe deze persoon ten opzichte van anderen (en een 'gemiddeld' persoon), de tests heeft afgelegd.

Als u een bepaald woord hier niet kunt vinden, raadpleeg dan het zoekregister (blz. 3 en verder).

Testwise
Letterlijk (Engels): testwijs. Meerdere keren psychologisch getest zijn, waardoor men 'wijsheid' over tests heeft gekregen. Personen die vaak zijn getest leren 'de klappen van de zweep' kennen. Zij maken hierdoor betere testprestaties (binnen zekere grenzen) dan personen die voor de eerste keer een psychologische test ondergaan.
Zie ook: Leereffect.

Validiteit
De mate waarin een test aan zijn doel beantwoordt. Voorbeeld: een creativiteitstest behoort creativiteit te meten (en niet iets anders).
Zie ook: Psychometrica.

Validiteitscoëfficiënt
Correlatiecoëfficiënt van voorspeller (test) en criterium (behaald tentamencijfer). De correlatiecoëfficiënt geeft door middel van een cijfer dat ligt tussen de −1 en de +1 aan, hoe groot dit verband is.
Zie ook: Correlatiecoëfficiënt/Validiteit.

Aselect getal
Letterlijk: niet-uitgezocht, niet-uitgekozen. Getal zonder enige betekeniswaarde. Zo'n getal gebruikt men (in de statistiek) bij steekproeftrekking. Er bestaan lange tabellen van deze aselecte getallen.
Synoniemen: Random number/Toevalsgetal.
Zie ook: Steekproeftrekking.

Aselectiviteit
Een steekproef is aselect wanneer *het toeval* beslist (heeft) welke elementen, objecten of mensen wél in de steekproef komen en welke niet.
Zie ook: Inductieve statistiek/Steekproef.

Attenuatie
Attenuare (Latijn) = verminderen.
Vermindering van de waarde van een correlatiecoëfficiënt door de invloed van meetfouten. Door het toeval kan de correlatiecoëfficiënt te hoog uitvallen. Er bestaan tafels waarin men kan opzoeken hoe groot de correlatiecoëfficiënt in werkelijkheid is.
Zie ook: Correlatiecoëfficiënt.

Betrouwbaarheidsniveau
Niveau, waarbij de kans dat het gevonden experimentele resultaat op toeval berust, minimaal is.
Synoniem: Significantieniveau.
Zie ook: Significantieniveau.

Binomiale toets
Bekende statistische toets, met als formule:

$$p\,(x) = (N_x)\, p^x QN\text{-}2$$

Deze toets wordt gebruikt bij verdelingen, die uit twee klassen bestaan.
Voorbeelden: man-vrouw; student-werkende jongere; ziek-gezond.
Zie ook: Statistische toets.

Centiel
Centum (Latijn) = honderd.
Statistische maat, gebaseerd op een schaal, die bestaat uit honderd gelijke delen. Dit wordt gebruikt bij psychologische tests. Een persoon die in het 28-ste centiel terecht komt is beter, meer etc., dan 27% van alle onderzochte personen. Hij is slechter, minder etc., dan 72%. Het 50-ste centiel is de mediaan. Het 25-ste en 75-ste centiel noemt men het eerste en het derde kwartiel.
Synoniem: Percentiel.
Zie ook: Mediaan/Eerste kwartiel/Derde kwartiel.

Centrale tendentie
Begrip uit de descriptieve statistiek. Tot de centrale tendenties behoren de modus, mediaan en rekenkundig gemiddelde. Een centrale tendentie geeft door middel van één cijfer aan hoe een aantal gegevens bij elkaar past.
Synoniem: Centrummaat.
Zie ook: Descriptieve statistiek/Modus/Mediaan/Gemiddelde.

Centrummaat
Een getal dat aangeeft hoe een aantal gegevens (cijfers, scores) bij elkaar past.
Synoniem: Centrale tendenties.
Zie ook: Centrale tendenties.

Chi kwadraat toets
Spreek uit: gie. Een van de meest gebruikte statistische toetsen in de sociale wetenschappen. De toets wordt gebruikt om na te gaan of gevonden percentages binnen een steekproef op toeval berusten of niet. Evenzo of de gevonden percentages tussen twee of meerdere onafhankelijke steekproeven werkelijk verschillen of dat deze verschillen aan toeval te wijten zijn.
Voorbeeld: een steekproef van Amsterdammers bevat meer neurotici dan een steekproef van Rotterdammers. Betekent dit dat er in Amsterdam meer neurotici voorkomen dan in Rotterdam? Of berust dit verschil op toevalligheden? De formule van deze toets luidt:

$$X^2 = \sum_{i=1}^{k} \frac{(Oi - Ei)^2}{Ei}$$

Zie ook: Statistische toets.

Classificatie
Het indelen van personen, objecten, testscores, ziekten, etc. in groepen of klassen volgens bepaalde criteria.

Computerkunde
Een onderdeel van de wiskunde dat zich bezighoudt met alle rekenkundige en wetenschappelijke functies en mogelijkheden van de computer.
Zie ook: Informatica.

Correlatiecoëfficiënt
Een begrip uit de statistiek, dat aangeeft hoe groot het verband is tussen twee verschijnselen. Het is een maatstaf voor de berekening van verbanden tussen verschijnselen. Symbool: r. Zij varieert (per definitie) tussen de −1 en de +1, waarbij 0 aangeeft geen enkel verband en 1 volledig verband, −1 volledig verband, maar tegengesteld. In de loop der tijden zijn nogal wat verschillende formules van de correlatiecoëfficiënt ontwikkeld. De meest bekende en gebruikte is de produkt moment correlatiecoëfficiënt.
Zie ook: Produkt moment correlatiecoëfficiënt.

Correlatieratio
Mate van samenhang tussen twee variabelen. Een soort correlatiecoëfficiënt, die als index fungeert voor niet-lineaire (rechtlijnige) correlaties.

Een hiervoor te gebruiken formule luidt:

$$h^2yx = 1 - \frac{\Sigma^a g - 1^h g^{s^2} g}{hsy^2}$$

Zie ook: Correlatiecoëfficiënt.

Curve van Gauss
De klokvormige curve, normaalverdeling, genoemd naar een van zijn belangrijkste ontwikkelaars, de Duitse wiskundige K.F. Gauss.
Synoniemen: Normale waarschijnlijkheidscurve/Normaalverdeling.
Zie ook: Normaalverdeling.

Dataverwerking
Data = gegevens.
Het behandelen van binnengekomen gegevens, cijfers, antwoorden etc. van een onderzoek. Men maakt de gegevens gereed voor de computer, maakt allerhande berekeningen etc. Het dataverwerkingsproces begint met nieuw (cijfer) materiaal en eindigt met kant en klare oplossingen (in de vorm van tabellen bijvoorbeeld).

Derde kwartiel
De waarde waar beneden 75% van de waarnemingen ligt, bijvoorbeeld testresultaten.
Zie ook: Centiel.

Descriptieve statistiek
Een vorm van statistiek waarin men zich bezighoudt met het beschrijven van de gevonden gegevens. Men voert hiervoor een aantal berekeningen uit.

Dichotomie
Dichè (Grieks) = in tweeën.
Indeling in tweeën, in twee klassen of categorieën. Voorbeeld: ja/nee antwoorden.

Distributie
Letterlijk: verdeling (ook van goederen, via winkels). De mate waarin bepaalde verschijnselen in een bepaalde groep voorkomen, verdeeld zijn. Voorbeeld: de verdeling van inkomens in Nederland. Er zijn veel mensen met een middelmatig inkomen, weinig armen, weinig rijken.
Synoniem: Verdeling.

Eerste kwartiel
De waarde waarbeneden 25% van de waarnemingen ligt, bijvoorbeeld testresultaten.
Zie ook: Percentiel.

Extrapolatie
Een term die vooral in de statistiek wordt gebruikt, maar ook daarbuiten. Uitbreiding, generalisatie, verlenging van gegevens uit onderzoek. Bijvoorbeeld het verzamelen van cijfers van het jaarlijks aantal

verkeersongevallen. De hieruit verkregen grafiek (elk jaar meer ongevallen dan het voorafgaande jaar) wordt geëxtrapoleerd: men berekent (voorspelt) hoeveel ongelukken er in 1980, 1990 en 2000 zullen plaatsvinden.

Factoranalyse
Een techniek uit de statistiek, veel gebruikt in de psychologie, die tot doel heeft het gemeenschappelijke van een groot aantal variabelen te ontdekken.

Frequentieverdeling
Een begrip uit de (inventariserende) statistiek. Het is verzamelen van gegevens van een grote groep (individuen, dingen e.d.) en vervolgens het rangschikken van al deze gegevens in volgorde. Doel van de frequentieverdeling is het toegankelijk en overzichtelijk maken van een groot aantal gegevens. Voorbeeld: schoolcijfers in een klas. Twaalf leerlingen hebben een 10, acht een 9, drie een 8, zestien een 7, etc. etc.
Zie ook: Inventariserende statistiek/Statistiek.

Gemiddelde
Statistische maat. Centrale tendentie. De som van alle scores, gedeeld door hun aantal.
Zie ook: Centrale tendentie.

Inductieve statistiek
Een vorm van statistiek. Deze houdt zich bezig met problemen van generalisaties. Dat wil zeggen: problemen rond steekproef en populatie. Voorbeeld: als uit een landelijke aselect getrokken *steekproef* in Nederland blijkt dat 5% van alle ondervraagden neurotisch is, kan men dan stellen dat 5% van de Nederlandse *bevolking* neurotisch is? De inductieve statistiek wijst op problemen rond dit soort generalisaties. Zij geeft ook oplossingen en aanwijzingen. In bovenstaand voorbeeld kan de generalisatie naar de bevolking correct zijn, wanneer aan een aantal bindende voorwaarden rond steekproeftrekking is voldaan. Met behulp van statistische toetsen kan worden nagegaan of de gevonden resultaten op toeval berusten of dat zij in de bevolking ook gevonden zouden worden.
Zie ook: Generalisatie/Populatie/Steekproef/Statistische toets/Aselectiviteit.

Informatica
Een tak van de wiskunde die zich bezighoudt met problemen van en rond de computer en met de (rekenkundige) mogelijkheden van de computer. De psychologie maakt gebruik van de informatica voornamelijk op het gebied van de mathematische psychologie en het nabootsen (simuleren) van menselijk denken door de computer.
Zie ook: Mathematische psychologie.

Input
Letterlijk (Engels): inbreng. Alle informatie die men in een computer stopt voor verwerking en experimentatie. Alles wat de hersenen opnemen (stimuli) noemt men ook wel input. Na de input komt de output (gegevens zijn verwerkt en komen de computer uit).

Intervalschaal
Statistische schaal waarmee men meet. De intervalschaal *lijkt erg veel* op de bekende meetlat. Maar het is feitelijk nog geen meetlat (in natuurkundige zin). Wel is deze schaal te zien als een verdere stap in de richting van de 'volledige' meetlat. Het belangrijkste kenmerk van de intervalschaal ten opzichte van andere schalen is, dat de intervallen, de onderlinge afstanden op de schaal, *constant* zijn. Dit betekent dat de afstanden tussen de verschillende punten vastliggen. Voorbeeld: de afstand tussen 2 en 7 is 5. De afstand tussen 13 en 18 is 5. Bij een rangordeschaal kan men niet méér zeggen dan dat dit iets groter (of kleiner) is dan dat. Bij de intervalschaal kan men zeggen dat het ene 5 (eenheden) groter of kleiner is dan het andere.
Zie ook: Rangordeschaal/Nominale schaal/Ratioschaal.

Inventariserende statistiek
Een vorm van statistiek waarbij men gegevens waarin men geïnteresseerd is, inventariseert. Deze gegevens worden zichtbaar gemaakt in tabellen, grafieken en beeldstatistieken. Het is de eenvoudigste vorm van statistiek. Voorbeeld: een tabel die bestaat uit soorten patiënten in Nederlandse ziekenhuizen, met daarbij vermeld hun aantallen.

Kolmogorov-Smirnov toets
Bekende statistische toets, genoemd naar zijn ontwerpers. De toets wordt gebruikt bij een enkele steekproef, zowel als bij twee steekproeven, getrokken uit dezelfde populatie. Zij heeft een functie bij het toetsen van rangordeningen van gegevens. Bijvoorbeeld: het rangschikken van foto's naar schoonheid van de afgebeelde mannen en vrouwen.
In eenvoudige formule uitgedrukt: $D = \text{maximum} / Fo(X) - S_n(X) /$
Zie ook: Statistische toets.

Kwartielklasse
Een kwart deel (25%) van een verdeling, van bijvoorbeeld testresultaten.
Zie ook: Centiel.

Mann-Whitney U toets
Bekende statistische toets, genoemd naar zijn ontwerpers. De toets wordt gebruikt bij twee onafhankelijke steekproeven, vooral wanneer gebruik wordt gemaakt van rangorden.
De formule voor het berekenen van de toets luidt:

$$U = n_1 n_a + \frac{n1(n1 + 1)}{2} - Ri$$

Zie ook: Statistische toets.

Mediaan
Een begrip uit de descriptieve statistiek. Het getal dat het middelste cijfer

Als u een bepaald woord hier niet kunt vinden, raadpleeg dan het zoekregister (blz. 3 en verder).

vormt van een reeks van laag tot hoog gerangschikte getallen. Voorbeeld: 1, 3, 5, 7, 9. Mediaan is 5.
Zie ook: Descriptieve statistiek/Centrale tendentie.

Meerdimensionale analyse
Een analyse van gegevens die uit meer dan twee variabelen bestaat (bijvoorbeeld enige tientallen).
Synoniem: Multivariate analyse.
Zie ook: Multivariate analyse.

Meten
Ruim geformuleerd: het toekennen van getallen aan objecten of personen om (de mate van) verschil aan te geven.

Modus
Een van de centrale tendenties. Het begrip wordt gebruikt in de descriptieve statistiek. Het modus is het getal in een cijferreeks dat het meest voorkomt. Voorbeeld: 2, 3, 5, 5, 5, 7, 7. De modus is 5. (De modale werknemer, is de werknemer die het meest voorkomt. Men doelt hierbij op zijn inkomen. De modale werknemer wordt vaak 'aangeduid' met dit inkomen.)
Zie ook: Descriptieve statistiek/Centrale tendentie.

Monster
Een willekeurig getrokken deel van een groter geheel. Een klein deel van een grotere partij (tabak, thee, kaas). Het monster heeft in principe dezelfde (kwaliteits)eigenschappen als het geheel.
Synoniem: Steekproef.
Zie ook: Steekproef.

Multidimensionaal
Multus (Latijn) = veel; dimensio (Latijn) = afmeting.
Vele, meerdere dimensies hebben; gemeten op meerdere dimensies.

Multiple correlatiecoëfficiënt
De mate van samenhang tussen enerzijds een groot aantal variabelen en anderzijds één enkele (criterium) variabele. De maat loopt per definitie van -1 naar $+1$. Zij wordt op dezelfde wijze geïnterpreteerd als de correlatiecoëfficiënt.
Zie ook: Correlatiecoëfficiënt.

Multivariate analyse
Verzamelnaam van statistische analyses van onderzoek, welke vele variabelen hebben (meer dan twee).
Synoniem: Meerdimensionale analyse.

n
Statistisch symbool voor de omvang van een steekproef, of het aantal proefpersonen. Voorbeeld: $n = 100$ betekent 100 proefpersonen of personen in een steekproef. (De omvang van de totale populatie (N) kan 1,3 miljoen Nederlanders zijn, of 200 leerlingen van de Jansenschool.)

Zie ook: Steekproef/Proefpersoon/N/Populatie.

N
Statistisch symbool voor de omvang van de populatie (waaruit een steekproef wordt getrokken). Voorbeeld: Er zijn in Nederland 1,3 miljoen linkshandigen. De populatie is dus N = 1,3 miljoen.
Zie ook: Populatie.

Nominale schaal
Statistische schaal waarmee men meet. De eenvoudigste schaal in de statistiek. Het is eigenlijk geen schaal, indien men een schaal ziet als een soort meetlat. Men spreekt van een nominale schaal wanneer men categorieën of coderingen gebruikt en deze ter vereenvoudiging een nummer geeft. Voorbeeld: wanneer men de spelers van een voetbalelftal elk een nummer geeft (de keeper is nummer één, rechtsbuiten is nummer elf etc.) hebben we te maken met een nominale schaal. Een andere nominale schaal: telefoonnummers.
Zie ook: Inductieve statistiek.

Nonparametrische statistiek
Een parameter is een constante in een vergelijking, die de curve in een grafiek bepaalt. Nonparametrische statistiek is statistiek die *niet* aan een aantal voorwaarden voldoet. (Voldoet zij hier wél aan dan spreekt men van parametrische statistiek.) Nonparametrische statistiek betreft altijd niet-normale verdelingen (van bijvoorbeeld testgegevens).
Zie ook: Normaalverdeling.

Normaal
1. Binnen zekere grenzen vallend. Men bedoelt: statistische grenzen. Voorbeeld: wanneer 80% van de bevolking steelt, is dit normaal. De 20% niet-dieven zijn dan niet normaal.
2. Aangepast, niet geestesziek, geen psychische stoornis of afwijking. Men bedoelt: normaal in klinische zin.

Normaalverdeling
Een begrip uit de statistiek dat zeer belangrijk is in de psychologie. Een normaalverdeling zegt ongeveer dat er evenveel mensen aan beide kanten van het gemiddelde zijn. Voorbeeld: er zijn evenveel zeer intelligente mensen als zeer domme mensen. Terwijl het aantal gewone, 'gemiddelde mensen' erg groot is, zijn de uitzonderlijke (slimme en domme) mensen in geringere mate aanwezig.
Zie ook: Statistiek.

Normale waarschijnlijkheidscurve
Verdeling waarbij er evenveel (mensen) aan beide kanten van het gemiddelde zijn.
Synoniemen: Normaalverdeling/Curve van Gauss.
Zie ook: Normaalverdeling.

Nul-hypothese
Soort hypothese die bestemd is voor statistische doeleinden. De nul-hypothese stelt altijd dat er *géén* samenhang is tussen twee verschijnselen. De onderzoeker hoopt altijd dat deze hypothese verworpen moet worden: er bestaat dan namelijk wél een samenhang (waar het meestal om te doen is).
Zie ook: Hypothese.

Ordinale schaal
Statistische schaal; te vergelijken met rangorde (generaal, kolonel, overste, majoor etc.). Meet: groter dan, kleiner dan.
Synoniem: Rangordeschaal.
Zie ook: Rangordeschaal.

Output
Letterlijk (Engels): uitkomst, prestatie. Alle informatie die uit een computer komt na verwerking en experimentatie. Output volgt op input.
Zie ook: Input.

Parámeter
Statistische term. Een constante in een vergelijking, die de kromme van een grafiek bepaalt. Het kan ook een constante variabele in een onderzoek zijn.

Percentiel
Een honderdste deel van een verdeling (van bijvoorbeeld testresultaten).
Synoniem: Centiel.
Zie ook: Centiel.

Populatie
Term uit de statistiek. Een verzameling van alle objecten of personen uit een zekere klasse. Dit in tegenstelling tot de steekproef, die een representatief deel van de populatie vormt. *Alle* mensen op aarde is een populatie, evenals *alle* Amsterdammers of *alle* Amsterdamse studenten.
Synoniem: Universum.
Zie ook: Statistiek/Steekproef.

Pr
In de statistiek gebruikelijke afkorting van probabiliteit (= waarschijnlijkheid, kans).

Product moment correlatiecoëfficiënt
Volledige naam van de basisvorm van de correlatiecoëfficiënt. Meestal spreekt men van correlatiecoëfficiënt zonder meer. Het is een maat voor het kwantitatieve verband tussen twee variabelen. (De mate van samenhang.) Deze correlatiecoëfficiënt staat aan de basis van een aantal 'gespecialiseerde' correlatiecoëfficiënten. In eenvoudige formule uitgedrukt:

$$r = \frac{\Sigma xy}{\sqrt{\Sigma x^2 \, \Sigma y^2}}$$

Zie ook: Correlatiecoëfficiënt.

R
Statistisch symbool voor multiple correlatiecoëfficiënt. R = 1 betekent: er is een volledige correlatie (verband).
Zie ook: Multiple correlatiecoëfficiënt.

r
Het in de statistiek gebruikelijke symbool voor product moment correlatiecoëfficiënt.
Zie ook: Product moment correlatiecoëfficiënt.

Random number
Random (Engels) = op goed geluk af, in 't wilde weg.
Getal zonder betekeniswaarde, getal dat op goed geluk is gekozen.
Synoniemen: Aselect getal/Toevalsgetal.
Zie ook: Aselect getal.

Random sample
Aselect getrokken steekproef. Steekproef die volledig op toeval berust.
Zie ook: Steekproef/Aselectiviteit.

Range
To range (Engels) = zich uitstrekken; zelfstandig naamwoord range = verspreidingsgebied.
Een begrip uit de descriptieve statistiek. De range is een spreidingsmaat die uitsluitend gebruik maakt van het grootste en het kleinste getal in een reeks cijfers (gegevens). Voorbeeld: 2, 4, 5, 5, 7, 9, 9, 11. De range is hier $11 - 2 = 9$.
Zie ook: Descriptieve statistiek.

Rangordeschaal
Statistische schaal, waarmee men meet. Dit is een schaal waarop meten echt zinvol wordt. Men heeft niet te doen met willekeurige getallen maar met min of meer 'echte' getallen. Een voorbeeld van een rangordeschaal is te vinden in het leger. De rangen in het leger lopen van laag tot hoog. Zo kennen we de indeling: soldaat, sergeant, kapitein, majoor, kolonel, generaal. (We hebben enkele rangen weggelaten, want de rij is erg lang.) Het is hierbij echter niet bekend 'hoeveel' de rang van sergeant lager is dan die van majoor. Wel is bekend hoe de indeling van laag naar hoog is (de rangorde). Zo'n rangordeschaal is goed te vergelijken met een kralenketting. De afstanden tussen de kralen doen er feitelijk niet veel toe; deze kunnen groot of klein zijn. Maar wat belangrijk is: de kralen kunnen niet langs elkaar worden geschoven, de rangorde is altijd dezelfde. In de psychologie wordt deze schaal gebruikt in onderzoeken wanneer men te doen heeft met *groter dan* en *kleiner dan*.
Synoniem: Ordinale schaal.
Zie ook: Ratioschaal/Intervalschaal/Normale schaal.

Ratioschaal
Ratio (Latijn) = berekening, verhouding.
Volledig berekenbaar, volledig meetbaar. Schaal met natuurlijk nulpunt;

alle operaties zijn toegestaan (optellen, aftrekken, delen, vermenigvuldigen).
Synoniem: Verhoudingsschaal.
Zie ook: Verhoudingsschaal/Intervalschaal/Rangordeschaal/Nominale schaal.

Ruwe score
Onbewerkte scores, gegevens. Deze gegevens worden nog bewerkt. Veelal worden ze omgezet in gestandaardiseerde scores, met behulp van een tabel of formule. Voorbeeld: de ruwe testscore 12 (bij een tienjarige) wordt met behulp van de leeftijdtabel omgezet in 14. Dit gebeurt ter wille van de vergelijkbaarheid van gegevens.

Scheve verdeling
Term uit de statistiek. Gegevens zijn niet symmetrisch verdeeld, maar komen grotendeels aan de linker- of rechterkant van de grafiek voor. Voorbeeld: de meeste verkeersongelukken komen voor in de jongste leeftijdsgroep. (Daarom moeten deze mensen ook een hogere verzekeringspremie betalen.)

Score
1. De som van alle goed beantwoorde vragen van een test.
2. De aan een prestatie of handeling toegekende cijferwaarde.

S.D.
Afkorting van standaarddeviatie, een van de bekendste spreidingsmaten. De wortel uit de variantie.
Zie ook: Standaardafwijking.

Sigma (Σ, σ)
Een Griekse letter, die overeenkomt met onze 's'. Dit symbool gebruikt men in de statistiek om mee aan te geven:
1. de sommatie (het optellen) van alle gegevens, die na het sigma-teken komen (Σ);
2. het symbool voor standaardafwijking (σ);
3. hoe ver een geteste persoon van het gemiddelde van alle testprestaties vandaan is (Iemand die 'twee sigma' boven het gemiddelde ligt, behoort tot de beste 2, 3%.)
Zie ook: Standaardafwijking.

Significantieniveau
Significant betekent letterlijk: betekenisvol. Een begrip uit de inductieve statistiek. Het is een niveau waarbij de kans dat het gevonden experimentele resultaat op toeval berust, minimaal is. Een significantieniveau van 0,05 betekent dat de resultaten voor 95% zekerheid niet op toeval berusten (en dus 'echt' zijn) en voor 5% op toeval berusten.
Synoniem: Betrouwbaarheidsniveau.
Zie ook: Inductieve statistiek/Experiment/Statistische toets.

Spreiding
Het verspreid zijn van statistische gegevens. Voorbeeld: van twee reeksen scores (1, 2, 4, 7, 9 en 1, 3, 7, 9, 13) heeft de tweede een grotere spreiding

dan de eerste.
Zie ook: Spreidingsmaten.

Spreidingsmaten
Statistische formules die de spreiding van gegevens aangeven. Het zijn maatstaven voor de spreiding. De belangrijkste zijn: variantie, standaardafwijking, range.
Zie ook: Variantie/Standaardafwijking/Range.

Standaardafwijking
Een begrip uit de descriptieve statistiek. De standaardafwijking is de wortel uit de variantie.
Synoniem: Standaarddeviatie.
Zie ook: Statistiek/Descriptieve statistiek/Variantie.

Standaarddeviatie
Een van de bekendste spreidingsmaten. De wortel uit de variantie.
Synoniem: Standaardafwijking.
Zie ook: Standaardafwijking.

Standaardscore
Een score met een vast gemiddelde en een vaste standaardafwijking. Veelal zet men ruwe scores om in standaardscores met behulp van een speciale omrekeningsformule of tabel. Doel is gegevens vergelijkbaar te maken.
Zie ook: Standaardafwijking.

Statistiek
Een onderdeel van de wiskunde, waarvan men in de psychologie veel gebruik maakt. Statistiek is een der belangrijkste hulpwetenschappen van de psychologie. Statistiek wordt wel in drie delen onderverdeeld: inventariserende, descriptieve en inductieve statistiek.
Zie ook: Inventariserende statistiek/Descriptieve statistiek/Inductieve statistiek.

Statistische groep
Eigenlijk geen groep. Het is een verzameling mensen die omschreven wordt in termen van gemeenschappelijke eigenschappen. Voorbeeld: rood haar, bejaarden, sportliefhebbers, sociale klasse etc.
Zie ook: Groep.

Statistische toets
Een begrip uit de inductieve statistiek. Een statistische operatie die tot doel heeft de significantie van een statistisch gegeven vast te stellen. Na toetsing weet men zeker of het gevonden resultaat nu 'echt' is of door het toeval tot stand is gekomen.
Zie ook: Inductieve statistiek/Significantieniveau.

Als u een bepaald woord hier niet kunt vinden, raadpleeg dan het zoekregister (blz. 3 en verder).

Steekproeftrekking
Het selecteren van een deel uit een groter geheel. Bepalen hoe de steekproef er uit moet zien, door een aantal elementen uit de populatie te kiezen. Voorbeeld: het selecteren van een aantal leden (10) van een club (100), die meegaan met een reis.
Zie ook: Steekproef/Populatie.

Subnormaal
Niet normaal, beneden normaal. Meestal bedoelt men hiermee een beneden normaal (= 100 punten) liggend I.Q.
Zie ook: I.Q.

Tetrachorische correlatiecoëfficiënt
Tetra (Grieks) = vier.
Correlatiemaat die het verband aangeeft tussen twee dichotome variabelen, d.w.z. variabelen die elk uit twee klassen bestaan. Voorbeeld: de mate van samenhang tussen geslacht (jongens versus meisjes) en het goed of fout beantwoorden van een aantal testvragen. (Indien een antwoord óf helemaal goed is óf helemaal fout.)
Zie ook: Dichotomie/Correlatiecoëfficiënt.

Toevalsgetal
Getal zonder betekeniswaarde.
Synoniemen: Aselect getal/Random number.
Zie ook: Aselect getal.

Trend analyse
Trend (Engels) = richting, verloop, neiging, tendens.
Term uit de statistiek. Aan de hand van een serie achtereenvolgende metingen stelt men het verloop van een grafische lijn vast. Met behulp hiervan voorspelt men het verdere verloop van (bijvoorbeeld) onderzoekresultaten. Men constateert een bepaalde trend ('het wordt steeds slechter').

Trichotomie
Tres (Latijn) = drie.
Indeling in drieën, drie klassen. Voorbeelden: ja/nee/weet niet antwoorden; groot/midden/klein.

T-score
Standaardscore, bij o.m. psychologische tests. T = afkorting van transformatie (= omzetting).
Zie ook: Standaardscore.

Unidimensionaal
Eén dimensie hebben; gemeten op één dimensie. Voorbeeld: bij de beoordeling wordt alleen gelet op gewicht, niet op lengte, lichaamsbouw etc.

Universum
Alle objecten of personen uit een zekere klasse. Voorbeeld: alle Amsterdammers.

Synoniem: Populatie.
Zie ook: Populatie.

Variantie
Begrip uit de descriptieve statistiek dat aangeeft hoe groot de spreiding is van een aantal gegevens.
Zie ook: Descriptieve statistiek.

Verdeling
In delen of groepen gescheiden, al dan niet volgens een bepaalde opzet.
Synoniem: Distributie.
Zie ook: Distributie.

Verhoudingsschaal
Statistische schaal, waarmee men meet. De bekende meetlat is een verhoudingsschaal. Deze schaal heeft alle eigenschappen van de andere statistische schalen, plus de eigenschap dat ze een *natuurlijk nulpunt* heeft. Dit betekent dat dit de enige schaal is waarbij vermenigvuldiging toegepast kan worden. Hier kan men niet alleen zeggen: A is groter dan B. Of: A is twintig punten groter dan B. Maar ook: A is tweemaal zo groot als B. Vergelijk de meetlat: 80 cm is meer dan 20 cm, en wel 60 cm meer, en bovendien is 80 cm viermaal zolang. Op een verhoudingsschaal zijn alle operaties (optellen, aftrekken, delen en vermenigvuldigen) toegestaan.
Synoniem: Ratioschaal.
Zie ook: Inductieve statistiek.

Wilcoxon toets
Bekende statistische toets, genoemd naar de ontwerper. Deze toets wordt gebruikt bij het vergelijken van gegevens uit twee steekproeven. Deze toets wordt vooral toegepast bij steekproeven waarin ordinale gegevens voorkomen (zoals 'groter dan'). Er worden verschillen in de grootte van paren (personen, cijfers) mee getoetst.
De formule luidt:

$$2 = \frac{3\{s(w) \pm 1\}}{\sqrt{3n_1n_2(n_1 + n_2 + 1)}}$$

Zie ook: Statistische toets.

Z-score
Standaardscore, bij o.m. psychologische tests. De z-score geeft aan de afstand van de ruwe (onbewerkte) score van een test tot het gemiddelde. Het gemiddelde van een z-score is per definitie 0. De standaardafwijking per definitie I.
Zie ook: Standaardscore/Standaardafwijking.

Ad hoc hypothese
Ad hoc (Latijn) = tot dit, tot deze zaak, tot dit moment.
Hypothese die *tijdens* een experiment, of bij de interpretatie van de resultaten wordt opgesteld. Het is niet een hypothese, die men bij de aanvang van een experimenteel onderzoek had opgesteld, om te toetsen.
Zie ook: Hypothese.

Associationisme
Een stroming binnen de filosofie, die belangrijke invloed op de psychologie heeft uitgeoefend. Uitgangspunt was dat de waarneming berust op associaties (verbanden tussen ideeën, gevoelens, etc.). De Schotse filosoof James Mill (1775–1836) was grondlegger van deze stroming.
Zie ook: Associatie.

Black box
Letterlijk (Engels): zwarte doos. In de psychologie bedoelt men hiermee een (*model* voor een nog) onbekend verschijnsel. Voorbeeld: wat gebeurt er tijdens het denken, hoe verloopt het denken? Het antwoord is er (nog) niet. Men spreekt dan van black box.

Confirmatie van een theorie
Confirmatie = bevestiging, versteviging.
Toetsing van een theorie. D.m.v. onderzoek steun verlenen aan een theorie.
Zie ook: Theorie.

Contaminatie
Letterlijk: besmetting. Men spreekt hiervan indien de onderzoeker zodanig door het experimentele onderzoek wordt beïnvloed, dat er subjectiviteit binnensluipt. Dit hoeft niet per se door de onderzoeker zelf ontdekt te worden.
Zie ook: Subjectiviteit.

Deductie
Letterlijk: afleiding. De derde fase in empirisch, wetenschappelijk onderzoek. Deductie betekent: van het algemene naar het bijzondere gaan; afleiden van. In deze fase houdt de verbijzondering in, dat men zo concreet mogelijk formuleert. De meest vergaande verbijzondering is de zogenaamde operationele definitie. Het begrip intelligentie leent zich goed ter verduidelijking. Wanneer we intelligentie willen onderzoeken, moeten we dit kunnen meten. De definitie: 'Intelligentie is het vermogen om problemen op te lossen' is een goed uitgangspunt. Maar hoe is hiermee intelligentie te bepalen? Om uit deze netelige kwestie te raken moeten we een operationele definitie invoeren. Deze is dan: intelligentie is datgene wat een meetinstrument, in dit geval een intelligentietest, meet. Intelligentie is dan

vertaald in een cijfer, een testresultaat. Een ander voorbeeld van een operationele definitie: een bierliefhebber is iemand die gemiddeld ten minste drie glazen bier per dag drinkt. Door een formulering in termen van een operationele definitie hebben we een greep op het verschijnsel. We kunnen nu intelligentie en 'liefde voor bier' meten.

Descriptieve methodologie
Descriptie = beschrijving.
Deel van de methodologie. Zij houdt zich bezig met het beschrijven van wetenschappelijke methoden, werkwijzen.
Zie ook: Methodologie.

Deterministische existentiehypothese
Soort hypothese die de grondvorm heeft: er is tenminste één A die B is.
Voorbeeld: er is tenminste één Spanjaard die goed kan voetballen.
Zie ook: Hypothese.

Distortie
Letterlijk: verbuiging, verwringing, verdraaiing. Systematische verstoring in een experimenteel onderzoek.

Economisch principe
Een principe dat geldig is in de formulering van theorieën: hoe korter en eenvoudiger de theorie, des te beter is zij.
Synoniem: Occam's razor.

Empirisch begrip
Empirie = ervaring.
Benoeming van verschijnsel, dat men in een onderzoek gevonden heeft. De onderzoekresultaten geven aanleiding de aanwezigheid van het verschijnsel te veronderstellen. Het is dus gebaseerd op een *bevinding* van een (of meer) onderzoek(en). Men is *niet* tevoren het begrip gaan opsporen.

Empirisch model
Samenvattende term voor de vijf fasen van het empirisch onderzoek. Deze fasen zijn achtereenvolgens: observatie/inductie/deductie/toetsing/evaluatie. Het betreft een ideaal model. Een leidraad voor kwalitatief goed en betrouwbaar onderzoek.
Zie ook: observatie/inductie/deductie/toetsing/evaluatie.

Empirische referentie
Empirie = ervaring; referentie = verwijzing.
Het kader waar een theorie betrekking op heeft moet door de opsteller van de theorie worden genoemd. De theorie moet worden afgebakend. Het doel hiervan is dat de opsteller van de theorie later niet kan zeggen: 'zo heb ik het niet bedoeld'.

Empirische wetenschap
Empirie = ervaring.
Wetenschap waarbij men theorieën en hypothesen toetst aan de

werkelijkheid. Dit doet men door het uitvoeren van experimenten. De psychologie is een empirische wetenschap, net als de andere sociale wetenschappen.

Environmentalistic approach
Environment (Engels) = omgeving; approach (Engels) = benadering.
Een theoretische benadering in de psychologie, die sterke nadruk legt op de invloed van de omgeving, de invloed van buitenaf op de mens.

Epistemologie
Epistèmè (Grieks) = het weten, de kennis.
Een tak van de filosofie, die zich bezighoudt met kennis. En wel met oorsprong, soorten, methoden, waarden, beperkingen van de kennis.
Synoniem: Kennisleer.
Zie ook: Filosofie.

Evaluatie
Letterlijk: op waarde schatting.
1. Bepaling van de waarde van een onderzoek of testresultaten.
2. Laatste fase van een experimenteel onderzoek. De onderzoeker tracht het behaalde experimentele resultaat in een groot kader te plaatsen. Hij stelt vast welk belang men aan de resultaten moet hechten.
De evaluatiefase houdt ook veelal interpretatie en theoretisering in. Vaak blijkt namelijk dat het gevonden resultaat ontstaan kan zijn door de invloed van verschillende factoren. Welke factor zou het belangrijkst zijn? Het kan zeer moeilijk zijn om oorzaak en gevolg te (onder)scheiden. De onderzoeker geeft dan zijn mening over hoe de samenhang zou kunnen zijn. Deze mening berust op vermoedens. Zij is niet gebaseerd op feiten.

Expliciteringsplicht
Expliciteren = iets uitdrukkelijk stellen.
De plicht die rust op de opsteller van een theorie om zijn theorie vergezeld te doen gaan van gegevens over hoe zijn theorie (het best) getoetst moet worden.
Zie ook: Empirische referentie.

Falsificatie van een hypothese
Experimenteel aantonen dat een hypothese niet juist is. De hypothese wordt terugverwezen. Zij wordt niet aangenomen.
Synoniem: Weerlegging van hypothese.
Zie ook: Hypothese/Verificatie.

Filosofie
Een van de twee wetenschappen waaruit de psychologie is voortgekomen. De andere is de fysiologie. De filosofie houdt zich bezig met de bezinning

Als u een bepaald woord hier niet kunt vinden, raadpleeg dan het zoekregister (blz. 3 en verder).

omtrent het geheel van de werkelijkheid (natuur, wereld, mens) en onze kennis. Filosofie is 'de vraag naar de mens'. Filosofie is geen experimentele wetenschap.
Synoniem: Wijsbegeerte.
Zie ook: Fysiologie.

Forum
Forum (Latijn) = rechtbank (oorspr.: vierkante open ruimte voor handel en rechtspraak).
Een abstract begrip uit de methodologie. Het forum is te zien als alle wetenschappers van een bepaald studiegebied, die door de tijden heen hun uiteindelijk oordeel geven over theorieën, vondsten, ontdekkingen en dergelijke.
Zie ook: Methodologie.

Gedragswetenschappen
Die wetenschappen die zich bezighouden met het bestuderen van het gedrag van de mens. Tot de gedragswetenschappen rekent men meestal: psychologie/sociologie/(culturele) antropologie/andragologie.

Generalisatie
Letterlijk: veralgemenisering. Een veel voorkomend begrip in de psychologie.
1. Het overbrengen van gegevens van de steekproef op die van de populatie.
2. Het verschijnsel dat een stuk gedrag overdraagbaar is op het hele gedrag of op een ander stuk gedrag dat niet werd aangeleerd.
Synoniem: transfer
Zie ook: Steekproef/Populatie/Zoörmofisme.

Hypothese
Hupothesis (Grieks) = (ver)onderstelling.
1. Een scherp en toetsbaar geformuleerd vermoeden. Meestal een deel van een grotere theorie.
2. Een uitspraak over de relatie tussen twee of meer verschijnselen.
Zie ook: Theorie.

Hypothetisch begrip
Begrip dat verondersteld wordt aanwezig te zijn, maar waarvan het bestaan (nog) niet experimenteel aangetoond is.

Hypothetisch construct
Een concept, idee, dat tussen de observatie en de resultaten van een onderzoek ligt. Het construct is theoretisch van aard. Het geeft een verklaring aan voor iets wat zeer abstract is. Voorbeeld: intelligentie (niemand heeft het ooit gezien, intelligentie verklaart bepaald gedrag), attitude, leren, etc.
Zie ook: Interveniërende variabelen.

Interveniërende variabelen
Letterlijk: tussenkomende factoren. Een hypothetische veronderstelling: alles wat zich afspeelt tussen de stimulus en de response. (Een attitude is vaak een

interveniërende variabele.) Het zijn processen die geen 'eigen leven' leiden, maar die worden geobserveerd tijdens experimenten. In feite komt het er vaak op neer dat de onderzoeker niet weet wat er gebeurt, en dat hij aanneemt (postuleert) dat er een proces plaatsvindt.
Zie ook: Variabele/Stimulus/Response.

Kennisleer
Een tak van de filosofie die zich bezighoudt met kennis (verwerving van kennis).
Synoniem: Epistemologie.
Zie ook: Epistemologie.

Kennisverzameling
Doel van (een) wetenschap. Er zijn algemene regels opgesteld over hoe deze kennis verzameld moet worden (bijvoorbeeld: via een wetenschappelijk experiment).

Logica
Een tak van de filosofie die zich bezighoudt met de principes van het redeneren.
Zie ook: Filosofie.

Model
1. Een wiskundig-geformaliseerde theorie, een in symbolen uitgedrukte theorie.
2. Een stukje werkelijkheid dat zo nauwkeurig mogelijk op kleine schaal is nagebouwd (waterloopkundig laboratorium).
Zie ook: Theorie/Laboratorium.

Nomologisch
Letterlijk: wetkundig. Men spreekt van een nomologisch netwerk: het geheel van de theorie met al haar hoofd- en deeltheorieën, hypothesen en aanverwante theorieën.
Zie ook: Theorie/Hypothese.

Objectiviteit
Werk- en denkwijze, waarbij men alleen let op de waargenomen zaak (het object) en probeert zonder vooroordelen te handelen.
Zie ook: Subjectiviteit.

Occam's razor
Razor (Engels) = scheermes.
Een principe, vuistregel, inzake de formulering van theorieën: hoe korter en eenvoudiger een theorie is gesteld, des te beter zij is.
Synoniem: Economisch principe.

Probabilistische hypothese
Probabiliteit = waarschijnlijkheid, kans.
Een vorm van hypothese die in experimenteel onderzoek wordt gebruikt.
Het is een der eenvoudigste vormen van hypothesen. Grondvorm: er zijn

meer A's dan B's. Voorbeeld: er zijn meer creatieve Limburgers dan Friezen. Zie ook: Hypothese.

Subjectiviteit
Persoonlijk, uitgaan van eigen opvattingen.
1. In de psychologie doet zich het probleem van de subjectiviteit in verschillende gedaanten voor. De psycholoog is een mens, die mensen onderzoekt. Men verwacht van hem neutraliteit, objectiviteit. Het tegengestelde van subjectiviteit. Een psycholoog mag niet bevooroordeeld zijn. Hij mag niet subjectief te werk gaan.
2. De personen die door een psycholoog onderzocht/bestudeerd worden staan meestal subjectief tegenover een bepaald onderzoek of de psycholoog. Resultaten zullen anders zijn, wanneer de psycholoog een aardige man wordt gevonden, dan wanneer deze als onsympathiek overkomt.

Theorie
Een systeem van logisch, samenhangende, met name niet-strijdige beweringen, opvattingen en begrippen betreffende een werkelijkheidsgebied, die zó zijn geformuleerd, dat het mogelijk is er toetsbare hypothesen uit af te leiden. Zie ook: Hypothese.

Toetsen
Via een (experimenteel) onderzoek nagaan of hypothesen in overeenstemming zijn met de werkelijkheid. Dat wil zeggen nagaan of de gestelde hypothese inderdaad 'uitkomt'.
Zie ook: Experiment/Hypothese/Statistische toets.

Universele deterministische hypothese
Soort hypothese die de grondvorm heeft: alle A's zijn B. Voorbeeld: alle Nederlanders zijn goede dijkenbouwers. Wanneer men één Nederlander zou vinden, die geen goede dijkenbouwer is, is de hypothese al verworpen. Zie ook: Hypothese.

Verificatie
Veritas (Latijn) = waarheid.
Een voorspelling in de psychologie, bij onderzoek, moet of uitkomen of niet uitkomen. De voorspelling moet *waar gemaakt* kunnen worden. Er is geen tussenweg mogelijk. Daarom dient een voorspelling zuiver, nauwkeurig te worden geformuleerd. Voorbeeld: 'binnenkort zal die persoon rijk worden'. Wat is binnenkort? Wat is rijk? Beide begrippen moeten omschreven worden.
Zie ook: Falsificatie van hypothese.

Waardenvrijheid
De filosofie, dat wetenschapsbeoefening neutraal (in o.a. politiek en godsdienstig opzicht) en geheel objectief moet zijn. Waardenvrijheid heeft te maken met de vraag naar het doel van de wetenschap en de gevolgen van wetenschappelijke arbeid. (Wat gebeurt er met door de wetenschap ontwikkelde kennis op het gebied van de kernenergie?)

Weerlegging van hypothese
De onjuistheid van een hypothese experimenteel aantonen.
Synoniem: Falsificatie van hypothese.
Zie ook: Falsificatie van hypothese.

Werkhypothese
Hypothese van zeer voorlopige aard. Zij is eigenlijk meer een richtsnoer of denkraam, dan een hypothese. Dit geldt ook voor een werktheorie.
Zie ook: Hypothese/Theorie.

Werktheorie
Theorie van zeer voorlopige aard. Richtsnoer, denkraam.
Zie ook: Werkhypothese.

Wetenschap
Het verzamelen van kennis over de werkelijkheid volgens bepaalde methoden, normen en regels, die vastgelegd of algemeen aanvaard zijn onder wetenschappers. Kenmerkend is de grote mate van systematiek in het onderzoek en het denken. Een wetenschap moet via onderzoek, volgens bepaalde normen, regels en methoden, 'ware' kennis verzamelen. Deze moet openbaar worden gemaakt, zodat deze door iedereen gebruikt en gecontroleerd kan worden.

Wetenschapsfilosofie
Een specialistisch gebied binnen de filosofie. Zij geeft regels en normen voor de wijze waarop wetenschap moet worden beschouwd. Zij geeft aan hoe wetenschap moet functioneren, wat de zin ervan is etc.
Zie ook: Wetenschap/Filosofie.

Wijsbegeerte
Nederlands woord voor filosofie. De wetenschap die zich bezighoudt met de bezinning omtrent de werkelijkheid.
Synoniem: Filosofie.
Zie ook: Filosofie.

Zeitgeist
Letterlijk (Duits): geest van de tijd. De mode, trend van onderwerpen in een bepaalde periode. Min of meer toevallig raken sommige wetenschappelijke onderwerpen in een bepaalde periode 'in'. Velen werpen zich dan op de studie van bijvoorbeeld angst, sensitivity training of sportpsychologie. Na verloop van tijd is deze voorkeur verdwenen. Een ander onderwerp wordt dan weer populair.

Zoömorfisme
Zooön (Grieks) = dier.
Het systematisch overplanten van resultaten van wetenschappelijk onderzoek bij dieren op het gedrag van mensen.
Zie ook: Generalisatie.

De namen en woorden in dit handwoordenboek zijn ingedeeld in de vijf *basisgebieden* die men in de psychologie onderscheidt:

basisgebied 1 is methodenleer
basisgebied 2 is functieleer
basisgebied 3 is persoonlijkheidsleer
basisgebied 4 is ontwikkelingsleer
basisgebied 5 is gedragsleer

Dit is

basisgebied 2

Functieleer

Elk basisgebied is onderverdeeld in een per basisgebied verschillend aantal *secties*. In *dit* basisgebied komen de volgende secties voor:

Binnen elk van de secties zijn de namen en begrippen steeds alfabetisch opgenomen.

ADVIES VOOR DE GEBRUIKER

Raadpleeg steeds eerst het zoekregister (blz. 3 en verder). Daar vindt u een complete lijst, alfabetisch gerangschikt, van alle begrippen die in dit woordenboek voorkomen.

In het zoekregister vindt u achter elk begrip de bladzijde waar u dat begrip kunt vinden.

Bekterev, V.M., 1857–1929
Vooraanstaand Russisch wetenschappelijk onderzoeker. Was student van o.a. Wundt. Hij was voorstander van een objectieve, experimentele psychologie, die hij reflexologie noemde. Is eveneens bekend geworden als organisator in de wereld van de Russische psychologie. In 1886 richtte hij het eerste (fysiologisch-)psychologische laboratorium op. Verder stichtte hij een psychiatrische kliniek en het eerste Russische herseninstituut. Hij was een der oprichters van de Russische 'psychologenvakbond' en van het Russisch vakblad voor psychologen.
Zie ook: Wundt/Reflexologie.

Berk Michotte, Albert vanden, 1881–1965
Vooraanstaand Belgisch psycholoog. Hoogleraar aan de Universiteit van Leuven. Hield zich o.m. bezig met waarnemingsonderzoek.

Bruner, Jerome, 1915–
Bruner, die hoogleraar is aan de Harvard Universiteit te Cambridge (Mass.), heeft zich beziggehouden met de functieleer. En wel voornamelijk met cognitieve processen (geheugen, perceptie, beoordeling). Had eveneens belangstelling voor het terrein van de attitudebepalingen. Hij heeft zeer veel tijdschriftartikelen in samenwerking met Postman geschreven.
Tot zijn meer omvangrijke werken behoren: A Study of Thinking, samen met Goodnow, J.J. en Austin, G.A. (1956); Opinions and Personality, samen met Smith, M.B. en White, R.W. (1956); The Process of Education, (1960); Toward a Theory of Instruction (1966); On Knowing: Essays for the Left Hand (1967).
Zie ook: Cognitie/Attitude/Functieleer.

Ebbinghaus, Hermann, 1850–1908
Ebbinghaus was hoogleraar aan de Universiteit van Halle (Duitsland). Zijn gebieden van onderzoek zijn het best te plaatsen binnen de functieleer. Hij heeft baanbrekend werk verricht in het geheugenonderzoek. Hij gebruikte zichzelf hierbij als proefpersoon. Ebbinghaus introduceerde bij dit onderzoek de nonsenswoorden in de psychologie. Eveneens zijn de retentiecurven van hem afkomstig. Tot zijn verdere verdiensten kunnen worden gerekend het oprichten van het 'Zeitschrift für Psychologie' en de constructie van een (zinaanvullings)test.
Zijn belangrijkste publikaties zijn: Über das Gedächtnis (1885); Theorie des Farbensehens (1893); Über eine neue Methode zur Prüfung geistiger Fähigkeit und ihre Anwendung bei Schulkindern (1897); Grundzüge der Psychologie (1901 en 1908); Abriss der Psychologie (1909); Relativer und Absoluter Idealismus (1909). Zijn werk en theorieën worden behandeld in o.a. Boring, E.G., A History of Experimental Psychology (1950).
Zie ook: Functieleer/Proefpersoon/Test.

Fechner, Gustav T., 1801–1887
Gustav Fechner was een veelzijdig man. Hij kan worden omschreven als fysioloog, psycholoog en filosoof. Hij was hoogleraar aan de Universiteit van Leipzig, waar hij natuurkunde doceerde. Hij was de bouwer van een nieuw stukje psychologie: de psychofysica. De psychofysica legt verbanden tussen de psychologie en de natuurkunde. Behalve onderzoek op dit terrein heeft hij zich ook beziggehouden met kleurgewaarwording. Hij stelde een wet op die nog zijn naam draagt: Wet van Fechner.
Psychologische publikaties van zijn hand: Elemente der Psychophysik (2 delen) (1860); Über die Seelenfrage (1861). Voorts schreef hij humoristische, filosofische en religieuze werken. In 1926 verscheen zijn biografie, getiteld; Fechner, door Hermann, J.
Zie ook: Psychofysica/Wet van Fechner.

Flores d'Arcais, G.B., 1936–
Hij werd in 1969 buitengewoon hoogleraar in Italië (hij is van Italiaanse afkomst) en in 1972 gewoon hoogleraar aan de Leidse universiteit (experimentele psychologie). Prof. Flores d'Arcais studeerde achtereenvolgens filosofie en psychologie in Padua, Italië (1954–1959), psychologie in het Westduitse Münster (1960–1961) en psychologie in Chicago aan de University of Illinois (1962–1963). Hij promoveerde in 1966 in Rome op een dissertatie met de korte titel: 'Habilitation'. Interesseert zich sterk voor de taalpsychologie. Zegt beïnvloed te zijn door Metzger, Miller en Chomsky. Hij heeft trouwens bij de eerste twee gestudeerd. Eveneens bij Metelli (in Italië), Osgood en Bruner.
Behalve artikelen in o.m. Psychologische Forschung, Rivista di Psicologia, Acta Psychologica en Italian Journal of Psychology schreef hij de volgende boeken: Metodi Statistici per la nuova Psicologia (1964); Introduzione alla Teori dei Test (1970); Advances in Psycholinguistics (samen met Levelt, J.W.M., 1970).

Gall, Franz Joseph, 1758–1828
Duits wetenschapper. Propagandist voor de frenologie, 'schedelknobbelkunde'. Hij reisde heel Europa af om deze 'leer' te verkondigen. Had hier niet onaanzienlijk succes mee.
Zie ook: Frenologie.

Hueting, J.E., 1927–
Is als Nederlander hoogleraar in de experimentele psychologie aan de Vrije Universiteit van Brussel (sinds 1969). Studeerde van 1952 tot 1960 aan de Universiteit van Amsterdam. Aan deze universiteit behaalde hij in 1968 de doctorsgraad op: 'Psychofysiologie van Lichamelijke Arbeid'. De volgende onderzoekgebieden hebben zijn voorkeur: voorwaardelijke reflexen, lichamelijke vermoeidheid, geestelijke vermoeidheid, amfetaminen, aandacht. Hij is één van de weinige psychologen, die zich bezighoudt met wetenschappelijk onderzoek naar sportieve prestaties. Diverse publikaties geven informatie over zijn onderzoeken op dit terrein.

Hull, Clark L., 1884–1952
Hull was hoogleraar aan het Institute for Human Relations in New Haven

(Conn.). Hij was de wiskundig georiënteerde theoreticus van het Behaviorisme. Zo was hij het brein achter de 'mathematico-deductieve theorie van het leren'. Hij heeft een 25-tal begrippen en psychologisch-wiskundige symbolen geïntroduceerd. Hij was een voorloper van de mathematische psychologie.
Publikaties: Hypnosis and Suggestibility (1933); Mathematico-deductive theory of rote learning, met Hovland, Perkins en Fitch (1940); Principles of Behavior (1943); Essentials of Behavior (1951); A Behavior System (1952).
Zie ook: Mathematische psychologie/Behaviorisme.

Klerk, L.F.W. de, 1938–
Na zijn studie psychologie (1957–1962) aan de Rijks Universiteit van Utrecht onder o.m. Langeveld, Buytendijk en Linschoten, promoveerde hij in 1968 in Leiden (de titel: Probabilistic Concept Learning: a Study with Multinormally Distributed Stimuli). De Klerk is sinds 1974 aan de Tilburgse Hogeschool verbonden als onderwijspsycholoog. Hij rekent zich tot aanhanger van de cognitieve leerpsychologie. Hij heeft invloeden ondergaan van J.P. van de Geer en Brunswik. Zijn belangstellingssfeer is in de loop der tijd veranderd. Na zich beziggehouden te hebben met diverse onderwerpen uit de functieleer (w.o. perceptie, reactietijden en het leren van begrippen), is hij (als lector) methoden en technieken van wetenschappelijk onderzoek gaan doceren. Tegenwoordig liggen zijn onderwerpen van studie binnen de onderwijspsychologie.
Enkele van zijn publikaties: Van Leerpsychologie naar Onderwijspsychologie (1974); Handboek der Psychonomie (red., 1976).

Köhler, Wolfgang, 1887–1967
Köhler was hoogleraar aan de Universiteit van Berlijn en aan een klein Amerikaans 'college' (Swarthmore). Hij was vooraanstaand Gestaltpsycholoog en ontvluchtte de Nazi's, evenals de andere Gestaltpsychologen van het eerste uur (Wertheimer, Köhler, Lewin). Hij deed onderzoek naar waarnemen, intelligentie van dieren, geheugen en onderwerpen uit de neurofysiologie. Vooral tijdens zijn zesjarig (gedwongen) verblijf op de Canarische Eilanden was hij actief onderzoeker.
Zijn voornaamste publikaties zijn: Intelligenzprüfungen an Menschenaffen (1917); Die physischen Gestalten in Ruhe und in stationären Zustand (1920); Gestaltpsychologie (1929); The Place of Value in a World of Facts (1938); Dynamics in Psychology (1940). Zijn werk als Gestaltpsycholoog wordt door hemzelf behandeld in: Köhler, W., Gestalt Psychology (1959).
Zie ook: Gestaltpsychologie/Lewin/Perceptie/Intelligentie/Geheugen.

Kremers, J., 1933–
Studeerde psychologie te Nijmegen (Katholieke Universiteit) van 1951–1957. Studeerde verder bij E.C. Tolman, aan de University of California, Berkeley, USA (1960). Promoveerde in 1960 (Nijmegen) op: Scientific Psychology and Naive Psychology. Hield zich tot 1972 bezig met onderwerpen uit de psychologische functieleer en na 1972 met het regeringsbeleid en lange termijnontwikkelingen in de Nederlandse samenleving. Was van 1965–1972 hoogleraar aan de Katholieke Universiteit van Nijmegen. Is vanaf 1972 lid van de Wetenschappelijke Raad voor het Regeringsbeleid.

Publiceerde over: Leren en Waarnemen (1964); Leertheorie (1965). Is mede auteur van een aantal rapporten aan de regering, uitgebracht door de Wetenschappelijke Raad voor het Regeringsbeleid: Europese Unie (1974); Structuur van de Nederlandse Economie (1974); Energiebeleid (1974); Milieubeleid (1974); Bevolkingprognoses (1974) en de Organisatie van het Openbaar Bestuur (1975).

Levelt, W.J.M., 1938–
Studeerde psychologie in Leiden (1955–1962) en Leuven (1959), bij J.P. van de Geer en A. Michotte, verder bij Noam Chomsky, Charles Osgood en George Miller. Promoveerde (1965, Leiden) op: 'On Binocular Rivalry'. Werd in 1969 hoogleraar in Groningen. Sinds 1971 als hoogleraar verbonden aan de Universiteit van Nijmegen. Leeropdracht: 'psychologische functieleer'. Is sinds 1967 gasthoogleraar in Leuven. Is medeoprichter van de Nederlandse Stichting voor Psychonomie en neemt deel aan de redactiecommissies van een aantal tijdschriften: Perception & Psychophysics, Cognition, Psychological Research, Journal of Psycholinguistic Research. Publiceerde over linguïstiek in boekvorm en in de vorm van een dertigtal artikelen in diverse internationale tijdschriften op dit gebied.

Lewin, Kurt, 1890–1947
Lewin was hoogleraar aan o.a. de Universiteit van Berlijn en het M.I.T. te Cambridge (Mass.) (na zijn vlucht uit Duitsland). Zijn studiegebieden kunnen worden omschreven als sociale psychologie, Gestaltpsychologie en kinderpsychologie. Hij was grondlegger van de groepsdynamica (sociale psychologie). Hij speelde een belangrijke rol in de Gestaltschool. Maar hij behoorde niet tot de eerste garnituur zoals Wertheimer, Köhler en Koffka. Hij ontwikkelde de veldtheorie. Deze theorie trachtte gedrag wiskundig te verklaren.
Tot zijn grotere werken worden gerekend: A Dynamic Theory of Personality (1935); Principles of Topological Psychology (1936); Resolving Social Conflicts (1948); Field Theory in Social Sciences (1951). Overzicht van zijn werk: Cartwright, D.; Lewinian Theory as a Contemporary Systematic Framework (1959).
Zie ook: Gestaltpsychologie/Veldtheorie/Köhler/Sociale psychologie.

Luria, A.R., 1902–
Vooraanstaand Sovjet-Russisch psycholoog, die o.m. in de Verenigde Staten gasthoogleraar is geweest. Hij deed voornamelijk neuropsychologisch onderzoek. Bestudeerde hersenbeschadigingen, leren en vergeten.

Michon, J.A., 1935–
Sinds 1971 hoogleraar psychologische functieleer aan de Rijks Universiteit van Groningen. Was voordien werkzaam op de afdeling verkeersgedrag van het Instituut voor Zintuigfysiologie van TNO te Soesterberg. Heeft aan de Rijks Universiteit van Utrecht (1954–1960) psychologie gestudeerd, met als bijvakken criminologische psychologie en psychopathologie. Hoofdvak: klinische psychologie. Studeerde onder Linschoten, Buytendijk en Van Lennep. Voelt zich beïnvloed door Linschoten, Simon (Herbert A.), Fitts en Broadbent (D.E.). Voelt zich verwant aan de cognitieve psychologie en de

verrichtingstheorie. Promoveerde in 1967 in Leiden op het onderwerp tijdpsychologie: synchronisatiegedrag. (Titel van de dissertatie: 'Timing in Temporal Tracking') Houdt zich bezig met o.m. ergonomie (mentale belasting), temporele organisatie van perceptie en gedrag (vaardigheden) en representatie van non-verbale informatie. Voorts met verkeerskundige toepassingen van de sociale wetenschappen: verkeerspsychologie. (Hij is bijzonder hoogleraar in de verkeerskunde aan de Groningse Universiteit.) Naast beide hoogleraarschappen is hij directeur van het Instituut voor Experimentele Psychologie van de R.U. van Groningen. Hij is voorzitter van het Verkeerskundig Studiecentrum van deze universiteit. Dezelfde functie bekleedt hij bij de Nederlandse Stichting voor Psychonomie.
Van zijn hand verschenen o.m.: (boeken) Timing in Temporal Tracking (dissertatie van 1967); Handboek der Psychonomie (red., 1976). Tijdschriftartikelen: Studies on Subjective Duration I en II (1964/65); Tapping Regularity and the Measurement of Perceptual-Motor Load (1966); Processing of Temporal Information and the Cognitive Theory of Time Experience (1970); Psychonomie Onderweg (1971); The Mutual Impacts of Traffic and Individual Behaviour (1976).

Münsterberg, Hugo, 1863–1916
Veelzijdig wetenschappelijk onderzoeker. Deze Duitser van geboorte, student van Wundt, werd door William James naar de Verenigde Staten gehaald. Hij doceerde daar aan de Harvard Universiteit. Wegens zijn pro-Duitse houding, bij het uitbreken van de Eerste Wereldoorlog, beschouwde men hem in de Verenigde Staten als verrader. Hield zich o.m. bezig met psychologische tests, reclame, waarheidsserum, reflexen. Men beschouwt hem vanwege dit laatste als voorloper van het Behaviorisme.
Zie ook: Behaviorisme/James/Wundt.

Parreren, C.F. van, 1920–
Studeerde psychologie aan de Universiteit van Amsterdam, onder de oprichter van het Psychologisch Laboratorium aldaar, Révész, (1942–1947). In 1951 promoveerde hij hier op het onderwerp: Intentie en Autonomie in het Leerproces. Werd in 1964 aan deze universiteit tot hoogleraar benoemd in de psychologische functieleer. In 1965 werd hij benoemd in Utrecht (eveneens functieleer). Als aanhanger van de cognitieve leerpsychologie, voelt hij zich beïnvloed door de Gestaltpsychologen Köhler en Lewin en voorts door de Behaviorist Tolman en de Russische psycholoog Galperin. Hij heeft een aanzet gegeven tot het beoefenen van de cognitieve leerpsychologie in Nederland. Hij heeft hierdoor invloed gehad op vele Belgische en Westduitse leerpsychologen. Is tevens deskundige bij uitstek op het gebied van de psychologiebeoefening in de Sovjet Unie. Naar Russisch voorbeeld introduceerde hij in Nederland de onderwijsproceskunde. Hierdoor verwierf hij bekendheid in pedagogische kringen. Behalve de onderwerpen leren, denken en onderwijzen gaat zijn belangstelling ook uit

Als u een bepaald woord hier niet kunt vinden, raadpleeg dan het zoekregister (blz. 3 en verder).

naar de geschiedenis en de grondslagen van de psychologie en de reeds gememoreerde psychologiebeoefening in de Sovjet Unie. (Heeft zelfs de Russische taal geleerd om direct toegang te hebben tot de Russische psychologie.) Hij schreef o.m.: Psychologie van het Leren I en II (eerste drukken in 1960 en 1962); Leren op School (eerste druk 1964); Sovjet psychologen aan het Woord (samen met Carpay, J., 1972). Voorts diverse publikaties in het Nederlands Tijdschrift voor de Psychologie, Pedagogische Studiën, Praxis des neusprachlichen Unterrichts (West-Duitsland).

Pavlov, Ivan P., 1849–1936
Pavlov was hoogleraar in de fysiologie, farmacologie en experimentele geneeskunde aan de Universiteit van St.Petersburg (Leningrad). Hij was arts. Hij heeft baanbrekend werk verricht op het gebied van de fysiologie. Dit leverde hem in 1904 een Nobelprijs op. Men beschouwt Pavlov wel als de grondlegger van de moderne psychologie. Dit door zijn experimentatie met de conditionering van honden (de klassieke conditionering). Pavlov introduceerde o.a. de termen experimentele neurose en geconditioneerde reflex.
De vele publikaties van Pavlov zijn verzameld door Pickenhain, L. en uitgebracht onder de titel: Sämtliche Werke (1953–1955). Het telt zes delen. Een overzicht van Pavlovs werk vindt men in: Mette, A., I.P. Pavlov, Sein Leben und sein Werk (1959).
Zie ook: Respondent conditioning/Behaviorisme/Experiment/Conditioneren/Experimentele neurose/Reflex.

Révész, Geza, 1878–1955
Bekend Nederlands psycholoog van Hongaarse afkomst, studeerde in Budapest en Göttingen. Oprichter van het psychologisch laboratorium van de Universiteit van Amsterdam, waar hij vanaf 1933 hoogleraar was. Hij was een zeer veelzijdig man. Hield zich o.a. bezig met het bestuderen van begaafdheden, waaronder muzikale begaafdheid.

Rietveld, W.J., 1937–
Studeerde geneeskunde in Leiden (1956–1963), specialisatie fysiologie. Promoveerde in 1963 te Leiden op: 'The Occipitocortical Response to Lightflashes in Man' (de verwerking in de hersenen van lichtprikkels). Houdt zich bezig met verwerking van zintuiginformatie, alsmede met de wijze waarop een levend organisme zich kan handhaven in een milieu, dat voortdurend aan veranderingen onderhevig is. Behoort tot de onderzoekers op het gebied van de fysiologische en experimentele psychologie. Werd in 1973 benoemd tot hoogleraar in Leiden met als leeropdracht: 'fysiologische psychologie'. Heeft een groot aantal publikaties op zijn naam staan, waaronder: Contribution of Fovea and Parafovea to the Visual Evoked Response (1965); De Invloed van Licht en Donker op de Loopactiviteit van Konijnen (1966); Attentiveness and Evoked Potentials (1967); Pattern Coding in Man (1968); Circadian Influences on the Acquisition of a conditioned Response in the Rat (1975).

Rutten, F.J.Th., 1899–
Studeerde van 1921–1927 in Utrecht Nederlandse letteren en wijsbegeerte,

hoofdrichting psychologie, verder van 1925–1928 in Leuven Germaanse filologie en psychologie. Daarna maakte hij studiereizen naar Parijs, Wenen, Leipzig en de Verenigde Staten. Tijdens zijn studie werkte hij o.a. bij Roels. Hij promoveerde tweemaal: in de Nederlandse letteren in Leuven op 'Felix Timmermans' (1928), in de psychologie op 'Psychologie van de Waarneming' (1929) in Utrecht. Werd in 1931 benoemd tot buitengewoon en in 1933 tot gewoon hoogleraar te Nijmegen (K.U.). Leeropdracht: 'algemene en experimentele psychologie'. Emeritaat: 1972. Hield zich bezig met: menselijke gebaren, hoe functioneren persoonlijkheidsattributen in de omgang, mogelijkheden (met hun begrenzingen) tot het ontvankelijk maken van dove mensen voor geluid, de aanwending van psychologische kennis en middelen bij middelbare en academische opleidingen. Werd beïnvloed door het werk van A. Michotte en Gordon W. Allport. Was een aanhanger van de empirische, d.w.z. niet louter experimentele richting in de psychologie. Was directeur van het Psychologisch Laboratorium, President van de 'International Conference on Human Relations' (1956), initiatiefnemer c.q. mede-oprichter van het Gemeenschappelijk Instituut voor Toegepaste Psychologie (GITP), van het Hoogveld Instituut, van de Stichting Paedologische Instituten, van de Katholieke Montessori-stichting en van de Katholieke Vereniging voor Geestelijke Volksgezondheid.
Publiceerde o.a.: Mensbeelden in de theoretische psychologie (1970); artikelen: Qu'en est-il des relations interhumaines? (1960); Gedrag en Functie (1971); Gewone Psychologie (1975). Werkte mee aan de film: Stervende Taal, gebaseerd op gebarenanalyse (1957). Zijn hoogleraarschap werd onderbroken door een Ministerschap voor Onderwijs, Kunsten en Wetenschappen (OK & W) in de kabinetten Drees, Van Schaick en Romme (1948–1952). Is promotor geweest van 25 hoogleraren in de psychologie in binnen- en buitenland.

Sechenov, I.M., 1829–1905
De 'vader' van de Russische psychologie. Hij studeerde o.a. in Duitsland medicijnen. West-Europese vindingen en theorieën bracht hij naar Rusland. Hij stimuleerde hiermee de wetenschappen in dit land. Bestudeerde o.a. het gedrag van kikkers. Stelde voor dat de psychologie objectief meetbaar gedrag zou moeten bestuderen. (En dat was bijzonder in die tijd.) Hij was een voorloper van Pavlov en Bekterev.
Zie ook: Pavlov/Bekterev.

Skinner, Burrhus F., 1904–1990
Skinner is hoogleraar aan de Harvard University te Cambridge (Mass.). Hij is een der belangrijkste experimentatoren op het gebied van de leerpsychologie en het Behaviorisme. Hij had hierbij contacten met Hull, Tolman en anderen uit Behavioristische kringen. Skinner introduceerde de Skinner Box voor experimenten met ratten, en de begrippen operant conditioneren, operanten en respondenten. Zijn conditionerings-experimenten met ratten en duiven zijn baanbrekend geweest.
Publikaties: The Behavior of Organisms (1938); Walden Two (roman, 1948); Science of Human Behavior (1953); Verbal Behavior (1957); Schedules of Reinforcements met Ferster C.B. (1957); Cumulative Record (1961); The Technology of Teaching (1968); Contingencies of Reinforcement; a

Theoretical Analysis (1969); Beyond Freedom and Dignity (1971). Een overzicht van zijn theorieën en denkwijzen staan in: Holland, J.G. en Skinner, B.F., The Analysis of Behavior (1961).
Zie ook: Skinner Box/Leerpsychologie/Behaviorisme/Experiment/Operante conditionering.

Titchener, Edward B., 1867–1927
Hij was hoogleraar aan de Cornell Universiteit (Ithaca, New York). Titchener was student van Wundt en bracht de psychologie naar de Verenigde Staten. Titchener was oprichter van het Structuralisme en had als zodanig zeer veel invloed. Zijn studieterrein was het bewustzijn. Hij vertaalde erg veel Duitse psychologische literatuur. Contacten met: Boring, Pillsbury.
Publikaties: Experimental Psychology (1901–1905); Lectures on the Elementary Psychology of Feeling and Attention (1908); Textbook of Psychology (1909); A Beginner's Psychology (1915). Overzicht van zijn werk: Woodworth, R.S., Contemporary Schools of Psychology (1960).
Zie ook: Wundt/Structuralisme/Bewustzijn.

Tolman, Edward C., 1886–1959
Tolman was hoogleraar aan de Universiteit van California te Berkeley. Is vooral bekend geworden door zijn theorieën en experimenten op het gebied van het Behaviorisme. Hij hing niet het 'zuivere' Behaviorisme aan, maar had zijn eigen Purposive Behaviorism. Deze Purposive theorie was gerelateerd aan de Gestaltpsychologie. Deze theorie introduceerde tevens een aantal begrippen: signs, cognities, expectancies en andere. Hij trachtte zijn experimenten in een groter model onder te brengen. Contacten met Watson en Guthrie.
Publikaties: Purposive Behavior in Animals and Men (1932); Drives towards War (1942). Overzicht van zijn werk: Misiak, H. en Staudt Sexton, V., History of Psychology: an Overview (1966).
Zie ook: Theorie/Experiment/Behaviorisme/Gestaltpsychologie.

Watson, John B., 1878–1958
Hoogleraar aan de Johns Hopkins Universiteit te Baltimore (Maryland). Watson is de vader van het Behaviorisme. Hij schreef voor hóe de psychologie zou moeten worden: de introspectie verlaten en minuscuul experimenteerwerk leveren. Watson was zeer methodologisch ingesteld. Zijn artikel: Psychology as the Behaviorist views it (1913), was baanbrekend op het gebied van de toen nieuwe psychologie. Dit artikel was de leidraad voor deze psychologie. Contacten met: Thorndike, Thurstone, Hull, Tolman. Watson was ook lange tijd werkzaam als directeur van een reclamebureau (J. Walter Thompson, New York). Watson maakte van de psychologie een gedragswetenschap en introduceerde de termen stimulus en response. Hij steunde op Pavlov.
Publikaties: Behavior: an Introduction to Comparative Psychology (1914); Psychology from the Standpoint of a Behaviorist (1919); Behaviorism (1925); Psychological Care of the Infant and Child (1928). Een overzicht van zijn werk en theorieën wordt gegeven door Woodworth, R.S., Contemporary Schools of Psychology (1960).
Zie ook: Behaviorisme/Experiment/Methodologie/Thorndike/Thurstone/Hull/Tolman.

Weber, Ernst Heinrich, 1795–1878
Duits fysioloog. Een van de twee grondleggers van de psychofysica (de ander is Fechner). Hij verrichtte onderzoek naar de subjectieve beleving van de tastzin (tillen van gewichten). Hij ontdekte een wetmatigheid, die bekend is als de Wet van Weber.
Zie ook: Wet van Weber/Psychofysica/Fechner.

Wertheimer, Max, 1880–1943
Max Wertheimer was als psycholoog verbonden aan de Universiteit van Berlijn. Hij deed hier zijn contacten op met Koffka, Köhler en Lewin. Dit zou leiden tot de oprichting van de Gestaltschool in de psychologie. Wertheimer was een van de grondleggers van deze school. Hij vluchtte voor het nazigeweld naar de Verenigde Staten. Werd in New York hoogleraar aan de New School for Social Research. Voornaamste studieterreinen: waarnemingsleer en denken.
Zijn belangrijkste publikaties waren: Drei Abhandlungen zur Gestalttheorie (1925); Productive Thinking (1945). Een overzicht van zijn werk en theorieën wordt gegeven in Misiak, H. en Staudt Sexton, V., History of Psychology: an Overview (1966).
Zie ook: Köhler/Lewin/Gestaltpsychologie/Waarnemingsleer/Denken.

Woodworth, Robert Sessions, 1869–1962
Amerikaans psycholoog, die medestudent was van William James. Woodworth verdiende zijn sporen door zijn experimentele werk, de constructie van een persoonlijkheidsvragenlijst (een der eerste) en de publikatie van enige handboeken, die nog steeds worden herdrukt. Hij is bijna 60 jaar lang hoogleraar psychologie geweest aan een Amerikaanse universiteit.
Zie ook: James.

Wundt, Wilhelm, 1832–1920
Wundt studeerde medicijnen, fysiologie en filosofie. Hij wordt beschouwd als de 'vader' van de moderne empirische psychologie. Dit omdat hij oprichter was van 's werelds eerste psychologisch laboratorium (te Leipzig). Hij kan ook worden aangemerkt als de stichter van de Structuralistische school. Een van zijn andere belangrijke verdiensten voor de psychologie is het opleiden van tientallen Europese en Amerikaanse psychologen geweest. Zijn studenten zijn stuk voor stuk toonaangevend in de psychologie geweest. Wundt deed onderzoekingen en schreef over: experimentele psychologie, bewustzijn, filosofie en fysiologische psychologie. Zijn denkbeelden en theorieën werden voornamelijk door Titchener verbreid. De talrijke publikaties van Wundt beslaan meer dan 50.000 bladzijden! Zijn bekendste werk is: Grundriss der Psychologie (1896). Overzicht van zijn werk en theorieën: Misiak, H. en Staudt Sexton, V., History of Psychology: an Overview (1966).
Zie ook: Structuralisme/Laboratorium/Bewustzijn/Experimentele psychologie/Titchener.

Yerkes, Robert Mearns, 1876–1956
Amerikaans psycholoog en etholoog. Hield zich voornamelijk bezig met de

studie van verschillende soorten apen. Hij ontwierp hiervoor laboratoriuminstrumenten.

Zeigarnik, B., 1900–
Russische psychologe. Zij was student van Lewin. Zij heeft faam verworven met haar studies over herinnering en onderbroken taken. (Zeigarnik-effect, taakspanning.)
Zie ook: Zeigarnik-effect.

Meer biografische gegevens treft u aan bij de andere basisgebieden. Raadpleeg steeds eerst het zoekregister (blz. 3 e.v.). Daar vindt u een complete lijst van alle begrippen (en persoonsnamen!) die in dit woordenboek voorkomen.
Als er naar uw mening (hier of elders) namen of woorden ontbreken, die volgens u in een volgende druk wel zouden moeten worden opgenomen, dan verzoeken wij u vriendelijk contact op te nemen met de uitgever: Van Loghum Slaterus, Postbus 23 Deventer. Bij voorbaat dank voor de moeite!

Aided recall
Letterlijk (Engels): geholpen herinnering. Methode om herinnering en vergeten te meten. Deze methode is sterk verwant aan de free recall. De proefpersoon krijgt bij deze methode een aanknopingspunt als steun. (Voorbeeld: welke van deze tien boeken hebt u ooit gelezen?) Bij free recall wordt er geen aanknopingspunt gegeven.
Zie ook: Free recall/Proefpersoon.

Binaire keuzegenerator
Binair = tweevoudig.
Een apparaat dat voor verschillende soorten experimenten in het psychologisch laboratorium wordt gebruikt. Het dient om reactietijden te meten. Men programmeert een ponsband met een willekeurige lijst van rood-wit instructies. (Voorbeeld: rood, rood, wit, rood etc.) Als het rode licht gaat branden moet de proefpersoon het linker pedaal indrukken. Bij een wit licht het rechter pedaal. De proefpersoon kent de volgorde niet. Gemeten wordt welke tijd er verloopt tussen lichtsignaal en indrukken.

Bio-feedback apparatuur
Machines die gebruikt worden bij onderzoek naar bio-feedback. De apparaten worden ingezet voor experimenten en voor vormen van psychotherapie. (Voorbeeld: iemand leert zich ontspannen met behulp van zo'n machine. Hij leert eerst zijn eigen lichaamsspanning kennen. Hij ziet de spanning, uitgedrukt in de uitslag van een meter van de bio-feedback apparatuur. Daarna probeert hij de meteruitslag steeds lager te krijgen, totdat er geen uitslag meer is. Hij is dan geheel ontspannen.)
Zie ook: Psychotherapie/Bio-feedback.

Bourdon-Wiersma Test
Een in Nederland veel gebruikte psychologische test die het concentratievermogen van personen meet. De test bestaat uit vellen papier met daarop afgedrukt een groot aantal groepjes stippeltjes. Deze groepjes bestaan uit drie, vier of vijf stippen, door elkaar op het testpapier geplaatst. De bedoeling is dat men zo snel en nauwkeurig mogelijk streepjes trekt door de groepen van vier stippeltjes en de andere overslaat. Door de vele groepen stippen is het geheel vrij onoverzichtelijk. Het is dus geen eenvoudige opgave (al lijkt dit misschien wel zo) om hierbij snel en precies te werk te gaan.
Zie ook: Concentratietest.

Als u een bepaald woord hier niet kunt vinden, raadpleeg dan het zoekregister (blz. 3 en verder).

Closure test
Psychologische test die gebaseerd is op het verschijnsel closure (sluiting). Deze test bevat allerlei tekeningen, die uit onderbroken lijnen bestaan. Sommigen hiervan zijn zo vaak onderbroken dat er uitsluitend stippen staan. De te testen persoon moet raden wat de tekeningen voorstellen.
Zie ook: Closure.

Concentratietest
Soort psychologische test die de concentratie van een persoon meet. De geteste persoon moet een aantal kleine opdrachten vervullen, waarbij hij (door de omgeving) wordt afgeleid. Voorbeeld: het aanstrepen van cijfers of puntjes op een testformulier, te midden van andere (afleidende) cijfers of puntjes.
Zie ook: Test/Bourdon-Wiersma test.

D.A.T.
Afkorting van Differentiële Aptitude Test, een bekende Amerikaanse capaciteitentest.
Zie ook: Differentiële Aptitude Test.

Diagnostische test
Elke psychologische test, die *handvaardigheden* of andere prestaties van een persoon meet. Sterke en zwakke punten worden nagegaan. Een diagnostische test bestaat uit een aantal subtests, die gezamenlijk tot een diagnose trachten te komen (voor bijvoorbeeld rekenen, spellen).

Differentiële Aptitude Test
Aptitude = geschiktheid.
Bekende, oorspronkelijk Amerikaanse psychologische test, die capaciteiten, persoonlijke geschiktheden meet.

E.C.G.
Afkorting van: 1. elektrocardiograaf; 2. elektrocardiogram.
Zie ook: Elektrocardiograaf.

E.E.G.
Afkorting voor elektro-encefalograaf en elektro-encefalogram. Het eerste is een instrument om elektrische stroompjes in de hersenen te meten. Het tweede is het machinaal op papier geschreven resultaat van de meting van de elektro-encefalograaf. Deze methode verschaft veel informatie over hersenactiviteit. Zij geeft o.m. afwijkingen aan, welke symptomatisch zijn voor bepaalde ziekten. De E.E.G. meet een aantal verschillende golven of ritmen, waarvan de bekendste alfa en bèta zijn.
Zie ook: Alfa-ritme/Bèta-ritme.

Elektrocardiograaf
Een elektronische machine die de elektrische activiteit die samenhangt met de hartslag registreert, met behulp van op het lichaam aangesloten elektroden. De machine dient als diagnostisch instrument.

Elektrocardiogram
Grafisch weergegeven resultaat van een onderzoek met een elektrocardiograaf.
Zie ook: Elektrocardiograaf.

Elektrodermale response
Derma (Grieks) = huid.
De elektrische reactie op een stimulus, zoals die aan de huid wordt gemeten.
Synoniemen: Galvanische huidreactie/Galvanic skin response/ Psychogalvanische response/Psychogalvanische reflex.
Zie ook: Huidweerstandmeter.

Elektro-encefalograaf
Instrument dat elektrische activiteit in de hersenen meet.
Zie ook: E.E.G.

Elektro-encefalogram
Het op papier grafisch weergegeven resultaat van een meting met een elektro-encefalograaf. Hierop staat elektrische hersenactiviteit aangegeven.
Zie ook: E.E.G.

Elektromyograaf
Mus (Grieks) = spier.
Machine die de spierspanning in het lichaam registreert. Men sluit elektroden aan, op bijvoorbeeld de handen. Een (psychisch) gespannen persoon vertoont spierspanning. Een ontspannen persoon niet. De elektromyograaf gebruikt men voor experimenten en in bepaalde vormen van psychotherapie.
Zie ook: Psychotherapie.

Elektromyogram
Grafisch weergegeven resultaat van een onderzoek met een elektromyograaf.
Zie ook: Elektromyograaf.

E.M.G.
Afkorting van elektromyograaf, een machine die de spierspanning in het lichaam registreert.
Zie ook: Elektromyograaf.

Free recall
Letterlijk (Engels): vrije herinnering. Methode om herinnering en vergeten te meten. De onderzochte persoon geeft op welke woorden, letters, symbolen e.d. hij zich nog kan herinneren, van een lijstje dat hij heeft geleerd.
(N.B. dit lijstje wordt hem niet getoond, hij moet uit zijn hoofd zeggen, wat hij zich herinnert.)
Zie ook: Aided recall/Herinneren.

Galvanic Skin Response
De elektrische reactie op een stimulus, zoals die aan de huid wordt gemeten.
Synoniemen: Galvanische huid reactie/Psychogalvanische response/

Psychogalvanische reflex/Elektrodermale response.
Zie ook: Huidweerstandmeter.

Galvanische huid reactie
De elektrische reactie op een stimulus, zoals die aan de huid wordt gemeten.
Synoniemen: Galvanic skin response/Elektrodermale response/
Psychogalvanische response/Psychogalvanische reflex.
Zie ook: Huidweerstandmeter.

Galvanometer
Een apparaat dat dient om de kracht van de elektrische stroom in de huid te meten. Meestal meet men de *weerstand* van de elektrische stroom aan de huid. Dit apparaat wordt voor experimentele doeleinden gebruikt.
Zie ook: Huidweerstandmeter.

G.S.R.
Afkorting van galvanic skin response, de elektrische reactie op een stimulus, gemeten aan de huid.
Zie ook: Huidweerstandmeter.

Huidweerstandmeter
Instrument dat de veranderingen in de elektrische weerstand van de huid meet. Het is niet duidelijk wat de verandering eigenlijk betekent. Het hangt vermoedelijk samen met de emotionaliteit van de persoon. Dit instrument zal pas belangrijk worden wanneer vaststaat wat een verandering inhoudt.

Kennistest
Een type psychologische test, die de kennis van een persoon op een bepaald gebied meet. Voorbeeld: kennis van aardrijkskunde.
Zie ook: Test.

Kleurenblindheidstest
Een psychologische test die tot doel heeft kleurenblindheid te meten. Het gaat bij deze tests om de kleurwaarneming. Men moet verschillende kleuren, die door elkaar lopen onderscheiden. Voorbeelden: gekleurde wollen draden en uit punten opgebouwde cijfers, waarbij de cijfers in elkaar overgaan, etc.
Zie ook: Kleurenblindheid/Test.

Odorimetrie
Odor (Latijn) = geur.
Het meten van geuren. Men meet het reukvermogen bij een persoon, door de waarnemingsdrempels van een aantal (geurende) stoffen met elkaar te vergelijken.
Synoniem: Olfactometrie.

Olfactometrie
Olfacere (Latijn) = ruiken.
Het meten van geuren.
Zie ook: Odorimetrie.

P.G.R.
Afkorting van: 1. psychogalvanische response; 2. psychogalvanische reflex.
Zie ook: Huidweerstandmeter.

Plethysmograaf
Plèthos (Grieks) = grootte, omvang.
Elektronisch apparaat dat seksuele opwinding van de proefpersoon registreert. Het instrument meet (de toename van) het bloedvolume in de penis of vagina.

Polygraaf
Polus (Grieks) = veel; grafein (Grieks) = schrijven.
Een elektrisch instrument waarmee men *tegelijkertijd* een aantal fysiologische reacties registreert. Voorbeeld: hartslag, spierspanning, bloeddruk, elektrische activiteit in de hersenen.

Psychedelische research
Onderzoek naar psychedelische (= bewustzijnsverruimende) middelen als hasjiesj, marihuana, LSD e.d.
Zie ook: Humanistische psychologie/Psychofarmacologie.

Psychofysiologische tests
Eigenlijk geen psychologische tests, maar medische apparatuur. Voorbeeld: E.E.G. Deze 'tests' worden gebruikt om psychologische tests mee te valideren, d.w.z. nagaan of zij inderdaad valide en betrouwbaar zijn.
Zie ook: E.E.G.

Psychogalvanische reflex
De elektrische reactie op een stimulus, zoals die aan de huid wordt gemeten.
Synoniemen: Galvanische huidreactie/Galvanic skin response/ Elektrodermale response/Psychogalvanische response.
Zie ook: Huidweerstandmeter.

Psychogalvanische response
De elektrische reactie op een stimulus, zoals die aan de huid wordt gemeten.
Synoniemen: Galvanische huidreactie/Galvanic skin response/ Elektrodermale response/Psychogalvanische reflex.
Zie ook: Huidweerstandmeter.

Rapid Eye Movement
Letterlijk (Engels): snelle oogbeweging. Men doelt hier op de snelle oogbewegingen die dromende personen (diep slapen) maken. Dank zij dit verschijnsel is men in staat het vóórkomen van dromen aan te tonen. Veelal afgekort tot R.E.M.
Zie ook: Dromen/Slapen.

Recognition
Letterlijk (Engels): herkenning. Methode om herinnering en vergeten te meten. Zij wordt toegepast bij onderzoek naar het leren. Men geeft de proefpersoon een lijstje waarop woorden, letters, symbolen e.d. staan. Een

aantal hiervan heeft hij reeds eerder geleerd. Op het nieuwe lijstje komt een aantal van deze woorden voor. De proefpersoon moet aanstrepen welke (hij moet deze herkennen).
Zie ook: Herinneren/Leren/Vergeten/Proefpersoon.

R.E.M.
Afkorting van rapid eye movement, de snelle oogbewegingen, die een dromende persoon maakt.
Zie ook: Rapid eye movement.

Selectief fokken
Een onderzoekmethode naar de invloed van omgevings- en erfelijke factoren op de vorming van de persoonlijkheid. Men scheidt domme van intelligente dieren. Dieren in beide groepen laat men paren. Vervolgens worden weer de domme van de intelligente dieren gescheiden. Ook deze dieren fokt men weer, etc.

Signaal detectie taak
Een experimentele taak in een psychofysisch experiment. De proefpersoon krijgt stimuli aangeboden die verpakt zijn in een 'ruis'. Hij moet telkens 'ja' zeggen wanneer hij een bepaalde stimulus hoort of ziet. Hij moet het signaal 'ontdekken'.
Zie ook: Psychofysica.

Simulatie
Letterlijk: nabootsing.
Het nabootsen van gedrag van anderen door personen en door machines. Voorbeeld: de computer het menselijk denken laten nabootsen, ten einde meer te weten te komen over denkprocessen.

Skinner box
Een 'kist' die in de psychologie voor experimentele doeleinden wordt gebruikt. Zij is ontwikkeld door de psycholoog Skinner. De Skinner box wordt voor dierexperimenten (ratten, duiven) gebruikt om bepaald gedrag aan of af te leren. In de kist zit allerlei apparatuur, bijv. lichtjes. Als er een rood lichtje aangaat moet de rat of de duif op een knop drukken. Het dier krijgt dan automatisch een 'beloning': voedsel.
Zie ook: Skinner/Experiment.

Slaapinductiemachine
Machine die langs elektronische weg slaap kan opwekken in proefpersoon of patiënt. De betrouwbaarheid en effectiviteit van deze machine wordt niet overal erkend.
Zie ook: Slapen/Proefpersoon.

Tachistoscoop
Tachus (Grieks) = snel.
Een projector of viewer met zeer snelle sluitertijden (1/1000, 1/500 sec. e.d.). Deze wordt gebruikt voor waarnemingsexperimenten, met bijvoorbeeld woorden, tekens, afbeeldingen e.d. Een bepaald symbool wordt zeer korte tijd (1/1000 sec.) op het doek geprojecteerd. Kan de persoon het zien?

Telemetrie
Het op afstand registreren van de fysiologische reacties.
Zie ook: Telemetrische apparatuur.

Telemetrische apparatuur
Tèle (Grieks) = ver.
Machines die op een afstand van de proefpersoon, een aantal van diens fysiologische reacties meten. De proefpersoon wordt dus niet gestoord door de apparatuur.
Zie ook: Proefpersoon.

Vaardigheidstest
Dit soort psychologische tests meet het 'kunnen' verrichten van een aantal zaken naast het 'kennen' van deze zaken. Voorbeeld: een rekentest waarbij leerlingen rekenkundige principes moeten *toepassen*.
Zie ook: Test.

Wiggly blok test
Individuele observatietest. Het Wiggly blok is een vierkant stuk hout dat in negen delen is gezaagd. Deze delen zijn alle verschillend en passen, indien op de juiste wijze op elkaar gestapeld, in elkaar. Het doel van deze test is de 'technische intelligentie' en persoonlijkheidsaspecten te bepalen. Men observeert bij deze opdracht iemand bij het volbrengen van een prestatie, die een zekere mate van intelligentie en technisch inzicht vereist.
Zie ook: Observatietest.

Als u een bepaald woord hier niet kunt vinden, raadpleeg dan het zoekregister (blz. 3 en verder).

Altered State(s) of Consciousness
Letterlijk (Engels): veranderde bewustzijnstoestand(en).
Zie ook: A.S.C.

Ambidextrie
Letterlijk: tweemaal rechtshandig.
Het vrij zelden voorkomende verschijnsel van de tweehandigheid. D.w.z. personen die even gemakkelijk hun linker- als hun rechterhand gebruiken.

A.S.C.
Afkorting van Altered State(s) of Consciousness.
Letterlijk (Engels): veranderde bewustzijnstoestanden. Een voor de wakende persoon niet alledaagse toestand die meestal door 'kunstgrepen' wordt bereikt (door drugs, hypnose, e.d.).
Zie ook: Bewustzijn.

Bewustzijnspsychologie
Term die men gaf aan de soort psychologie die Wundt bedreef. Het is de psychologie die zich vrijwel uitsluitend bezighoudt met de studie van het bewustzijn, in tegenstelling tot de gedragspsychologie. Men meet 'bewustzijnsinhouden'. Bewustzijn was het sleutelwoord, zoals gedrag dat nu is.
Zie ook: Wundt/Scholen in de psychologie/Gedragspsychologie/ Bewustzijn.

Diergedrag
Het gedrag van dieren. Dit wordt door o.a. psychologen en biologen bestudeerd. Het betreft gedrag in laboratorium, dierentuin, natuur(reservaat).
Zie ook: Dierpsychologie.

Dierpsychologie
Een interdisciplinair studiegebied van de psychologie en de biologie (zoölogie). Men bestudeert hier het *gedrag* van dieren.
Zie ook: Gedrag/Ethologie.

Dromen
Een niet altijd even samenhangende stroom van ideeën, beelden en fantasieën bij een slapende persoon (natuurlijke slaap of kunstmatig opgewekte slaap).
Zie ook: Rapid eye movement/Slapen.

Epifenomenalisme
Epi (Grieks) = op, boven; fenomeen = verschijnsel.

De theorie die stelt dat het bewustzijn een gevolg is van activiteiten in het centraal zenuwstelsel. Alle bewuste handelingen gaan gepaard met, of worden voorafgegaan door activiteiten in het centraal zenuwstelsel.
Zie ook: Centraal zenuwstelsel.

Ethologie
Ethos (Grieks) = zede, gewoonte.
Tak van de biologie, waar men zich bezighoudt met de studie van het gedrag van dieren. De ethologie is het biologische 'antwoord' op de dierpsychologie (of omgekeerd: de dierpsychologie is het psychologische antwoord op de ethologie).
Zie ook: Dierpsychologie.

Eugenetica
Eu (Grieks) = goed, wel.
Het wetenschappelijk toepassen van bevindingen uit de genetica (erfelijkheidsleer) om de mensheid, zowel biologisch als psychologisch te *verbeteren*, te vervolmaken. Erfelijkheidshygiëne: het voorkomen van schadelijke erfelijke factoren uit de voortplanting.

Experimentele psychologie
De Angelsaksische benaming van functieleer. Experimentele psychologie is een in Nederland verouderde benaming voor functieleer. *Alle* gebieden binnen de psychologie worden tegenwoordig experimenteel bestudeerd.
Synoniemen: Psychologische functieleer/Functieleer/Psychonomie.
Zie ook: Functieleer.

Frenologie
Frèn (Grieks) = geest, verstand.
Een quasi-wetenschap uit de 19e eeuw, die beweerde dat iedereen knobbels op de schedel heeft. Aan de hand van de grootte en de plaats van de knobbel kon men nagaan welke capaciteiten iemand had. Tegenwoordig spreken we nog steeds van 'wiskundeknobbel', 'talenknobbel' e.d. Na 1915 is de invloed van de frenologie nagenoeg geheel verdwenen.
Synoniem: Schedelleer.
Zie ook: Gall.

Functieleer
Een van de vijf basisgebieden van de psychologie. De functieleer onderzoekt de algemeen menselijke mogelijkheden of functies, zoals die zijn verankerd in de psychologische structuur van de mens. De functieleer is nogal geënt op de fysiologie. Belangrijke studiegebieden binnen de functieleer zijn: leren, cognitie, emotie en motivatie.
Synoniemen: Psychologische functieleer/Psychonomie/Experimentele psychologie.
Zie ook: Fysiologie/Leren/Cognitie/Emotie/Motivatie/Basisgebieden van de psychologie.

Functionalisme
Een der oudste scholen in de psychologie. De school wordt gekenmerkt door:

a. de biologisch georiënteerde onderzoeken naar de menselijke functies;
b. de 'vijandige' houding jegens het Structuralisme;
c. de overgangspositie die het innam tussen de bewustzijnspsychologie en de gedragspsychologie.
Zie ook: Scholen in de psychologie/Structuralisme/Bewustzijnspsychologie/Gedragspsychologie.

Fylogenetische schaal
Fulon (Grieks) = stam, ras.
Alle levende organismen op aarde kunnen op deze schaal worden geplaatst. Men plaatst de organismen van 'laag' (eencellige diertjes) via allerlei tussenstappen (vogels, reptielen) naar het 'hoogste' organisme: de mens. Elk stapje hoger op de schaal betekent: een ingewikkelder en meer ontwikkelde hersenstructuur.

Fysiognomie
Gnomè (Grieks) = inzicht.
1. Gelaatsexpressie.
2. De kunst of wetenschap om iemands persoonlijkheid, attituden, gevoelens te leren kennen door beoordeling van diens gezicht. Voorbeeld: iemand als dom beoordelen, omdat men vindt dat de persoon een 'dom' gezicht heeft.

Genetische psychologie
Een psychologisch specialisme dat zich (op theoretisch niveau) bezighoudt met de studie van de invloed van de erfelijkheid op het menselijk gedrag.

Gesellschaft für experimentelle Psychologie
Voorloper van de Deutsche Gesellschaft für Psychologie, vóór de tweede wereldoorlog. Het Duitse verbond voor psychologen.
Zie ook: Deutsche Gesellschaft für Psychologie.

Hypersomnie
Buitensporige slaperigheid.

Hypothese van De Lamarck
Een reeds lange tijd geleden verworpen, maar nog steeds populaire hypothese, die stelt dat verworven eigenschappen erfelijk zijn. Voorbeeld: sportieve ouders krijgen sportieve kinderen.
Zie ook: Hypothese.

Imprinting
Letterlijk (Engels): inprenten. Term uit de ethologie. Pasgeboren dieren leren van hun ouders bepaalde gedragsvormen aan, die zeer stabiel blijven in hun latere leven. Dit gedrag is zeer gebonden aan de soort. Voorbeeld: het nalopen van de ouders of moeder en *niet* de ouders van andere dieren. Bepaalde manieren om voedsel te bemachtigen (besluipen) etc.

Inhibitie
Remming, tegenhouden, verhindering. Het woord komt voor in diverse samenstellingen in de psychologie.

Intrapsychisch proces
Intrapsychisch = binnen de psyche.
Enigszins vage term waarmee wordt bedoeld de onwaarneembare, onregistreerbare processen die zich afspelen in de psyche, geest, bewustzijn van de persoon (voorbeeld: denkprocessen).

Introspectionisme
1. Het Structuralisme in de psychologie.
2. De leer volgens welke de psychologie kennis behoort te verzamelen door gebruikmaking van de methode van introspectie. Introspectie is niets anders dan het peilen van de gedachten, gevoelens, emoties etc. van de persoon, door hem hierover te vragen. Stromingen ná het structuralisme (het Behaviorisme) vonden deze methode te subjectief. Zij wilden gaan *meten.*
Synoniem: Structuralisme.
Zie ook: Introspectie/Structuralisme.

Lordosis
Het krommen van de rug van een vrouwtjesdier. Het is een teken van gereed zijn voor seksuele activiteit met het mannetjesdier.

Mathematische psychologie
Een psychologisch specialisme. Men houdt zich bezig met het ontwikkelen en toepassen van mathematische (wiskundige) modellen op gebieden van de psychologie. Voorbeeld: het gokgedrag bij kans-spelen wordt in een model (en formules) uitgedrukt.

Motoriek
Het geheel van de lichamelijke bewegingen.

Neo-behaviorisme
Eigenlijk een soort opvolger van het Behaviorisme. Neo-behavioristen zijn minder rigide en staan meer open voor andere, minder strenge, onderzoekmethoden dan de Behavioristen. Zeer veel hedendaagse onderzoekers op het gebied van de psychologie kan men tot Neo-behavioristen bestempelen.
Zie ook: Behaviorisme.

Organisme
Alles wat leeft. Meer gebruikelijk: alles wat zich gedraagt. Men bedoelt hiermee mensen en dieren (ook ééncellige diertjes).

Pantomimiek
Gebarenspel, waarbij het gehele lichaam is betrokken.

Parahypnose
De slaap, die samengaat met diepe hypnose of slaapwandelen.
Zie ook: Hypnose.

Psychogenetica
Het multidisciplinaire studiegebied van de psychologie en de genetica

(= erfelijkheidsleer, een onderdeel van de biologie). Men bestudeert hier o.m. welke persoonlijkheidstrekken erfelijk zijn. Ook hoe erfelijke factoren de persoonlijkheid vormen.

Psycholinguïstiek
Linguïstiek = taalwetenschap
Een interdisciplinair studiegebied van de psychologie en de taalkunde, dat zich bezighoudt met het verband tussen taal en persoon in de ruimste betekenis.

Psychologische functieleer
Een van de vijf basisgebieden in de psychologie.
Synoniemen: Functieleer/Psychonomie/Experimentele psychologie.
Zie ook: Functieleer.

Psychonomie
Synoniem voor (psychologische) functieleer. Een van de vijf basisgebieden in de psychologie.
Synoniemen: Psychologische functieleer/Experimentele psychologie.
Zie ook: Functieleer.

Reflexologie
Naam voor het soort psychologie waarmee de Russische psycholoog Bekterev zich bezighield. Dit was psychologie op objectieve, experimentele en fysiologische basis. Sleutelbegrip was de reflex.
Zie ook: Reflex/Bekterev.

Relaxatie
Synoniem: Ontspanning.
Zie ook: Ontspanning.

Saturatie
Verzadiging. Het vol raken van iets. Het is een algemene term die op velerlei gebieden betrekking kan hebben (fysiologisch, psychologisch).
Synoniem: Verzadiging.

Schedelleer
Een 19e-eeuwse quasi-wetenschap, die pretendeerde capaciteiten te kunnen vaststellen aan de hand van knobbels op de schedel ('wiskundeknobbel').
Synoniem: Frenologie.
Zie ook: Frenologie.

Schijnwoede
Kunstmatig opgewekte woede bij proefdieren. Bepaalde delen van de hersenen worden elektrisch geprikkeld. Het dier, waarop de elektroden zijn aangesloten, wordt door prikkeling kwaad, terwijl er in de omgeving geen

Als u een bepaald woord hier niet kunt vinden, raadpleeg dan het zoekregister (blz. 3 en verder).

aanwijsbare redenen zijn voor deze woede (de elektrische prikkel zelf is pijnloos). Als er op andere plaatsen op dezelfde wijze wordt geprikkeld, valt het dier in slaap of gaat liggen of staan etc. Men zou hiermee kunnen aantonen dat er een 'woedecentrum' in de hersenen bestaat. Namelijk de plaats die elektrisch geprikkeld wordt.
Synoniem: Sham rage.

Sham rage
Letterlijk (Engels): schijnwoede.
Zie ook: Schijnwoede.

Slaap
Toestand waarbij het lichaam in rust verkeert. Dit gaat gepaard met vermindering van een aantal fysiologische processen. Sommige processen zijn geheel tot stilstand gekomen.
Zie ook: Dromen/Rapid eye movement.

Structuralisme
De oudste school in de psychologie. De school is opgericht door Wundt en had als uitgangspunt de studie van het bewustzijn. Zij maakte gebruik van de introspectiemethode.
Synoniem: Introspectionisme.
Zie ook: Introspectie/Scholen in de psychologie/Wundt/Bewustzijn.

Valentie
Valentie = waarde, geldigheid.
(Vaag) begrip, dat in verschillende stromingen in de psychologie voorkomt. De positieve of negatieve waarde of aantrekkingskracht van een voorwerp, denkbeeld, persoon. De term is afkomstig van Lewin.
Zie ook: Lewin.

Verzadiging
Algemene term in de psychologie. Vol zijn, genoeg hebben van iets.
Synoniem: Saturatie.
Zie ook: Saturatie.

Würzburg school
Een van de (minder bekende) scholen in de psychologie. Deze Duitse school, met als centrum de Universiteit van Würzburg, hield zich voornamelijk bezig met denken/introspectie, en het verwerven van kennis op diverse gebieden door middel van introspectie.
Zie ook: Introspectie/Scholen in de psychologie.

Zeigarnik-effect
Een effect, ontdekt door de Russische psychologe Zeigarnik. Personen vinden het meestal moeilijk en vervelend eenmaal begonnen taken *niet* af te maken. Men voltooit graag een opdracht. Men herinnert zich onvoltooide taken beter dan voltooide, juist omdat men deze moest onderbreken. Het Z-effect komt neer op: men wil eenmaal aangevangen taken afmaken.
Zie ook: Zeigarnik.

Basisgebied:
Functieleer

Sectie:
Cognitie

Aandacht
Het proces waarbij men slechts een beperkt aantal stimuli waarneemt of erop respondeert. Aan overige stimuli 'schenkt men geen aandacht', er wordt niet op gelet.
Zie ook: Stimulus.

Aha-Erlebnis
Letterlijk (Duits): aha-beleving. *Plotseling* ziet men de oplossing van een probleem.
Synoniem: Inzicht.
Zie ook: Inzicht.

Artificial intelligence
Letterlijk (Engels): kunstmatige intelligentie. D.w.z. de intelligentie, zoals die voorkomt bij een geprogrammeerde computer.
Synoniem: Kunstmatige intelligentie.
Zie ook: Kunstmatige intelligentie.

Bio-feedback
Feedback (Engels) = terugkoppeling.
Het terugkoppelen van informatie uit het eigen lichaam. De aan een bio-feedback machine met elektroden aangesloten personen krijgen 'informatie over hun eigen lichaam'. De machine registreert o.m. hartslag, spierspanning. De persoon ziet op meters hoe zijn spierspanning is. Als hij *ziet* dat deze hoog is kan hij proberen deze omlaag te brengen. Hij ziet meteen op de meter of dit gelukt is. Bio-feedback apparatuur gebruikt men wel vòòr psychotherapeutische doeleinden.
Zie ook: Psychotherapie.

Cognitie
Cognitio (Latijn) = leren kennen, kennis, inzicht.
Een studiegebied binnen de functieleer dat alle vormen van kennen en weten omvat. Onderdelen van de cognitie zijn denken, leren, beoordelen, etc.
Zie ook: Functieleer.

Common sense
Gezond verstand. Het gebruik van het gezonde verstand, in het dagelijks leven. Is geen wetenschappelijke term.

Concentratie
De aan één object of situatie gegeven aandacht.

Concept
Conceptio (Latijn) = samenvatting, formulering, gedachte.
Denkbeeld, begrip. In de functieleer onderzoekt men hoe mensen concepten vormen en waarnemen. Piaget heeft onderzoek hierover verricht bij kinderen.
Zie ook: Piaget/Conceptuele intelligentie.

Connotatieve betekenis
Bijbetekenis. De betekenis van een woord, symbool of begrip, naast de gebruikelijke formele of officiële betekenis. Het woord wekt zekere associaties of emoties op. Voorbeeld: het woord vader heeft voor iedereen een andere bijbetekenis. Voor de een hard, voor de ander aardig. Voor een derde oud.

Denken
Een belangrijk gebied binnen de functieleer. Denken stelt men hier gelijk aan problem-solving: het oplossen van experimentele problemen, puzzels, e.d. Het denken is een niet observeerbaar proces. We kunnen niet naar iemands denken gaan zitten kijken. We kunnen wel gaan kijken naar iemand die bezig is te denken (een schaker). We kunnen het denken 'zien' als we een instrument hebben om elektrische golven zichtbaar te maken (elektro-encefalograaf). We kunnen zelf gaan zitten denken en proberen waar te nemen wat we doen als we denken. Dit maakt denken tot een moeilijk te bestuderen proces, dat zich leent voor veel theorievorming. Er is echter nog geen samenhangende theorie over het menselijk denken. De soms tegengestelde opvattingen blijven allemaal overeind staan, totdat iemand aantoont dat een bepaalde theorie onjuist is. Het denken hoeft niet altijd in beelden te verlopen. Het kan ook in taalkundige begrippen of symbolen verlopen.
Synoniem: Problem-solving (behavior).
Zie ook: Problem-solving (behavior)/Functieleer/Perfect denken.

Denkproces
Keten van opeenvolgende gedachten, denkbeelden. Het verloop van een denkproces is onbekend. Alleen de resultaten van het denkproces zijn te bestuderen.
Zie ook: Denken.

Denkpsychologie
Overwegende Duitse stroming in de psychologie die het menselijk denken tot onderwerp van studie had. De Duitser Selz was een der leiders. Men analyseerde het denken. Men trachtte vragen te beantwoorden als hoe denkt men? Uit welke stappen bestaat het denken etc.
Zie ook: Denken.

Denksimulatie
Simulare (Latijn) = gelijkmaken, nabootsen, veinzen, doen alsof.
Het nabootsen van menselijk denken door middel van een computer. Doel hiervan is het menselijk denken (indirect) te bestuderen.

Einstellung
Letterlijk (Duits): instelling. Neiging om op een bepaalde manier te reageren (of op een bepaald moment).
Synoniemen: Set/Propensity.
Zie ook: Set.

Fantasie
Verzinsel, verbeelding. Een mengsel van echte, alledaagse dingen, mensen, gebeurtenissen en onwerkelijkheden. Men kan doelgericht fantaseren (hoe zal de wereld er in het jaar 3000 uitzien en hoe leeft men op andere planeten?) of doelloos. Fantaseren kan zowel normaal zijn als ziekelijk: personen die alles 'bij elkaar' fantaseren. Men spreekt dan van pseudologia fantastica. Fantasie komt ook voor in de vorm van dagdromen.
Zie ook: Pseudologia fantastica/Dagdroom.

Hyperorexie
Orexis (Grieks) = begeerte.
Het voortdurend hebben van een buitensporig grote eetlust.

Hypnagogische verschijnselen
Agein (Grieks) = leiden tot; hupnos (Grieks) = slaap.
Verschijnselen die zich voordoen bij de persoon die bezig is in te slapen. Voorbeelden: 'het zien' van allerlei figuren, sterretjes. Kinderen ervaren dit soms als angstig.

Hypoprosessie
Onvermogen tot aandacht, zowel normaal als ziekelijk. Dit onvermogen kan aan de taak of situatie, maar ook aan de persoon liggen. De term is niet specifiek gebonden aan een persoon of situatie.
Synoniem: Hypoprosexie.
Zie ook: Hypoprosexie.

Hypoprosexie
Onvermogen tot aandacht.
Synoniem: Hypoprosessie.
Zie ook: Hypoprosessie.

Inzicht
Term afkomstig uit de Gestaltpsychologie. Het verschijnsel dat men *plotseling*, geheel onaangekondigd, de oplossing van een probleem ziet.
Synoniem: Aha-Erlebnis.
Zie ook: Gestaltpsychologie.

Kunstmatige intelligentie
De intelligentie die een geprogrammeerde computer vertoont. De computer doet dit om menselijk denken, menselijke intelligentie te imiteren. Men schakelt de computer in om menselijke intelligentie, menselijk denken na te bootsen (= simulatie). Een bekend voorbeeld is een schakende computer, of het besturen van een vliegtuig, volgens een ingewikkeld programma.
Synoniem: Artificial intelligence.
Zie ook: Intelligentie/Simulatie.

Logisch denken

Denken met gebruikmaking van de regels en principes uit de logica (het tegengestelde is verward, chaotisch denken). Het logisch denken omvat de wetten voor het denken zoals deze door de logica gegeven worden. Men zegt wel eens dat 'vrouwen niet logisch kunnen denken'. Dit zou een typische manneneigenschap zijn. Natuurlijk is dat niet waar. Vrouwen schijnen wél op school reeds minder belangstelling te hebben voor vakken die grotendeels bestaan uit 'logische' onderwerpen. Bovendien is de leef- en gedachtenwereld van veel vrouwen anders dan die van mannen. Dit is in hoofdzaak een kwestie van de opvoeding, die lang niet altijd in het voordeel van de vrouw werkt. Zij wordt in een wat onderworpen rol gedrukt en bepaalde zaken zijn voor haar taboe (wiskunde). Een kwestie van cultuur dus. Onze maatschappij is nogal ingesteld op het logisch denken. Op middelbare scholen worden jeugdige leerlingen al vertrouwd gemaakt met wiskundevakken (= logisch denken). Logische denkers als wiskundigen staan in hoog aanzien. Een professioneel logisch denker werkt systematisch, stap voor stap. Hij springt niet van de hak op de tak. Iemand die dit wel doet, noemen we onlogisch in zijn denken. Systematiek en vaste regels ontbreken.
Synoniem: Rationeel denken.
Zie ook: Denken/Logica.

Meditatie

Letterlijk: overweging, bespiegeling.
Een manier van geconcentreerd denken, waarbij men zich meestal op één onderwerp richt. Dit denken gebeurt opzettelijk, veelal op vaste tijden. Het onderwerp kan van religieuze aard zijn, zoals dat bij Boeddhistische monniken het geval is, maar ook een dagelijks onderwerp betreffen zoals vazen of bloemen. Meditatie is een eeuwenoude wijze van filosofie en godsdienstbeoefening, die vooral en hoofdzakelijk in Azië bekend is. Door de bio-feedbackbeweging is zij de Verenigde Staten binnengehaald. De mediterende mens vertoont andere elektrische hersenritmen dan de actief bezige mens. Iemand die mediteert, is inwendig volkomen kalm en ontspannen.
Zie ook: Bio-feedback.

Perfect denken

Perfect denken (systematisch denken) komt bij mensen minder voor dan we zouden wensen. De mens heeft maar een beperkte hersencapaciteit. Bovendien wordt zijn denken verstoord door bijvoorbeeld emoties, geluidsoverlast, etc. Perfect (systematisch) denken kan tot op zekere hoogte worden aangeleerd. Sommigen hebben dat dan ook geleerd: verschillende soorten wetenschappers en schakers. Maar een denkende machine werkt systematischer. Zij is feitelijk de enige perfecte denker!
Zie ook: Denken.

Problem-solving (behavior)

Letterlijk (Engels): probleem-oplossend (gedrag). Het oplossen van problemen. Denken stelt men in de functieleer wel gelijk aan het oplossen van problemen.
Synoniem: Denken.
Zie ook: Denken.

Propensity
Letterlijk (Engels): geneigdheid, neiging. Neiging om op een bepaalde manier (op een bepaald moment) te reageren.
Synoniemen: Set/Einstellung.
Zie ook: Set.

Rationeel denken
Ratio (Latijn) = rede.
Denken met gebruikmaken van regels en principes uit de logica.
Synoniem: Logisch denken.
Zie ook: Logisch denken.

Set
In het Engels: houding, ligging, vaste gewoonte.
1. De tijdelijke toestand van een persoon, waardoor hij op een bepaalde manier op zijn omgeving reageert.
2. De neiging om op een bepaalde manier te reageren.
Synoniemen: Einstellung/Propensity.

Systematisch denken
Denken dat gebaseerd is op de logica. Het verloopt volgens vaststaande regels.
Synoniem: Perfect denken.
Zie ook: Perfect denken.

Als u een bepaald woord hier niet kunt vinden, raadpleeg dan het zoekregister (blz. 3 en verder).

Approximatieconditionering
Approximatie = benadering.
Een methode om dieren (ook mensen) gedrag aan te leren, door alleen steeds *dat* gedrag te belonen, dat dicht bij het gewenste gedrag ligt. Dat gedrag is spontaan.
Synoniem: Shaping.
Zie ook: Shaping/Conditioneren.

Automatisme
Een handeling of een proces, dat 'onbewust' verloopt; men heeft er geen weet van. Voorbeelden: schrijven, typen, zwemmen, fietsen, schakelen (auto). Het is het gevolg van een leerproces, dat begint met een cognitieve of met een non-cognitieve handelingsstructuur.
Zie ook: Handelingsstructuur/Leerproces/Cognitieve handelingsstructuur.

Behaviorisme
Een Amerikaanse school in de psychologie, waarvan de invloed nog steeds merkbaar is. Opgericht in 1913 door Watson. Het Behaviorisme hing de natuurwetenschappelijke wijze van experimenteren in de psychologie aan. Het keerde zich fel tegen de studie van het bewustzijn. De basisbegrippen waren stimulus en response. Het Behaviorisme maakte de psychologie tot wat zij nu is: een experimentele gedragswetenschap.
Zie ook: Watson/Stimulus/Response/Scholen in de psychologie.

Beloning
Sleutelbegrip uit het Behaviorisme. Een beloning is alles wat mens of dier als prettig ervaart, zoals geld, voedsel, licht, warmte, etc.
Zie ook: Reïnforcement/Behaviorisme.

Cognitieve handelingsstructuur
Handelingsstructuur gebaseerd op cognitieve processen, zoals denken, weten, oordelen. Het betreft hier activiteiten waarvan men zich bewust is.
Zie ook: Handelingsstructuren.

Conditioneren
Een basisbegrip uit het Behaviorisme. Het betekent zoveel als het aanleren van een response. Bij het conditioneren probeert men een bepaald gedrag aan te leren. Is ten dele een synoniem voor leren. Voor de Behaviorist is conditioneren gelijk aan leren.
Zie ook: Behaviorisme/Gedrag/Respondent conditioneren/Leren.

Connectionisme
Aanduiding voor de door Thorndike ontwikkelde leertheorie. Leren zou bestaan uit connections (koppelingen) tussen stimuli en responses. Trial

and error behoort tot deze theorie.
Zie ook: Leerpsychologie/Trial and error/Thorndike.

Contra-conditionering
Een vorm van conditionering, waarbij een response wordt vervangen door een andere, die meestal tegenstrijdig is.
Zie ook: Conditionering.

Distributed learning
Een vorm van leren, waarbij het leerproces onderbroken wordt door rustperioden.
Synoniemen: Spaced learning/Spaced practice/Distributed practice.
Zie ook: Spaced learning.

Distributed practice
Een vorm van leren, waarbij het leerproces onderbroken wordt door rustperioden.
Synoniemen: Spaced learning/Spaced practice/Distributed learning.
Zie ook: Spaced learning.

Eidetisch geheugen
Eidetisch = op de aanschouwende waarneming betrekking hebbende.
De capaciteit van sommige personen om vrijwel alle details van zeer ingewikkelde afbeeldingen, foto's, e.d. te onthouden en kort na de waarneming op te noemen. Het hoe en wat van dit soort geheugen is tot dusverre onbekend.

Extinctie
Letterlijk: uitdoving. Geleidelijke vermindering en verdwijning van de geconditioneerde response. Oorzaak is het stopzetten van de reinforcement (beloning). Extinctie betekent eigenlijk het langzaam afleren van een aangeleerde reactie, doordat de reactie niet meer beloond wordt. De term is afkomstig van Pavlov.
Zie ook: Pavlov.

Geconditioneerde response
Response die is aangeleerd. Bijvoorbeeld: blozen bij het zien van een meisje (jongen). Het is een basisbegrip in het Behaviorisme.
Zie ook: Response/Conditioneren/Behaviorisme.

Geconditioneerde stimulus
Een stimulus, die gekoppeld is aan een stimulus die van nature een bepaalde response opwekt. Deze response verschijnt nu ook na deze 'gekoppelde' stimulus. Voorbeeld: natuurlijke reactie op vlees (kwijlen). Bij het aanbieden van vlees wordt nu een bel geluid. Na enige tijd: kwijlen als de bel komt (zonder vlees). Dit is een van de bekende onderzoeken van Pavlov.
Zie ook: Respondent conditioning.

Geheugen
In de spreektaal verstaat men iets anders onder geheugen dan in de

psychologie. In de psychologie is geheugen een leerproces. Het leerproces bestaat uit vier fasen: waarneming, verwerking, onthouden en terugroepen. De laatste fase zouden we herinneren kunnen noemen. Geheugen is dus niet, zoals in de spreektaal, een 'doos met gegevens', maar een dynamisch geheel.
Zie ook: Herinneren/Leren.

Geheugenspoortheorie
Een theorie die stelt dat wat men geheugen noemt, opgeborgen is in een chemische stof (RNA) die in de hersencellen voorkomt. Door de chemische stof wordt een spoor gevormd.

Habit
Letterlijk (Engels): gewoonte. Een vaste volgorde van stimulus en response. D.w.z. gedrag dat steeds terugkeert bij ongeveer dezelfde prikkels. Voorbeeld: stimulus is: einde van de maaltijd. Response is: sigaret opsteken.

Handelingsstructuren
Term uit de leerpsychologie. Men onderscheidt:
1. Cognitieve handelingsstructuren: het handelen is gebaseerd op weten, kennen, kiezen etc. Men denkt na bij wat men doet.
2. Non-cognitieve handelingsstructuren: men verricht de handelingen min of meer automatisch (zonder erbij na te denken).
Zie ook: Leren.

Herinneren
Een in de spreektaal veel gebruikt en vaag begrip. In de (leer)psychologie wordt de term niet vaak gebruikt. Het betekent ongeveer: oproepen, terughalen uit het geheugen. Herinneren kan beschouwd worden als de laatste fase van het leerproces.
Zie ook: Geheugen/Leren.

Herleerscore
De score die men berekent bij onderzoek naar herinneren en vergeten. De tijd die men nodig heeft om een al eerder geleerd iets (bijvoorbeeld een gedicht), dat men al gedeeltelijk is vergeten, nogmaals te leren.
Zie ook: Leren/Herinneren.

Hypermnesie
Mnèmè (Grieks) = herinnering, geheugen.
Het hebben van een buitensporig goed geheugen, of een buitensporig vermogen tot herinnering. Dit kan o.m. voorkomen bij een onder hypnose gebrachte persoon.

Incentive
Letterlijk (Engels): aansporing, prikkeling.
Artikel, dienst, beloning e.d. die men iemand in het vooruitzicht stelt, indien hij bepaald gedrag gaat vertonen. Het opwekken van bepaald gedrag.
Voorbeelden: verkopers een extra premie beloven. Experimentele honden (extra) voedsel geven, wanneer zij een gewenste handeling gaan verrichten.

Incidenteel leren
Incidenteel = toevallig, onopzettelijk.
Een vorm van leren, waarbij de persoon *niet* de intentie (plan) heeft iets te leren. Naderhand blijkt dat er wel iets geleerd is. Voorbeeld: leraar die zegt: 'Jullie hoeven niet te onthouden dat ops het Griekse woord voor oog is, dat is niet belangrijk. De andere woorden moet je wel onthouden'. Later blijkt het woord ops wél onthouden (dus geleerd) te zijn.
Zie ook: Leren/Onbewust leren.

Instrumentele conditionering
Een van de twee vormen van conditioneren. Het organisme leert hier *actief*. Het organisme wordt beloond en krijgt straf ten einde iets aan te leren.
Synoniem: Operante conditionering.
Zie ook: Conditioneren/Klassieke conditionering.

Intentioneel leren
Intentie = doel, bedoeling.
Een leerproces met een doel(gerichtheid). Iets leren, dat men bewust *wil* leren.
Zie ook: Leren/Incidenteel leren.

Klassieke conditionering
De oudste vorm van conditioneren. De oorspronkelijke stimulus wordt (experimenteel) vervangen door een andere.
Synoniemen: Respondent conditioning/Pavloviaanse conditionering.
Zie ook: Respondent conditioning.

Leerpsychologie
Het deel van de psychologie dat zich bezighoudt met het bestuderen van het leren van mens en dier.
Zie ook: Leren.

Leren
Een proces met min of meer duurzame resultaten, waardoor nieuwe gedragspotenties van de persoon ontstaan of reeds aanwezige zich wijzigen (Van Parreren, 1971). Leren is een zeer veel gebruikt begrip in de psychologie. Het is meer omvattend dan wat men er in het dagelijks leven onder verstaat.

Long-term memory
Letterlijk (Engels): lange-termijn geheugen. Het geheugen voor zaken die men lange tijd moet onthouden.
Zie ook: Short-term memory/Geheugen.

L.T.M.
Afkorting van long term memory (= langdurig geheugen).
Zie ook: Long term memory.

Massed learning
Letterlijk (Engels): 'bij elkaar gestopt' leren. Alles (een gedicht, een les) in één keer leren, in plaats van in stukjes of verspreid over een (langere) periode. (Het laatste heet spaced learning.)
Synoniemen: Unspaced learning/Unspaced practice/Massed practice.
Zie ook: Unspaced learning.

Massed practice
Letterlijk (Engels): gegroepeerde, verzamelde oefening.
Synoniemen: Unspaced learning/Unspaced practice/Massed learning.
Zie ook: Unspaced learning.

Maze learning
Maze (Engels) = doolhof.
Een experimentele techniek die gebruikt wordt bij de studie van het dierlijk leergedrag. Het betreft meestal ratten. Men laat de dieren in een doolhof lopen en laat hen zoeken naar de correcte paden (tussen de doodlopende paden). Men beloont hierbij de rat die het correcte pad weet te vinden. Na deze beloningen vindt de rat steeds sneller het correcte pad.

Memoriseren
Uit het hoofd leren. Van buiten leren. Een van de meest onderzochte vormen van leren. Het is relatief gemakkelijk te meten en is belangrijk voor de onderwijssituatie. Voorbeeld: uit het hoofd leren van betekenissen van Franse woordjes.
Zie ook: Leren.

Mnemotechniek
Mnèmè (Grieks) = herinnering, geheugen.
De kunst of de techniek om de toegang tot het geheugen te vergemakkelijken. Het gebruik van 'ezelsbruggetjes'.

Nonsenssyllabe
Letterlijk: onzinlettergreep. Een woord (of lettergreep) zonder betekenis. Wordt nogal eens gebruikt (voor het eerst door Ebbinghaus) bij leerexperimenten. De proefpersoon moet dan een aantal (rijtje) van deze woorden leren, die voor hem geen enkele (bij)betekenis hebben.
Voorbeelden: zap, lom, tes, sor, mog, etc.
Synoniem: Nonsenswoord.
Zie ook: Nonsenswoord/Ebbinghaus.

Nonsenswoord
Synoniem: Nonsenssyllabe.
Zie ook: Nonsenssyllabe.

Als u een bepaald woord hier niet kunt vinden, raadpleeg dan het zoekregister (blz. 3 en verder).

Observational learning
Synoniemen: Observationeel leren/Modelling.
Zie ook: Observationeel leren/Modelling.

Observationeel leren
Leren door observatie, nadoen van handelingen van anderen (imitatie). Vaak gebeurt dit zonder dat men de bedoeling heeft om te imiteren, het gaat als het ware vanzelf.
Synoniemen: Modelling/Observational learning.
Zie ook: Leren.

Onbewust leren
1. Leren zonder opzet.
2. Iets leren zonder dat men weet (zich bewust is) dat men iets leert.

Zie ook: Leren.

Ongeconditioneerde response
Aangeboren response op stimuli. Bijvoorbeeld als kniereflex (= response) bij een tik op de knie. Het is een basisbegrip in het Behaviorisme.
Zie ook: Response/Stimulus/Behaviorisme.

Operante conditionering
Een basisbegrip uit het Behaviorisme. Het is het proces van conditionering waarbij gedrag niet wordt geconditioneerd als een stimulus verschijnt, maar waarbij bepaalde responsen worden versterkt. Voorbeeld: elke keer dat een rat *spontaan* op een knopje drukt krijgt hij een beetje voedsel.
Zie ook: Behaviorisme/Conditioneren/Stimulus/Response/
Instrumentele conditionering.

Paraloog
Een nonsenswoord dat uit twee lettergrepen bestaat.
Zie ook: Nonsenswoord.

Pavloviaanse conditionering
De oudste vorm van conditioneren. De oorspronkelijke stimulus wordt (experimenteel) vervangen door een andere.
Synoniemen: Respondent conditioning/Klassieke conditionering.
Zie ook: Respondent conditioning.

Prikkel
Alle energie die een receptor (cel) kan activeren (= prikkelen).
Synoniem: Stimulus.
Zie ook: Stimulus.

Reciproke inhibitie
Letterlijk: wederkerige remming. Het afremmen, doen verminderen, verhinderen van bepaalde reacties door hier tegenstrijdige stimuli tegenover te stellen.

Reflex
Een impuls (stimulus) leidt altijd tot een reactie (response). In de psychologie is reflex meestal synoniem aan response. Het omvat dus meer dan de term reflex in de spreektaal, of geneeskunde (zoals de kniereflex).
Zie ook: Stimulus/Response.

Reinforcement
Letterlijk (Engels): versterking. Een sleutelbegrip uit het Behaviorisme. Belonen en straffen vormen reïnforcements. Het zijn versterkingen van het te leren (of af te leren) gedrag. Beloning: (vaak) voedsel. Straf: (vaak) elektrische schok.
Synoniem: Beloning.
Zie ook: Behaviorisme/Leren/Beloning.

Respondent conditioning
Een vorm van conditioneren waarbij de oorspronkelijke stimulus wordt vervangen door een andere. Voorbeeld: een hond die eerst speeksel in de mond kreeg bij het zien van een stuk vlees (het vlees is de ongeconditioneerde stimulus), krijgt nu speeksel als hij een bel, die tevoren aan het vlees is 'gekoppeld', hoort. De bel is de geconditioneerde stimulus.
Synoniemen: Klassieke conditionering/Pavloviaanse conditionering.
Zie ook: Conditioneren/Stimulus.

Response
Elke reactie die volgt op een stimulus. Dit kunnen antwoorden op (test)vragen zijn, of niezen, trap aflopen, met ogen knipperen.
Synoniemen: Reflex/Reactie.
Zie ook: Stimulus/Reflex.

Shaping
Shaping (Engels) = het vormen (van gedrag).
Het conditioneren van zeer ingewikkelde en weinig voorkomende reacties van mens en dier. Men beloont *dat* gedrag dat steeds dichter bij het gewenste gedrag (reacties) komt. De experimentator wordt eigenlijk steeds minder tevreden met (bijvoorbeeld) de experimentele rat. Hij verlangt dat de rat steeds dichter bij het einddoel komt. Lukt dit niet dan worden de reacties niet beloond. Het lijkt op een spel, waarin iemand iets moet raden. Elk antwoord dat in de buurt komt wordt 'beloond' met 'warm' of 'warmer' of 'heet'.
Synoniem: Approximatieconditionering.
Zie ook: Conditioneren.

Short-term memory
Letterlijk (Engels): kortstondig geheugen. Het geheugen voor zaken, die men slechts korte tijd moet onthouden.
Voorbeeld: een telefoonnummer uit een telefoonboek.
Zie ook: Long-term memory/Geheugen.

Spaced learning
Een vorm van leren, waarbij het leerproces onderbroken wordt door

rustperioden (of *andere* leertaken). Dit is het tegengestelde van unspaced learning. Met spaced learning bereikt men meestal betere resultaten, en sneller.
Synoniemen: Spaced practice/Distributed learning/Distributed practice.
Zie ook: Unspaced learning/Leren.

Spaced practice
Een vorm van leren, waarbij het leerproces onderbroken wordt door rustperioden.
Synoniemen: Spaced learning/Distributed learning/Distributed practice.
Zie ook: Spaced learning.

Spontaan herstel
Een van Pavlov afkomstige term. De geconditioneerde response verschijnt weer, nadat deze uitgedoofd was. M.a.w. een aangeleerde reactie, die verdwenen was, doordat zij niet meer beloond werd, is vanzelf, spontaan, teruggekomen. Voorbeeld: een hond reageert weer met speeksel in de bek bij het horen van een bel (deze was 'gekoppeld' aan een stukje vlees).
Zie ook: Pavlov/Extinctie/Geconditioneerde response.

S-R formule
Afkorting van stimulus response formule.
Synoniem: S-R relatie.
Zie ook: Stimulus response relatie.

S-R relatie
Afkorting van stimulus-response relatie.
Synoniem: S-R formule.
Zie ook: Stimulus-response relatie.

Stimulus
Letterlijk (Latijn): prikkel, drijfveer. Meervoud: stimuli. Een stimulus is een verandering in fysische energie (licht), die een receptor (oog) activeert. Een stimulus leidt vrijwel altijd tot een response.
Zie ook: Response.

Stimulus response formule
Synoniem: Stimulus response relatie.
Zie ook: Stimulus response relatie.

Stimulus response relatie
In het Behaviorisme en bij het conditioneren gaat men er van uit dat *elke* stimulus (S) een response (R) tot gevolg heeft. Dit verband heeft men de naam S-R relatie gegeven.
Synoniem: Stimulus response formule.
Zie ook: Stimulus/Response/Conditioneren/Behaviorisme.

S.T.M.
Afkorting van short-term memory (kortstondig geheugen).
Zie ook: Short-term memory.

Transpositie
Het dier of de persoon reageert op de *relaties* tussen elementen van een probleem, in plaats van op de elementen zelf. Voorbeeld: een rat moet springen naar de grootste van twee platen. Hierop ligt namelijk voedsel. Hij leert 'grootste plaat = voedsel'. De rat blijkt het begrip grootste geleerd te hebben wanneer hij naar de grootste van twee andere platen springt, waarbij hier de grootste plaat *even groot* is als de kleinste van de eerste serie. De rat gaat dùs niet op absolute oppervlakte af. Het heeft het begrip 'grootste' getransponeerd (overgebracht) naar de nieuwe situatie.
Zie ook: Proefpersoon.

Trigram
Nonsenswoord dat uit drie letters bestaat. Voorbeeld: irk.

Unspaced learning
Een vorm van leren, waarbij het leerproces niet onderbroken wordt door rustperioden, of het volbrengen van andere taken, die niets met het leren in kwestie te maken hebben. Het tegengestelde is spaced learning.
Synoniemen: Unspaced practice/Massed learning/Massed practice.
Zie ook: Leren/Spaced learning.

Unspaced practice
Ononderbroken leren.
Synoniemen: Unspaced learning/Massed learning/Massed practice.
Zie ook: Unspaced learning.

Vergeetcurve
Een curve (lijn in een grafiek) die aangeeft hoe het vergeten verloopt. Vlak na het leren vergeet men snel. Het vergeetproces gaat daarna geleidelijk en langzaam. De vergeetcurve is ontdekt door Ebbinghaus.
Zie ook: Leren/Ebbinghaus.

Vergeten
Het niet (meer) onthouden van geleerd materiaal (woorden, beelden, plaatsen, namen etc.).

Vermijdingsleren
Een vorm van leren die gebaseerd is op straf, of de kans op straf. Doordat men (of een proefdier) gestraft kan worden voor een bepaalde gedraging, levert deze gedraging angst op. Deze angst zal vermeden worden, en daarmee op haar beurt de gedraging.
Zie ook: Leren.

Closure
To close (Engels) = sluiten.
Term afkomstig uit de Gestaltpsychologie. Dit verschijnsel uit de waarnemingsleer houdt in dat de persoon die een aantal onderbroken lijnen waarneemt deze lijnen 'automatisch' doortrekt, zodat zij betekenisvol worden. Voorbeeld: een cirkelvormige onderbroken lijn zal men als een cirkel waarnemen.
Zie ook: Gestaltpsychologie.

Drempel
De ondergrens waar stimuli nog worden waargenomen. Stimuli die onder deze grens liggen qua sterkte, worden niet opgemerkt.
Synoniemen: Stimulusdrempel/Limen.
Zie ook: Stimulusdrempel.

Dysesthesie
Aisthèsis (Grieks) = gewaarwording, waarneming, ervaring.
Een niet normale gevoeligheid voor pijn. D.w.z. verhoogde of verlaagde drempel voor pijn. D.w.z. men kan óf zeer veel pijn verdragen óf juist zeer weinig.

Figure-ground
Letterlijk (Engels): figuur-grond. Een verschijnsel in de waarneming. Het principe dat waarnemingen fundamenteel volgens twee patronen gevormd worden.
1. De duidelijk naar voren komende vorm (de figuur) heeft een goede omtrek en geeft een indruk van stevigheid of driedimensionaliteit.
2. De (achter)grond die onduidelijk is waarvan de delen onduidelijke vormen hebben.
Voorbeeld: een foto. De man op de voorgrond (= figuur) is duidelijk en scherp. Het huis waarvoor hij staat (= grond) is onscherp, onduidelijk, vaag.
Synoniem: Figuur-grond waarneming.

Figuur-grond waarneming
Synoniem: Figure-ground.
Zie ook: Figure-ground.

Fysiologisch nulpunt
Term uit het onderzoek naar de gevoelszintuigen. Onder het fysiologisch nulpunt verstaat men de temperatuur die men noch als warm noch als koud

Als u een bepaald woord hier niet kunt vinden, raadpleeg dan het zoekregister (blz. 3 en verder).

waarneemt. Dit is de temperatuur van het lichaamsoppervlak (33°C).
Zie ook: Gevoelszintuigen.

Galvanotaxis
De oriënterende reactie (reflex) van organismen naar (de bron van) elektrische stroom, of het elektrische spanningsveld.
Synoniem: Galvanotropisme.

Galvanotropisme
Synoniem: Galvanotaxis.
Zie ook: Galvanotaxis.

Gestalt
Letterlijk (Duits): vorm, configuratie, figuur. De Gestalt is een geheel (een structuur) dat meer is dan de som van de delen, waaruit de Gestalt bestaat. De Gestalt is een oorspronkelijk sleutelbegrip uit de Gestaltpsychologie. Voorbeeld: een beker is een Gestalt. Een kop en schotel vormen samen ook een Gestalt. Een huis in een straat vormt een Gestalt (alle bakstenen, de schoorsteen, voordeur etc. zijn delen). Alle huizen in de straat vormen op zich ook weer een Gestalt.
Zie ook: Gestaltpsychologie.

Gestaltpsychologie
Een Duits-Amerikaanse school in de psychologie die zich hoofdzakelijk bezighield met de studie van de waarneming. Grote interesse voor experimentatie. De hoofdfiguren waren Wertheimer, Köhler en Koffler.
Zie ook: Scholen in de psychologie/Perceptie/Gestalt/Wertheimer/Köhler/Koffler.

Gestaltwetten
Een zevental geformuleerde principes die in de waarneming algemene geldigheid genieten. Deze wetten zijn afkomstig uit de Gestaltpsychologie. Het zijn:
1. *Wet van de nabijheid*. Hoe dichter twee prikkels zich bij elkaar bevinden (in ruimte of tijd) des te groter is de neiging ze als één groot geheel waar te nemen. Voorbeeld: wanneer twee mensen bij elkaar staan, ziet men hen als een geheel, een eenheid (vrijend paartje). Twee dicht bij elkaar staande bomen 'horen bij elkaar'. Een groepje struiken wordt een 'bosje'. Een tafel en een stoel die bij elkaar staan vormen een eenheid.
2. *Wet van de gelijkheid*. Men neigt ernaar twee gelijke prikkels, of verzamelingen van prikkels, als bij elkaar behorend waar te nemen. Voorbeeld: twee marechaussees (met witte helmen) op een vol perron horen bij elkaar, zelfs al staan ze meters van elkaar verwijderd. Twee vriendinnen, die willen laten blijken dat ze bij elkaar horen, dragen wel eens dezelfde kleding. Ook tweelingen worden zo aangekleed. Verpakkingen voor produkten uit één assortiment lijken vaak sterk op elkaar (koffie, thee, sigaretten etc.).
3. *Wet van het gemeenschappelijk lot*. Wanneer twee dingen een zelfde beweging uitvoeren, neigen we ertoe ze als bij elkaar behorend waar te nemen. Als twee personen achter elkaar lopen, denken we dat ze bij elkaar

horen. Drie paardrijders in de duinen, die achter elkaar (met tussenpozen van enkele minuten) langskomen, hetzelfde pad passeren, worden gezien als een eenheid. (Misschien hebben ze niets met elkaar te maken.)
4. *Wet van de instelling*. Wanneer we gewend zijn een bepaald prikkelpatroon op een bepaalde manier te zien, zullen we dat ook bij een volgende keer zo zien. Als we gewend zijn een bepaald verkeersbord te zien als een stopteken zullen we dit (hopelijk) altijd zo interpreteren.
5. *Wet van de goede voortgang*. Telkens zal de eenvoudigste en meest overzichtelijke voortgang van een lijn verkozen worden boven andere. Een driekwart cirkelfiguur, gevormd door puntjes, willen we vervolmaken tot een complete cirkel. Een rij grachtenhuizen waaruit één gevel ontbreekt, wordt gezien als een onderbroken lijn.
6. *Wet van de geslotenheid*. Prikkels en prikkelpatronen worden als een eenheid opgevat, indien daardoor een eenvoudiger, gesloten structuur kan ontstaan. We hebben de neiging in onze waarneming te vereenvoudigen: bomen worden een bos, lepels en vorken een bestek. Als een aantal punten vaaglijk een cirkel vormt, zijn we geneigd deze verzameling punten als cirkel te zien.
7. *Wet van de ervaring*. Indien een bepaalde structuur door vroegere ervaring een betekenis heeft gekregen, zal de neiging bestaan deze structuur waar te nemen. Als we in onze ervaring een rode bol op een wit vlak hebben leren zien als de vlag van Japan, kan zelfs een rode bal midden op een witte handdoek ons aan die vlag doen denken.
Zie ook: Gestaltpsychologie.

Gust
Letterlijk (Engels): smaak. De eenheid van smaak, wanneer men smaak subjectief (door de persoon ervaren) meet (vergelijk: calorie, de eenheid van warmte).

Hyperaesthesia gustatoria
Buitengewone smaakgevoeligheid.
Synoniemen: Oxygeusie/Hypergeusie.
Zie ook: Oxygeusie.

Hyperesthesie
Aisthèsis (Grieks) = waarnemen, gewaarwording, ervaring.
Overgevoeligheid in een of meerdere zintuiggebieden. Deze overgevoeligheid kan psychische oorzaken hebben. Zij kan ook op zeer goed ontwikkelde zintuigen berusten.
Synoniem: Oxyesthesie.
Zie ook: Oxyesthesie.

Hypergeusie
Geuma (Grieks) = smaak, proeven.
Buitengewone smaakgevoeligheid.
Synoniemen: Oxygeusie/Hyperaesthesia gustatoria.
Zie ook: Oxygeusie.

Hyperosmie
Osmè (Grieks) = geur.
Buitensporige gevoeligheid voor geuren.

Hypoalgesie
Algos (Grieks) = pijn.
Verminderde gevoeligheid voor pijn. De pijndrempel is verhoogd.

Incorrecte waarneming
Waarneming die niet juist is. De stimuli worden niet correct waargenomen. Dit gebeurt o.a. bij visuele illusies. Voorbeeld: u zit in de auto; u staat stil voor het stoplicht. U denkt dat de auto naast u gaat rijden. In werkelijkheid rijdt u zelf langzaam achteruit.
Zie ook: Visuele illusie.

Isolatie-effect
Een stimulus die niet thuishoort in een bepaalde reeks valt (extra) op.
Synoniem: Von Restorff effect.
Zie ook: Von Restorff effect.

J.N.D.
Afkorting van just noticeable difference.
Zie ook: Kleinste waarneembare verschil.

Just Noticeable Difference
Het veelal gebruikte Engelse begrip voor kleinste waarneembare verschil.
Synoniem: Kleinste waarneembare verschil.
Zie ook: Kleinste waarneembare verschil.

Kinesthesie
Letterlijk: gevoel van beweging. Het gevoel dat men krijgt bij bewegingen van het eigen lichaam. Kinesthesie is een der gevoelszintuigen.
Zie ook: Gevoelszintuigen.

Kleinste waarneembare verschil
Het verschil tussen twee stimuli, dat nog net groot genoeg is om onderscheiden te worden. Het begrip stamt uit de psychofysica.
Synoniemen: Just Noticeable Difference/J.N.D.
Zie ook: Psychofysica.

Limen
Limen (Latijn) = drempel.
Bedoeld wordt de drempel in de waarneming. Het is de grens waaronder men niet meer waarneemt.
Synoniem: Drempel.
Zie ook: Drempel.

Lokalisatiefout
De fout die een (proef)persoon maakt bij onderzoek naar de huidgevoeligheid. Het is de afstand tussen de plaats waar in de huid wordt

geprikt en de plaats die de proefpersoon aangeeft waar *volgens hem* geprikt is. Het is dus het verschil tussen werkelijke prik en subjectieve plaatsbepaling hiervan.

Oriënterende reflex
De reactie waarbij mens en dier zich wenden tot de bron van stimulatie (bijvoorbeeld de lichtbron). Deze reactie gaat gepaard met allerlei fysiologische processen. Voorbeeld: de hond die zijn oren spitst. Hij richt zijn oren naar de geluidsbron.
Synoniem: Oriënterende response.

Oriënterende response
Synoniem: Oriënterende reflex.
Zie ook: Oriënterende reflex.

Oxyesthesie
Oxus (Grieks) = scherp, heftig; aisthèsis (Grieks) = waarnemen, gewaarwording, ervaring.
Overgevoeligheid.
Synoniem: Hyperesthesie.
Zie ook: Hyperesthesie.

Oxygeusie
Geuma (Grieks) = smaak, proeven.
Buitensporig scherp vermogen tot het waarnemen van smaken.
Synoniemen: Hypergeusie/Hyperaesthesia gustatoria.

Paradoxale koude
Het gevoel van koude dat men krijgt wanneer een warm voorwerp in contact komt met een koude plek op de huid (= zenuweinde dat koudeprikkels kan opvangen). Het tegengestelde noemt men paradoxale warmte.

Paradoxale warmte
Zie ook: Paradoxale koude.

Parafie
Een algemene term voor stoornis in de tastwaarneming, tastzin. Het tastzintuig functioneert niet zoals het behoort te doen.

Perceptie
Perceptio (Latijn) = ontvangst, begrip, inzicht, waarneming.
De wereld om ons heen leren kennen door middel van de zintuigen. Perceptie is niet alleen zien, maar ook horen, ruiken, tasten e.d. Perceptie is een belangrijk psychologisch begrip. Het komt niet alleen tot stand door het 'pure' zien. Ook ervaring, wensen e.d. bepalen wat wij waarnemen.
Synoniem: Waarneming.
Zie ook: Selectieve perceptie/Zintuig.

Phantom limb
Letterlijk (Engels): schijnledemaat.

Verschijnsel dat zich voordoet na amputatie van een lichaamsdeel. De geamputeerde heeft het gevoel zijn geamputeerde ledemaat nog steeds te voelen. Oorzaak is de aanwezigheid van een 'schema' in de hersenen. Een gedeelte in de hersenen heeft steeds signalen van deze ledemaat opgevangen en er op gereageerd.

Primaire smaken
De vier hoofdsmaken van de mens. Dit zijn: zoet, bitter, zout, zuur.

Psychofysica
Fysica = natuurkunde.
Een interdisciplinair gebied tussen de psychologie en de natuurkunde. Men houdt zich bezig met het onderzoek naar het verband tussen de subjectieve waarneming (psychologie) en de objectieve 'input' (natuurkunde). Men onderzoekt bijvoorbeeld hoe mensen zeer harde geluiden, hoge tonen verdragen. De psychofysica is een der oudste gebieden van de wetenschappelijke psychologie. Fechner wordt beschouwd als 'vader' van de psychofysica.
Zie ook: Fechner.

Reactietijd
De tijd die verloopt tussen stimulus en response. De tijd die iemand nodig heeft om op een bepaalde prikkel te reageren.
Zie ook: Stimulus/Response.

Ruis
Aantal geluiden van verschillende frequenties (geroezemoes). Ook: storingen, storend geluid, niet te decoderen stimuli.
Synoniem: White noise.
Zie ook: White noise.

Selectieve perceptie
Letterlijk: keuze in de waarneming. Ieder individu neemt niet alles waar wat hij waar zou kunnen nemen: hij selecteert. Hij ziet alleen maar wat hij wil zien, wat hem goed uitkomt.
Synoniem: Selectieve waarneming.
Zie ook: Perceptie.

Selectieve waarneming
Synoniem: Selectieve perceptie.
Zie ook: Selectieve perceptie.

Sensatie
Sentire (Latijn) = gevoelen, waarnemen, bemerken, menen.
Spreektaal: opschudding, opzienbarend verschijnsel. Binnen de psychologie een enigszins vaag, algemeen en ook verouderd begrip. (Het heeft geheel andere betekenissen dan in de spreektaal.) Psychologie: een door een zintuig verkregen indruk, die niet kenbaar wordt gemaakt. Het is een gevoel, een gewaarwording.

Sensibiliteit
Gevoeligheid voor zintuiglijke indrukken.

Sensorisch gestoorde
Een persoon met zintuiglijke afwijkingen en/of gebreken, zoals doofheid, blindheid e.d.
Zie ook: Zintuig.

Smaakwaarneming
Het waarnemen van smaken. Onderdeel van de waarnemingsleer.
Zie ook: Waarneming/Waarnemingsleer.

Stimulusdrempel
Het minimum aan energie dat mens of dier nodig heeft om een stimulus op te merken (waar te nemen). Stimuli onder dit minimum worden niet opgemerkt. Men spreekt dan van subliminaal (= onder de drempel). Het minimum varieert van persoon tot persoon. Het is ook afhankelijk van allerlei omgevingsfactoren (stille omgeving, mooi weer, duisternis etc.). Stimulusdrempel is een ondergrens. Het begrip is afkomstig uit de psychofysica.
Synoniemen: Drempel/Limen.
Zie ook: Stimulus/Psychofysica.

Subceptie
Waarneming onder de waarnemingsdrempel.
Synoniem: Subliminale perceptie.
Zie ook: Subliminale perceptie.

Subliminale perceptie
Letterlijk: waarneming onder de drempel. Het waarnemen van beelden die men niet *kan* waarnemen. De prikkels zijn te gering van sterkte om waargenomen te kunnen worden. Niettemin worden zij waargenomen. Het is nog niet duidelijk of dit verschijnsel werkelijk bestaat of op experimenteerfouten berust.
Synoniem: Subceptie.
Zie ook: Perceptie.

Thermanesthesie
Thermos (Grieks) = warm; aisthèsis (Grieks) = waarneming, gewaarwording, ervaring.
Synoniem: Thermohypestesie.
Zie ook: Thermohypesthesie.

Als u een bepaald woord hier niet kunt vinden, raadpleeg dan het zoekregister (blz. 3 en verder).

Thermesthesie
Normale gevoeligheid voor warmte en koude. Temperatuurzin. Warmte en koude kunnen onderkennen.

Thermohyperesthesie
Een buitensporige gevoeligheid voor warmte en koude bezitten.

Thermohypesthesie
Ongevoeligheid voor warmte of warme voorwerpen op de huid. Normaal is de pijn een signaal: er is iets mis. Mensen die lijden aan thermohypesthesie krijgen die signalen niet als zij een heet voorwerp (pan, kachel) aanraken.
Synoniem: Thermanesthesie.

Veldeigenschappen
Een term uit de Gestaltpsychologie. De eigenschappen van gehelen die de waarneming van de delen beïnvloeden. Voorbeeld: een persoon in korte broek wordt in een stadion als speler gezien (terwijl deze bezoeker vanwege de warmte een korte broek heeft aangetrokken).
Zie ook: Gestalt.

Verschildrempel
Een term uit de psychofysica. Het minimale (kleinste) verschil tussen twee stimuli dat nog juist kan worden waargenomen. Kleinere verschillen worden niet meer waargenomen. D.w.z. deze stimuli liggen 'te dicht bij elkaar'.
Zie ook: Waarnemingsdrempel/Psychofysica.

Von Restorff-effect
Het verschijnsel dat een stimulus die niet in een bepaalde reeks 'thuishoort', zeer opvalt. Bijvoorbeeld: een letter tussen allerlei cijfers (1, 3, 7, 8, P, 6, 5, 2, 4). Het begrip is afkomstig uit de Gestaltpsychologie en genoemd naar de psychologe Von Restorff.
Synoniem: Isolatie-effect.
Zie ook: Gestaltpsychologie/Stimulus.

Waarneming
Gadeslaan, in zich opnemen, constateren (Van Dale).
Synoniem: Perceptie.
Zie ook: Perceptie/Waarnemingsleer.

Waarnemingsleer
Een studiegebied binnen de functieleer waar men zich bezighoudt met het onderzoek naar de waarneming(sprocessen).
Synoniem: Waarnemingspsychologie.
Zie ook: Perceptie/Functieleer.

Waarnemingspsychologie
Een ander woord voor waarnemingsleer: onderzoek naar waarneming(sprocessen).
Zie ook: Waarnemingsleer.

Wet van de ervaring
Een van de Gestaltwetten. Indien een bepaalde structuur door vroegere ervaring een betekenis heeft gekregen, zal de neiging bestaan deze structuur waar te nemen.
Zie ook: Gestaltwetten.

Wet van de gelijkheid
Een van de Gestaltwetten. Men neigt ernaar twee gelijke prikkels, of verzamelingen van prikkels, als bij elkaar behorend waar te nemen.
Zie ook: Gestaltwetten.

Wet van de geslotenheid
Een van de Gestaltwetten. Prikkels en prikkelpatronen worden als een eenheid opgevat, indien daardoor een eenvoudiger, gesloten structuur kan ontstaan.
Zie ook: Gestaltwetten.

Wet van de goede voortgang
Een van de Gestaltwetten. Telkens zal de eenvoudigste en meest overzichtelijke voortgang van een lijn verkozen worden boven andere.
Zie ook: Gestaltwetten.

Wet van de instelling
Een van de Gestaltwetten. Wanneer we gewend zijn een bepaald prikkelpatroon op een bepaalde manier te zien, zullen we dat ook bij een volgende keer zien.
Zie ook: Gestaltwetten.

Wet van de nabijheid
Een van de Gestaltwetten. Hoe dichter twee prikkels zich bij elkaar bevinden (in ruimte of in tijd), des te groter is de neiging ze als een groot geheel waar te nemen.
Zie ook: Gestaltwetten.

Wet van Fechner
Een wet uit de psychofysica die geformaliseerd wordt tot:
$S = K \log R$,
S = het gevoel van de stimulus,
K = een constante,
R = stimulus (de R staat voor het Duitse Reiz = prikkel).
In woorden: de grootte van het gevoel van een stimulus is proportioneel aan de logaritme van de grootte van die stimulus.
Zie ook: Psychofysica/Fechner.

Wet van het gemeenschappelijk lot
Een van de Gestaltwetten. Wanneer twee dingen eenzelfde beweging uitvoeren, neigen we ertoe ze als bij elkaar behorend waar te nemen.
Zie ook: Gestaltwetten.

Wet van Weber
Een wet uit de psychofysica die stelt dat het kleinste waarneembare verschil tussen twee stimuli (gewichten bijvoorbeeld) kan worden weergegeven door een vaste verhouding tussen de stimuli (gewichten), ongeacht hun eigen zwaarte.

In formule $\frac{\triangle R}{R} = K$

$\triangle R$ = verandering in de stimulus,
R = stimulus (de R staat voor het Duitse Reiz = prikkel),
K = constante.
Zie ook: Psychofysica/Weber.

White noise
Letterlijk (Engels): wit geluid. Dat wil zeggen geluid dat uit alle frequenties van het geluidsspectrum bestaat. Men bedoelt hiermee geluid dat dient als storing, camouflage van andere geluiden, met name in experimenten.
Synoniem: Ruis.
Zie ook: Experiment.

Autokinetisch effect
Autos (Grieks) = zelf; autokinetisch: zelfbewegend.
De *schijnbare beweging* van een stilstaand licht in een donkere ruimte. De gesuggereerde beweging is onregelmatig en langzaam. De beweging behoeft niet door iedereen waargenomen te worden. Het is afhankelijk van persoonlijke variabelen, en o.m. sterkte van het licht, soort ruimte, mate van duisternis etc.
Synoniem: Autokinetische illusie.

Autokinetische illusie
Synoniem: Autokinetisch effect.
Zie ook: Autokinetisch effect.

Grootteconstantie
Een verschijnsel uit de waarnemingsleer. Men maakt gebruik van zijn kennis (over een object) om de vermoedelijke grootte te schatten. Dit is nodig aangezien de omvang van het beeld dat op het netvlies verschijnt, niet overeenkomt met de werkelijkheid. Zo kunnen we bijvoorbeeld de lengte van een man die honderd meter van ons is verwijderd, schatten, terwijl zijn projectie op ons netvlies zeer klein is. De projectie van iemand die vlak bij ons staat is veel groter. Toch concluderen we niet dat de man die ver van ons weg is, kleiner is dan de andere persoon.
Zie ook: Perceptie/Kleurconstantie.

Kleurconstantie
Een verschijnsel uit de waarnemingsleer. Voorbeeld: een witte kat die in de schaduw zit heeft een grijsachtige kleur. Toch 'zien' we hem als wit, omdat we weten dat de kat wit is.
Zie ook: Grootteconstantie/Waarnemingsleer/Perceptie.

Kleurenblindheid
Een aangeboren afwijking waardoor men of geheel, of gedeeltelijk geen kleuren kan zien. Gedeeltelijke kleurenblindheid komt relatief vaak voor. Vooral bij mannen. Er zijn verschillende soorten kleurenblindheid. Kleurenblind kan ook een voordeel zijn. In oorlogstijd worden kleurenblinde militairen gebruikt om camouflages te ontdekken: zij zien namelijk andere tinten dan niet-kleurenblinden.

Micropie
Mikros (Grieks) = klein; opsis (Grieks) = gezichtsvermogen, het zien.
Synoniem: Micropsie.
Zie ook: Micropsie.

Micropsie
Letterlijk: klein zien. Storing in de waarneming, waardoor men voorwerpen als kleiner waarneemt, dan zij in werkelijkheid zijn. Kan veroorzaakt worden door een oogafwijking of door psychologische factoren.
Synoniem: Micropie.

Negatief nabeeld
Een uit de Gestaltpsychologie stammende term. Het oog wordt nog steeds geprikkeld, terwijl de prikkel feitelijk verdwenen is. Voorbeeld: nadat men in een sterk licht heeft gekeken, ziet men na afwending van het hoofd het licht nog enige seconden nawerken. Negatieve nabeelden zijn in het algemeen de complementaire kleuren van de oorspronkelijke stimulus.
Zie ook: Gestaltpsychologie/Positief nabeeld.

Oxyopie
Opsis (Grieks) = gezichtsvermogen, het zien.
Buitensporig scherp gezichtsvermogen.

Phi-fenomeen
Schijnwaarneming. Stel voor: een rij lampjes, drie meter lang. Het eerste lampje gaat aan, dan uit. Tegelijkertijd gaat het tweede aan, en uit. Dan het derde, etc. Het lijkt alsof het lichtje 'beweegt'. (We zien het vaak bij etalages, bij neonverlichting of op kermissen.) Deze beweging lijkt op de stroboscopische beweging. Phi is een Griekse letter, gebruikt als symbool voor filosofie. In dit geval voor fenomeen. Wertheimer wierp oorspronkelijk de term fenomenale (Phi) beweging op.
Zie ook: Stroboscopische beweging/Wertheimer.

Positief nabeeld
Een uit de Gestaltpsychologie stammende term. Het oog wordt nog steeds geprikkeld, terwijl de stimulus reeds verdwenen is. Nadat men in een (sterk) licht heeft gekeken kan zo'n positief nabeeld verschijnen. Deze heeft dezelfde helderheid, intensiteit als de oorspronkelijke stimulus.
Zie ook: Negatief nabeeld.

Stroboscopische beweging
Strobein (Grieks) = ronddraaien, omdraaien, voortjagen.
Een illusionaire beweging: de waargenomen beweging komt niet overeen met de werkelijkheid. Voorbeeld: de lampen bij winkels, die door aan- en uitgaan beweging suggeren, of een wiel dat lijkt achteruit te draaien, in werkelijkheid draait het vooruit. Het bekendste voorbeeld is de (bioscoop)film. Dit verschijnsel is nauw verwant aan het Phi-fenomeen. Een stroboscoop is een instrument dat afzonderlijke beelden zó snel langs het oog kan leiden, dat alle beelden als één geheel worden waargenomen.
Zie ook: Phi-fenomeen.

Visuele illusie
Een vorm van incorrecte waarneming. De waarneming is niet in overeenstemming met de fysische (objectieve) prikkel.

Voorbeeld:

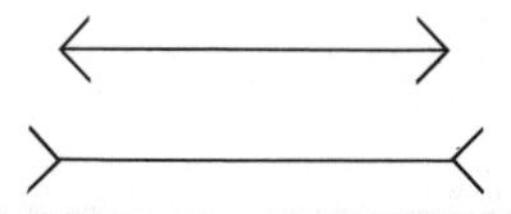

Beide pijlen zijn even lang. De onderste pijl *lijkt* echter langer.
Zie ook: Perceptie.

Vormconstantie
Een verschijnsel uit de waarnemingsleer. De vorm die wij waarnemen blijft constant, ondanks afstand, lichtinval, waarnemingshoek.
Zie ook: Waarnemingsleer/Perceptie/Grootte constantie/Kleurconstantie.

Als u een bepaald woord hier niet kunt vinden, raadpleeg dan het zoekregister (blz. 3 en verder).

Adaptatie
Letterlijk: aanpassing, gewenning. Verschijnsel dat betrekking heeft op alle zintuigen. Na een min of meer langdurige prikkeling 'verdwijnt' de prikkel. Deze wordt niet meer opgemerkt. (Voorbeeld: men voelt het horloge aan de pols niet meer.)
Zie ook: Zintuig/Stimulus.

Chemische zintuigen
Verzamelnaam voor de reuk- en smaakzintuigen.
Zie ook: Zintuig.

Evenwichtszintuig
Zintuig waardoor men lichamelijk evenwicht behoudt (niet omvalt).
Zie ook: Somatische zintuigen.

Gevoelszintuigen
Verzamelnaam voor vier zintuiggebieden: 1. huidzin, 2. kinesthesie, 3. organische gevoeligheid (gewaarwordingen van eigen organen, darmen, hart, maag e.d.), 4. gevoeligheid van het labyrinth (= evenwichtsorgaan).
Synoniem: Somesthesis.
Zie ook: Zintuig/Huidzin/Kinesthesie.

Huidzin
Een van de gevoelszintuigen. Het is de gevoeligheid van de huid voor diverse soorten prikkels. De huid is gevoelig voor: 1. pijn, 2. warmte, 3. koude, 4. tast (druk).
Synoniem: Huidzintuig.
Zie ook: Gevoelszintuigen/Zintuig.

Huidzintuig
Synoniem: Huidzin.
Zie ook: Somatische zintuigen/Huidzin.

Kinesthetisch zintuig
Zintuig dat zorg draagt voor de gewaarwording van de eigen spieren en gewrichten.
Zie ook: Somatische zintuigen.

Pijnzintuig
Zintuig dat de pijn van het lichaam (lichaamsdelen) waarneemt.
Zie ook: Somatische zintuigen.

Sensori-motorische activiteit
Sensus (Latijn) = waarneming, gevoel; motus (Latijn) = beweging.
Alle activiteiten (reacties) die het gevolg zijn van zintuiglijke prikkeling.

Sensorische deprivatie
Letterlijk: zintuiglijke ontbering.
1. Verstoken zijn van prikkels op één of meer zintuigen. Dit kan verschillende oorzaken hebben (zoals absolute duisternis).
2. Minimale of geen zintuiglijke prikkeling. Sensorische deprivatie in de tweede betekenis is (voor de normale, gezonde) persoon bijzonder onaangenaam. Bijvoorbeeld: iemand in een isoleercel opsluiten.

Sensorium
Verouderde term voor het gehele zintuiglijke apparaat. D.w.z. alle hersendelen en organen die met de zintuigen te maken hebben.

Somatische zintuigen
Sooma (Grieks) = lichaam.
Zintuigen die verband houden met de waarneming van het eigen lichaam. Zo onderscheidt men: temperatuurzintuig, pijnzintuig, evenwichtszintuig, huidzintuig, kinesthetisch zintuig (gewaarwording van eigen spieren en gewrichten).
Zie ook: Zintuig.

Somesthesis
Verzamelnaam voor enige zintuiggebieden.
Zie ook: Gevoelszintuigen.

Synesthesie
De gewaarwording dat indrukken van het ene zintuiggebied op het andere worden overgeplant. Bijvoorbeeld de zegswijze: 'Het ziet er buiten koud uit'. (Zonder dat men sneeuw of ijs ziet.) Of: 'deze muziek klinkt bruin'.

Temperatuurzintuig
Zintuig dat warmte en koude waarneemt.
Zie ook: Somatische zintuigen.

Zintuig
Orgaan dat tot doel heeft waar te nemen. Ogen, oren, neus zijn zintuigen.

Adrenaline
Een hormoon dat in de bijnier wordt afgescheiden. Dit hormoon heeft een belangrijke rol in diverse lichaamsprocessen, zoals toename van de hartslag, toename van het bloed volume in de spieren. Ook heeft zij te maken met verschijnselen als emotie en agressie.
Synoniem: Epinefrine.
Zie ook: Hormoon/Emotie/Agressie.

Alvleesklier
Klier, die hormonen afscheidt, die het suikermetabolisme bepalen. Deze hormonen oefenen invloed uit op het gedrag.
Synoniem: Pancreas.
Zie ook: Metabolisme/Hormoon/Klieren.

Bijnier cortex
Cortex (Latijn) = deklaag, schors.
Klier, die hormonen afscheidt, die van belang zijn voor de afgifte van stoffen; stoffen, die zorgen dat andere stoffen in voldoende mate voorkomen. Voorts beheersen zij het zout- en koolhydratenmetabolisme. Mogelijk spelen zij ook een rol bij enkele psychische stoornissen. (De Latijnse, medische naam is adrenale cortex.)
Zie ook: Klieren/Metabolisme/Hormoon.

Bijnier medulla
Klier, die hormonen afscheidt, die van belang zijn bij emoties. Deze, nauw aan elkaar gerelateerde, hormonen zijn: adrenaline en noradrenaline.
Zie ook: Hormoon/Klieren/Emotie.

Bijschildklier
Klier, die hormonen afscheidt, die het calciummetabolisme bepalen. De hormonen zorgen voor handhaving van de normale prikkelbaarheid van het centraal zenuwstelsel.
Zie ook: Metabolisme/Hormoon/Centraal zenuwstelsel/Klieren.

Borstklier
Klier, die hormonen afscheidt, die van belang zijn voor de ontwikkeling van afweerstoffen in het lichaam. (Latijnse, medische naam is thymus.)
Zie ook: Hormoon/Klieren.

Cel
Elke cel bestaat uit een groot aantal delen, elementen, waarvan vele nog steeds niet bekend zijn. De cel is de fundamentele eenheid van elk levend organisme. Elk organisme op aarde (mens, dier, plant) is opgebouwd uit vele, vele cellen. Elk mens heeft miljarden cellen. Een cel kan worden gezien als

een microscopisch klein zakje, dat op sommige plaatsen voor bepaalde chemische stoffen doorlaatbaar is. De membraan (celwand) is poreus. Dank zij deze eigenschap kan de cel verschillende stoffen tot zich nemen en andere uitlaten. De cel probeert een voor haar gunstige evenwichtstoestand te handhaven of te verkrijgen. De cel is samengesteld uit vele deeltjes, die elk weer hun eigen functie hebben. De taak van een aantal deeltjes is onbekend: men wéét dat zij aanwezig zijn, maar niet wat hun functie is. Behalve de membraan kent men nog twee belangrijke onderdelen van de cel. Dat zijn de *nucleus* (de kern) en het *cytoplasma* (celvloeistof). De nucleus is belangrijk omdat die te maken heeft met de erfelijke eigenschappen van het individu. De nucleus zorgt voor de reproduktie van cellen. Het cytoplasma vormt het grootste deel van de cel. Het is vooral belangrijk voor het metabolisme (de stofwisseling). Cellen komen voor in vele soorten, maten en variëteiten.

Celvloeistof
De meest voorkomende stof in een cel. Belangrijk voor de stofwisseling.
Synoniem: Cytoplasma.
Zie ook: Cel.

Celwand
De poreuze begrenzing van een cel.
Synoniem: Membraan.
Zie ook: Cel.

Cytoplasma
De meest voorkomende stof in een cel. Belangrijk voor de stofwisseling.
Synoniem: Celvloeistof.
Zie ook: Cel.

Deficiëntie
Het hebben van een tekort, gebrek, stoornis. Voorbeeld: blindheid, doofheid etc.

Deoxyribonucleïnezuur
Volgens de biochemie is de stof D.N.A. (*deoxyribonucleïnezuur*) van doorslaggevend belang voor de erfelijkheid. Theoretisch gezien is deze stof drager van alle erfelijke eigenschappen. Deze stof geeft aan hoe het pas bevruchte eitje moet opgroeien. Het D.N.A. bevat de *genetische boodschap* voor de eiwitten van de lichaamscellen. Deze eiwitten bestaan uit ketens van *aminozuren*. En het zijn deze aminozuren die een uiterst belangrijke rol spelen in het (menselijk) lichaam. Wanneer namelijk in een keten een verkeerd of onvolledig aminozuur voorkomt, kan dit leiden tot vormen van kleurenblindheid, zwakzinnigheid of krankzinnigheid.

D.N.A.
Afkorting van deoxyribonucleïnezuur.
Zie ook: Deoxyribonucleïnezuur.

Effector
Letterlijk: uitvoerder. Gespecialiseerde cellen, die door neuronen gegeven

opdrachten uitvoeren. Spieren en klieren zijn zulke uitvoerders.
Zie ook: Cel/Klier/Spieren/Neuron.

Endocriene klier
Krinein (Grieks) = (onder)scheiden.
Klier, die hormonen produceert, die in de bloedbaan terechtkomen, en daardoor snel werken.
Zie ook: Klieren.

Epinefrine
Belangrijk hormoon, dat o.m. een rol speelt bij emotie en agressie.
Synoniem: Adrenaline.
Zie ook: Adrenaline.

Estrus
Hoogtepunt van de seksuele gevoeligheid, vruchtbaarheid en aanmaak van hormonen (i.v.m. seksualiteit) bij diverse diersoorten.

Exocriene klier
Krinein (Grieks) = (onder)scheiden.
Klier, die hormonen produceert, die het lichaam verlaten of in andere organen gedeponeerd worden.
Zie ook: Klieren.

Fysiologie
Een onderdeel van de biologie. In de fysiologie bestudeert men het binnenste van levende organismen: organen en hun functies. De fysiologie is een der 'ouders' van de psychologie (de andere is filosofie).
Zie ook: Filosofie.

Fysiologische psychologie
Een interdisciplinair studiegebied van de psychologie (met name functieleer) en de fysiologie. Men bestudeert de fysiologische aspecten van het gedrag.
Synoniem: Psychofysiologie/fysiopsychologie.

Fysiopsychologie
Synoniemen: Fysiologische psychologie/Psychofysiologie.
Zie ook: Fysiologische psychologie.

Gestreepte spieren
Spieren, die dankzij verschillende kleuren in de cellen een gestreept aanzien hebben.
Zie ook: Spieren.

Als u een bepaald woord hier niet kunt vinden, raadpleeg dan het zoekregister (blz. 3 en verder).

Gladde spieren
De meest 'eenvoudige, elementaire' soort spieren.
Zie ook: Spieren.

Gonaden
Gonè (Grieks) = zaad, het verwekkende, het verwekte.
Klieren, die hormonen aanmaken, die een rol spelen in de seksualiteit. Gonaden zorgen voor de secondaire seksuele kenmerken (haargroei, baard, uiterlijk). Zij houden de voortplantingsorganen in stand.
Zie ook: Hormoon.

Hartspieren
Spieren die tot taak hebben het hart te laten functioneren.
Zie ook: Spieren.

Hormoon
Hormaein (Grieks) = zich in beweging zetten.
Chemische verbinding, die in staat is allerlei processen in het lichaam op gang te brengen. Hormonen worden afgescheiden in (endocriene) klieren. Dit gebeurt op vele plaatsen in het organisme; zij zijn zeer belangrijk voor de psychologie in verband met hun invloed op het gedrag. Een hormoon is 'boodschappenjongen'. Zij zet organen aan het werk.
Zie ook: Klieren.

Klieren
Organen in het lichaam, die gespecialiseerd zijn in de afgifte van stoffen, welke een rol spelen binnen het lichaam (of verwijderd worden). Men onderscheidt endocriene en exocriene klieren. *Endocriene* klieren zijn klieren die hormonen produceren. Deze komen in het bloed terecht, zodat zij snel werken. *Exocriene* klieren produceren stoffen, die het lichaam verlaten of in andere organen terechtkomen.
Zie ook: Hormoon.

Membraan
Membrana (Latijn) = vlies.
De wand van een cel.
Synoniem: Celwand.
Zie ook: Cel.

Menarche
Mèn (Grieks) = maand; archè (Grieks) = begin.
De eerste menstruatie bij de vrouw.
Zie ook: Menstruatie.

Menopauze
Pauein (Grieks) = (doen) ophouden.
Levensfase in de vrouw, gekenmerkt door het ophouden van de menstruatie. Er doen zich bepaalde fysiologische veranderingen in het lichaam voor. Deze oefenen invloed uit op het gedrag en de persoonlijkheid. De menopauze begint rond het 45ste jaar.
Synoniem: Climacterium.

Menstruatie
Menstruus (Latijn) = maandelijks.
Het maandelijks afscheiden van bloed en lichamelijke afvalstoffen uit de biologisch volwassen vrouw. Afgescheiden hormonen oefenen hiertoe hun invloed uit op de eierstokken. De menstruatie bestaat (fysiologisch) uit drie fasen. Vrouwen voelen zich tijdens de menstruatie in het algemeen niet behaaglijk, zijn prikkelbaar en snel vermoeid.
Synoniem: Menstruele cyclus.

Menstruele cyclus
Synoniem: Menstruatie.
Zie ook: Menstruatie.

Metabolisme
Metabolè (Grieks) = verandering, ommekeer, overgang.
Een fysiologisch proces dat voedsel in het lichaam omzet in energie. Metabolisme kan men vergelijken met verbranding in een kachel. De kachel heeft brandstof nodig, zoals petroleum. In de kachel wordt de petroleum verbrand. Er komt *energie* vrij. Metabolisme betekent dat het door ons ingenomen voedsel systematisch wordt afgebroken tot kleinere eenheden. Deze kleine deeltjes kunnen voor het lichaam noodzakelijke bestanddelen bevatten, die meteen worden *omgezet* in energie. Maar ook kunnen zij in het lichaam worden *opgeslagen*. We beschikken dan over een hoeveelheid reserve-energie. Aangezien er drie soorten voedsel bestaan (koolhydraten, eiwitten en vetten) zijn er eigenlijk ook drie soorten metabolisme.
Synoniem: Stofwisseling.

Noradrenaline
Een hormoon dat in de bijnier wordt afgescheiden. De werking van het hormoon lijkt nogal op dat van adrenaline.
Synoniem: Norepinephrine.
Zie ook: Adrenaline/Hormoon.

Norepinefrine
Synoniem: Noradrenaline.
Zie ook: Noradrenaline.

Nucleus
Nucleus (Latijn) = kern.
Onderdeel van een cel. Belangrijk i.v.m. erfelijke eigenschappen.
Zie ook: Cel.

Olfactorische stimuli
Olfacere (Latijn) = ruiken.
Prikkels door stoffen, meestal dampen, die in staat zijn de neus te prikkelen. Dit betekent dat deze geuren door middel van de neus waarneembaar zijn.
Zie ook: Stimulus.

Pancreas
Klier die hormonen afscheidt die het suikermetabolisme bepalen.
Synoniem: Alvleesklier.

Parathormoon
Een hormoon, dat uit de bijschildklier wordt afgescheiden. Een tekort aan deze hormoon in het lichaam leidt tot prikkelbaarheid.
Zie ook: Hormoon.

Psychofysiologie
Interdisciplinair studiegebied van de psychologie en de fysiologie (de naam is eigenlijk foutief).
Synoniemen: Fysiologische psychologie/Fysiopsychologie.
Zie ook: Fysiologische psychologie.

Receptor
Recipere (Latijn) = terugnemen, opnemen, ontvangen.
Receptoren zijn gevoelig voor thermische (warmte), mechanische, chemische en lichtstimuli. Men vindt de receptoren dan ook geplaatst bij de zintuigen. Zintuigen vangen de voor hen bestemde informatie (geluid, reuk) op.
Synoniem: Receptorcel.
Zie ook: Cel/Zintuig.

Receptorcel
Synoniem: Receptor.
Zie ook: Receptor.

Ribonucleïnezuur
Volgens de geheugenspoortheorie ligt in deze chemische verbinding het geheugen opgeborgen. Deze stof komt in bepaalde eiwitten voor.
Zie ook: Geheugenspoortheorie.

R.N.A.
Afkorting van ribonucleïnezuur.
Zie ook: Ribonucleïnezuur/Geheugenspoorttheorie.

Schildklier
Klier die hormonen afscheidt die de snelheid van het metabolisme bepalen. Van belang voor activiteit en vermoeidheid en het lichaamsgewicht. (De Latijnse medische term is thyroide.)
Zie ook: Hormoon/Metabolisme/Klieren.

Sensor
Een receptor, die gevoelig is voor bepaalde prikkels en hierop ook reageert.
Voorbeeld: cellen in het oog.
Zie ook: Receptor.

Smaakblinde plekken
Gebieden op de tong, waar geen smaakknoppen voorkomen. Men kan hier niet meer proeven.
Zie ook: Smaakknop.

Smaakknop
Verzameling van receptorcellen in de tong. Chemisch vocht komt door een

opening in de smaakknop binnen. Via zenuwvezels belandt de 'smaakboodschap' in de hersenen: we proeven iets (zoet, zout, etc.).
Zie ook: Receptorcel/Receptor.

Spieren
Spieren zijn kabels waarmee de botten aan elkaar zijn bevestigd en waarmee de botten (de ledematen bijvoorbeeld) in beweging kunnen worden gebracht. De spieren zijn aan het skelet gehecht op bepaalde plaatsen, zodat beweging mogelijk is.
Er zijn drie soorten spieren:
1. *Gladde spieren.* Dit zijn de meest 'eenvoudige' spieren. Een speciale vloeistof in de spieren zorgt ervoor dat ze kunnen werken (samentrekken).
2. *Gestreepte spieren.* Zij danken hun naam aan het feit, dat in hun cellen twee stoffen aanwezig zijn, die een verschillende kleur hebben. De een is donker en de ander licht van kleur. Deze (microscopische) verschillen geven de spieren een gestreept aanzien.
3. *Hartspieren.* Dit zijn eigenlijk gestreepte spieren. Zij zijn netwerkachtig van structuur. Functie: het laten werken (= pompen) van het hart.
Spieren bestaan uit cellen met samentrekkende eigenschappen.

Stofwisseling
De fysiologische omzetting van voedsel in energie in het lichaam. Er zijn diverse soorten stofwisselingen.
Synoniem: Metabolisme.
Zie ook: Metabolisme.

Ablatiemethode
Ablatio (Latijn) = het wegnemen, verwijdering.
Een onderzoekmethode in de neuropsychologie. Men snijdt enige delen van de hersenen weg, om na te gaan welke invloed dit heeft op het gedrag (van het proefdier). Op deze wijze komt men er achter welke functies de verschillende delen van de hersenen hebben.

Alertheid
Toestand van waakzaamheid van mens of dier.
Synoniemen: Vigilantie/Arousal.
Zie ook: Vigilantie.

Alfa-golf
Synoniemen: Alfa-ritme/Berger-ritme.
Zie ook: Alfa-ritme.

Alfa-ritme
Elektrische stroom in de hersenen, die aangeeft of een persoon ontspannen is. (Bij gesloten ogen.) De stroom wordt gemeten met behulp van een elektro-encefalograaf. Dit ritme werd als eerste ontdekt, vandaar de naam alfa (eerste letter van het Griekse alfabet).
Synoniemen: Berger-ritme/Alfa-golf.
Zie ook: Elektro-encefalograaf.

Amygdala
Amugdalon (Grieks) = amandel.
Amandelvormig deeltje in de hersenen. Het zou o.m. functies vervullen m.b.t. seksualiteit en emotie.
Synoniem: Amygdaloïde complex.

Amygdaloïde complex
Synoniem: Amygdala.
Zie ook: Amygdala.

Anterieure hypofyse
Anterior (Latijn) = meer vooraan.
Klein aanhangsel in de hersenen. Klier die zorgt voor de aanmaak van hormonen die de lichaamsgroei bepalen (dwergen, normale lengte, reuzen).
Deze klier beïnvloedt alle andere klieren.
Zie ook: Hormoon/Klieren.

Als u een bepaald woord hier niet kunt vinden, raadpleeg dan het zoekregister (blz. 3 en verder).

Arousal
Letterlijk (Engels): opwekking, alertheid.
Synoniemen: Vigilantie/Alertheid.
Zie ook: Vigilantie.

Autonoom zenuwstelsel
Een van de belangrijkste delen van het zenuwstelsel. Het wekt de ingewanden, hart, bloedvaten, spieren en klieren op. Het bestaat uit een sympathisch en parasympathisch zenuwstelsel (autonoom slaat op de *interne* aanpassingen in het lichaam).
Synoniem: Vegetatief zenuwstelsel.
Zie ook: Sympathisch zenuwstelsel/Parasympathisch zenuwstelsel.

Berger-ritme
Alfa-ritme in de hersenen, genoemd naar de ontdekker hiervan.
Synoniemen: Alfa-golf/Alfa-ritme.
Zie ook: Alfa-ritme.

Bèta-golf
Synoniem: Bèta-ritme.
Zie ook: Bèta-ritme.

Bèta-ritme
Elektrische stroom in de hersenen, die aangeeft of een persoon geconcentreerd bezig is. Men meet de stroom met behulp van een elektro-encefalograaf (E.E.G.).
Synoniem: Bèta-golf.
Zie ook: Elektro-encefalograaf (E.E.G.).

Centraal zenuwstelsel
De hersenen en het ruggemerg van het organisme. Het bestaat uit miljarden cellen en verbindingen tussen deze cellen. Afkorting: C.Z.S.
Zie ook: Hersenen.

Cerebellum
Verkleinwoord van cerebrum (Latijn) = hersenen.
Een gebied in de achterhersenen dat zorg draagt voor de coördinatie van de spierbewegingen.
Synoniem: Kleine hersenen.
Zie ook: Hersenen.

Cerebrale cortex
Cerebrum (Latijn) = hersenen; cortex (Latijn) = schors, deklaag.
Deklaag van het cerebrum (= grote hersenen). De cerebrale cortex bestaat uit verschillende op elkaar gestapelde lagen. Zij heeft een aantal belangrijke functies.
Synoniem: Hersenschors.
Zie ook: Cerebrum/Hersenen.

Cerebrale hemisferen
Hemisfeer = halfrond, halve bol.
Twee gelijkvormige delen in de voorhersenen. Zij hebben de vorm van een halfrond.
Zie ook: Hersenen.

Cerebrum
Het grootste gedeelte van de hersenen. Het beslaat het bovenstuk in de schedel en bestaat uit beide hemisferen. Zij bevat een groot aantal onderdelen, die elk hun eigen functie hebben.
Synoniem: Grote hersenen.
Zie ook: Hersenen/Cerebrale hemisferen.

Corpus callosum
Letterlijk (Latijn): eeltachtig lichaam. Een aantal vezels in de hersenen, die tezamen een 'pad' vormt tussen de beide cerebrale hemisferen. Het is een brug tussen beide delen van de hersenen.
Zie ook: Cerebrale hemisferen.

C.Z.S.
Afkorting van centraal zenuwstelsel.
Zie ook: Centraal zenuwstelsel.

Delta-golf
Synoniem: Delta-ritme.
Zie ook: Delta-ritme.

Delta-ritme
Elektrische stroom in de hersenen, die aangeeft of men slaapt. De stroom meet men met een elektro-encefalograaf (E.E.G.). (De golfjes zijn langzaam en ontstaan bij het in slaap vallen.)
Zie ook: Elektro-encefalograaf.

Formatio reticularis
Reticulum (Latijn) = netje.
Een groot gebied, beginnend in de achterhersenen, maar doorlopend naar de voorhersenen, dat een zeer belangrijke rol speelt bij waken en slapen.
Het is eigenlijk een netwerk van weefsel en cellen.
Synoniemen: Reticulaire formatie/Reticulair netwerk.

Frontale lob
Hersenkwab. Gedeelte van beide cerebrale hemisferen. Bevindt zich aan de voorkant van de hersenen.
Zie ook: Cerebrale hemisferen.

Grote hersenen
De grootste structuur in de hersenen.
Synoniem: Cerebrum.
Zie ook: Cerebrum.

Hersenen
Een ingewikkelde structuur van zenuwcellen en verbindingen hiertussen, binnen de schedel. Binnen de hersenen onderscheidt men allerlei gebieden. Delen die bijzondere functies hebben. Via de zintuigen vangen de hersenen signalen van buiten op (ook van binnen het lichaam). Zij reageren hierop door boodschappen af te geven naar de uitvoerende lichaamsdelen (klieren, armen, ogen, etc.).

Hippocampus
Letterlijk (Grieks) = zeepaard.
Deel in de hersenen dat de vorm heeft van een paardestaart. De hippocampus begint bij de amygdala.
Zie ook: Amygdala.

Hypofyse
Structuur in de hersenen, die aan de hypothalamus is verbonden. De hypofyse is een klier die uit twee delen bestaat, die beide verschillende hormonen afscheiden, waaronder hormonen die een functie hebben i.v.m. dorst en met zwangerschap.
Zie ook: Hormoon/Hypothalamus.

Hypothalamus
Relatief klein, maar voor de psychologie uiterst belangrijk gedeelte van de voorhersenen. De hypothalamus speelt een rol bij: hormoonvorming, lichaamstemperatuur, metabolismen (stofwisselingen), seksualiteit, emotionaliteit, honger en dorst, waken en slapen.
Zie ook: Emotie/Metabolisme.

Kleine hersenen
Hersenstructuur die o.m. van belang is voor de coördinatie van spierbewegingen.
Synoniem: Cerebellum.
Zie ook: Cerebellum.

Limbisch systeem
Limbus (Latijn) = zoom, rand.
Een deel van de voorhersenen, dat naar binnen gebogen is. Het limbisch systeem is in evolutionaire zin zeer oud. Het blijkt een belangrijke rol te spelen in emotionaliteit en seksualiteit.
Zie ook: Emotie/Seksualiteit.

Liquor cerebro spinalis
Letterlijk (Latijn): vloeistof van hersenen en ruggemerg. Hersenvocht. Een vloeistof die door de hersenen stroomt en de hersenen voedt.

Medulla
Letterlijk (Latijn): merg. Een structuur in de achterhersenen. Het vervult een functie als tussenstation tussen hersenen en ruggemerg. Verder speelt het een rol bij ademhaling en hartslag.

Meninges
Hersenvlies. Buitenste beschermlaag van de hersenen. Ontsteking hiervan (meningitis) kan ernstige gevolgen hebben voor de persoon.
Zie ook: Meningitis.

Neurine
Een door McDougall (1871–1938) gepostuleerde term. Dit zou een zeer belangrijke stof zijn, die in het centraal zenuwstelsel zou worden afgescheiden. Het bestaan van deze stof is echter nooit aangetoond.
Zie ook: McDougall.

Neurochirurgie
Chirurgie op het gebied van de hersenen.
Synoniem: Psychochirurgie.
Zie ook: Psychochirurgie.

Neuron
Gespecialiseerde cel die fungeert als 'tussenstation' van een receptor- en een effectorcel. De cellen in de hersenen noemt men neuronen. Er zijn 10–15 miljard cellen in de hersenen van de mens. Het is een verzameling van grijze en witte materie.
Synoniem: Zenuwcel.
Zie ook: Cel.

Occipitale lob
Occipitium (Latijn) = achterhoofd.
Hersenkwab. Gedeelte van beide cerebrale hemisferen. Bevindt zich aan de achterkant van de hemisferen.
Zie ook: Cerebrale hemisferen.

Parasympathisch zenuwstelsel
Onderdeel van het autonoom zenuwstelsel. De effecten van dit systeem zijn tegengesteld aan dat van het sympathisch zenuwstelsel. Globaal genomen zorgt dit parasympathisch systeem voor het opslaan van allerlei stoffen in het lichaam. Deze stoffen kunnen later weer vrijgemaakt worden.
Zie ook: Autonoom zenuwstelsel/Sympathisch zenuwstelsel.

Pariëtale lob
Paries (Latijn) = wand, muur.
Hersenkwab. Gedeelte van beide cerebrale hemisferen. Bevindt zich tussen de frontale en de occipitale lob.
Zie ook: Cerebrale hemisferen.

Pons
Letterlijk (Latijn): brug. Deel van de achterhersenen. Het heeft een soort brugfunctie.

Posterieure hypofyse
Posterior (Latijn) = meer naar achteren.
Klier, die hormonen aanmaakt, die belangrijk zijn voor het

watermetabolisme in het lichaam.
Zie ook: Hormoon/Metabolisme/Klieren.

Reticulaire formatie
Netwerkachtig gebied in de hersenen, dat een belangrijke rol speelt bij waken en slapen.
Synoniemen: Formatio reticularis/Reticulair netwerk.
Zie ook: Formatio reticularis.

Reticulair netwerk
Synoniemen: Reticulaire formatie/Formatio reticularis.
Zie ook: Formatio reticularis.

Sympathisch zenuwstelsel
Onderdeel van het autonoom zenuwstelsel. De effecten van dit systeem zijn tegengesteld aan dat van het parasympathisch zenuwstelsel. Globaal genomen zet het sympathisch systeem aan tot het vrijkomen van lichaamsstoffen, die voor arbeid en noodgevallen nodig zijn. Zij zorgt voor vergroting van de pupil, versnelling van de hartslag.
Zie ook: Autonoom zenuwstelsel/Parasympathisch zenuwstelsel.

Temporale lob
Tempores (Latijn) = de slapen.
Hersenkwab. Gedeelte van beide delen van de cerebrale hemisferen. Bevindt zich tussen de frontale en de occipitale lob.
Zie ook: Cerebrale hemisferen.

Thalamus
Thalamos (Grieks) = kamer, vertrek.
Een relatief groot deel in de voorhersenen. Het dient als 'schakelstation' van de hersenen. Voorts heeft het functies bij de motoriek en de zintuigen.
Zie ook: Zintuig.

Vegetatief zenuwstelsel
Een van de belangrijkste delen van het zenuwstelsel. Het wekt de ingewanden, hart, bloedvaten, spieren en klieren op.
Synoniem: Autonoom zenuwstelsel.
Zie ook: Autonoom zenuwstelsel.

Vigilantie
Vigil (Latijn) = wakend, wakker.
Toestand van waakzaamheid bij mens of dier. De persoon is gespitst op allerlei dingen die zich voor kunnen doen.
Synoniemen: Arousal/Alertheid.

Woedecentrum
Plaats in de hersenen, waar volgens de theorieën 'de woede zetelt'. Dit is experimenteel aangetoond met behulp van de sham rage experimenten bij katten.
Zie ook: Sham rage.

Zenuwcel
Gespecialiseerde cel, die fungeert als 'tussenstation' van een receptor- en een effectorcel.
Synoniem: Neuron.
Zie ook: Neuron/Cel.

Als u een bepaald woord hier niet kunt vinden, raadpleeg dan het zoekregister (blz. 3 en verder).

Amfetamine
Geneesmiddel (drug) dat opwekkend werkt op het centraal zenuwstelsel. 'Het pept op'. Enige bijverschijnselen zijn prikkelbaarheid, rusteloosheid, slapeloosheid, angst. Amfetamine is een veelzijdige stof, die o.m. de volgende toepassingen kent: tegen geestelijke en lichamelijke vermoeidheid; onderdrukking van honger (vermageringskuren); tegen slaperigheid als ziekte; bij alcoholische patiënten; om sommige neveneffecten van andere middelen te onderdrukken.

Amitriptyline
Een tranquilizer, kalmeringsmiddel.
Zie ook: Tryptizol.

Amylobarbitoon
Een slaapmiddel.
Zie ook: Amytal.

Amytal
Merknaam voor amylobarbitoon, een slaapmiddel. Dit produkt is ook wel bekend onder de naam 'waarheidsserum'. Het produkt neemt namelijk remmingen weg. Het is echter niet mogelijk, door toediening van dit produkt, iemand tegen zijn wil 'de waarheid' te laten spreken.

Analgesica
Pijnstillers. Verzamelnaam voor een aantal geneesmiddelen die tot doel hebben pijn te verminderen of te elimineren.

Anesthetica
Verzamelnaam voor een aantal geneesmiddelen die tot doel hebben iemand te verdoven, in een toestand van bewusteloosheid te doen geraken.

Antidepressiva
Geneesmiddelen die tot doel hebben: vermoeidheid tegen te gaan; neerslachtigheid tegen te gaan of te doen verminderen.
Synoniem: Thymoleptica.

Ataractica
Verzamelnaam voor kalmeringsmiddelen.
Synoniem: Tranquilizer.
Zie ook: Tranquilizer.

Atarax
Merknaam voor hydroxyzine. Een tranquilizer, vergelijkbaar met Valium.
Zie ook: Tranquilizer/Valium.

Barbituraat
Verzamelnaam van alle geneesmiddelen die het centraal zenuwstelsel onderdrukken en slaap, slaperigheid en spierontspanning bewerkstelligen.
Zie ook: Centraal zenuwstelsel.

Bewustzijnsverruimend
Men spreekt meestal in dit verband over bewustzijnsverruimende middelen. Middelen die het bewustzijn veranderen, 'ruimer maken' d.w.z. bewerkstelligen dat men meer openstaat voor bepaalde invloeden van buiten. Bewustzijnsverruimende middelen zijn o.a. hasjiesj, marijuana, L.S.D., cocaïne, morfine en heroïne.
Zie ook: Altered states of consciousness/Drugs/Psychedelische research.

Cannabis
Plant waaruit hasjiesj en marijuana worden gewonnen. Deze plant groeit op vele plaatsen in de wereld (Amerika, Azië, Noord-Afrika).
Zie ook: Hasjiesj.

Chloordiazepoxide
Een tranquilizer, kalmeringsmiddel.
Zie ook: Librium.

Chloorpromazine
Tranquilizer. Bekend onder de merknaam Largactil.
Zie ook: Tranquilizer.

Cocaïne
Verdovend middel dat oorspronkelijk in de geneeskunde werd toegepast. Tegenwoordig wordt het ook wel als genotmiddel (hard drug) gebruikt.

Desipramine
Een tranquilizer, kalmeringsmiddel.
Zie ook: Pertofran.

Dexamfetamine
Een opwekkend, stimulerend geneesmiddel dat tweemaal zo sterk is als amfetamine.
Zie ook: Amfetamine.

Diazepam
Een tranquilizer, kalmeringsmiddel.
Zie ook: Valium.

Doping
Het gebruik van stimulerende middelen in de sport om lichamelijke prestaties op te voeren. Doping betreft meestal het gebruik van niet voor dit doel toegestane middelen. Soms zijn deze middelen schadelijk, of zelfs gevaarlijk. Veelgebruikte middelen zijn o.m.: amfetamine, cafeïne, hormoonpreparaten.
Zie ook: Amfetamine.

Drugs
Letterlijk (Engels): drug, drogerij, geneesmiddel, bedwelmend middel.
Eigenlijk: geneesmiddel (drogerij).
Tegenwoordig verstaat men onder drugs: bewustzijnsverruimende middelen als hasjiesj, marijuana, L.S.D., e.d. Ook slaapmiddelen en opwekkende middelen ('peppillen').
Zie ook: Psychedelische research/Bewustzijnsverruimend.

Hallucinogenen
Vage verzamelnaam van psychotomimetische drugs, die hallucinaties bewerkstelligen.
Zie ook: Hallucinatie/Psychotomimetische drugs.

Hasjiesj
Tegenwoordig een populair, maar nog steeds illegaal genotmiddel. Hasjiesj is afkomstig van de cannabisplant (ingedikt). Hasjiesj wordt gerookt, gemengd met tabak of puur gegeten. De effecten van de stof variëren nogal. Het geeft in ieder geval prettige gevoelens. Soms gaat dit gepaard met hallucinaties en verstoringen in tijd- en/of ruimte-beleving. De stof is vermoedelijk niet verslavend.
Zie ook: Hallucinatie/Cannabis.

Heroïne
Een half-synthetische stof, die toegediend wordt om pijn te verminderen. Heroïne is een der zwaarste hard drugs. Het is een sterk verslavende stof. (Bezit ervan is verboden.) Heroïne wordt gemaakt van morfine. Zij brengt psychische (bewustzijnsverruimende) effecten te weeg bij de gebruiker.
Zie ook: Morfine/Bewustzijnsverruimend.

High
Letterlijk (Engels): hoog, verheven, aangeschoten. Veranderde bewustzijnstoestand. Toestand waarbij het bewustzijn 'verruimd' is, meestal veroorzaakt door het gebruik van drugs als hasjiesj, marijuana, L.S.D., etc. De term is afkomstig uit de gebruikerswereld. Het is geen wetenschappelijke term.
Synoniem: Stoned.
Zie ook: Bewustzijn/Bewustzijnsverruimend/Drugs.

Hydroxyzine
Een tranquilizer, kalmeringsmiddel.
Zie ook: Atarax.

Imipramine
Een tranquilizer, kalmeringsmiddel.
Zie ook: Tofranil.

Largactil
Merknaam van chloorpromazine, een tranquilizer.
Zie ook: Chloorpromazine.

Librium
Merknaam van chloordiazepoxide. Tranquilizer, die veelal wordt toegediend bij angstige personen. Het middel heeft enige bekende bijverschijnselen als slaperigheid, en stoornissen in het denken en spreken.
Zie ook: Tranquilizer.

L.S.D.
Afkorting en populaire benaming van lycergic acid diethylamide 25 (lysergine zuur diëthylamide). Het is een der bekendste psychotomimetische drugs. De werking van de stof is in 1943 in Zwitserland bij toeval ontdekt. (De stof bestond al sinds 1938.) Het middel heeft een bewustzijnsverruimende en hallucinogene werking.
Zie ook: Psychotomimetische drugs/Bewustzijnsverruimend/Hallucinatie.

Luminal
Merknaam voor phenobarbotoon, een slaapmiddel.

Lysergic acid diethylamide 25
Volledige naam van L.S.D.
Zie ook: L.S.D.

Marijuana
Delen van de cannabisplant. Zij wordt gerookt. De effecten op het gedrag komen overeen met die van hasjiesj.
Zie ook: Hasjiesj.

Mescaline
Een stof die bestaat uit bestanddelen van de Mexicaanse cactus peyote. Wordt door Amerikaanse indianen gebruikt bij religieuze activiteiten. Heeft ook gebruikers gevonden in de sfeer van het (illegale) druggebruik. Mescaline is een psychotomimetische drug, met bewustzijnsverruimende werking. De stof wordt ook synthetisch bereid.
Zie ook: Psychotomimetische drugs/Bewustzijnsverruimend/Peyote.

Methadon
Geneesmiddel dat gebruikt wordt om verslaafden van o.m. heroïne te genezen. Het middel heeft dezelfde werking als heroïne. Het is echter minder schadelijk.
Zie ook: Heroïne.

Methamfetamine
Zie ook: Methedrine.

Methedrine
Merknaam van methamfetamine. Dit middel lijkt veel op amfetamine.
Zie ook: Amfetamine.

Narcotica
1. Vage verzamelnaam voor allerlei chemische stoffen die de werking van het centraal zenuwstelsel onderdrukken en slaap opwekken.

2. Een verzamelnaam voor alle drugs die een verslavende werking uitoefenen.
Zie ook: Centraal zenuwstelsel.

Natrium butobarbitoon
Een slaapmiddel.
Zie ook: Soneryl.

Natrium Pentobarbitoon
Een slaapmiddel.
Zie ook: Nembutal.

Natrium Quinaalbarbitoon
Een slaapmiddel.
Zie ook: Seconal.

Nembutal
Merknaam voor natrium pentobarbitoon, een slaapmiddel.

Opiaat
Een (genees)middel dat opium of aan opium verwante stoffen bevat.
Zie ook: Opium.

Opium
Opium is afkomstig uit de zaadbollen van de papaver somniferum. Wordt o.a. gebruikt als pijnstillend middel. Wordt ook wel gebruikt als genotmiddel, te vergelijken met heroïne of morfine (en tabak en alcohol!). Leidt bij langdurig gebruik tot ernstige verslaving.

Pertofran
Merknaam van desipramine. Tranquilizer, die verwant is aan Tofranil.
Zie ook: Tofranil.

Peyote
Een Mexicaanse cactus, waarvan het bestanddeel mescaline bij de gebruiker een psychedelische uitwerking heeft, waaronder hallucinaties. Een van de niet onbelangrijke bijverschijnselen is misselijkheid. De peyote wordt gekauwd.
Zie ook: Psychedelische drugs/Hallucinatie/Mescaline.

Phenmetrazine
Een amfetamine, opwekkend middel.
Zie ook: Preludine.

Als u een bepaald woord hier niet kunt vinden, raadpleeg dan het zoekregister (blz. 3 en verder).

Phenobarbitoon
Een slaapmiddel.
Zie ook: Luminal.

Placebo
Een inactief, niet werkend geneesmiddel (nep-middel). Veelal in de vorm van een vitamine-preparaat. Dit produkt gebruikt men voor experimentele doeleinden. Men vergelijkt personen die een werkzaam geneesmiddel hebben gekregen met personen die een placebo ontvangen. Het wordt eveneens gebruikt om patiënten gerust te stellen en tegemoet te komen, wanneer zij menen heil te vinden in het gebruik van geneesmiddelen, terwijl dit op medische gronden niet het geval is.

Placebo effect
De suggestieve werking die van een placebo uitgaat.
Zie ook: Placebo.

Preludine
Merknaam van phenmetrazine. Deze stof lijkt op amfetamine. De stof vindt ook wel toepassing tegen de honger, bij vermageringskuren.
Zie ook: Amfetamine.

Psilocybine
Een aan L.S.D. verwante stof, afkomstig van een Mexicaanse paddestoel.
Zie ook: L.S.D.

Psychoactive drug
(Genees)middel dat primair invloed uitoefent op het gedrag en het bewustzijn. Deze term is zeer ruim en vaag. Het betreft o.m. slaap- en opwekkende middelen.

Psychofarmacologie
Farmacon (Grieks) = geneesmiddel, werkzame stof.
Een vrij recent interdisciplinair studiegebied van de psychologie en de farmacologie. Men bestudeert welke de invloeden zijn van chemische stoffen (geneesmiddelen, 'drugs', tabak, alcohol) op het gedrag.
Zie ook: Psychedelische research.

Psychomimetische drugs
Synoniem: Psychotomimetische drugs.
Zie ook: Psychotomimetische drugs.

Psychotomimetische drugs
Letterlijk: drugs die een psychose nabootsen, imiteren.
Verzamelnaam van drugs (geneesmiddelen) die psychische veranderingen teweegbrengen, die vaak lijken op psychoses.
Synoniem: Psychomimetische drugs.
Zie ook: Psychose.

Psychotrope stof
Verzamelnaam voor allerlei geneesmiddelen die de geestesgesteldheid beïnvloeden. (Zoals tranquilizers, psychotomimetische drugs etc.)
Zie ook: Tranquilizer/Psychotomimetische drugs.

Purple hearts
Letterlijk (Engels): purperen harten. Populaire naam voor een geneesmiddel dat is samengesteld uit een barbituraat en een amfetamine. Het middel werkt verslavend. Grotere doses zorgen voor behaaglijke gevoelens en hyperactief gedrag.
Zie ook: Barbituraat/Amfetamine.

Seconal
Merknaam voor natrium quinaalbarbitoon, een bekend en reeds lang bestaand slaapmiddel.

Serenase
Geneesmiddel dat gebruikt wordt bij de behandeling van manische en schizofrene patiënten.
Zie ook: Manie/Schizofrenie.

Soneryl
Merknaam voor natrium butobarbitoon, een slaapmiddel.

Speed
Letterlijk (Engels): snelheid. Gebruikersterm voor een amfetamineprodukt. De naam duidt op een *snelle* werking. Werkt activerend.
Zie ook: Amfetamine.

Stemetil
Bekende tranquilizer; merknaam van prochloorperazine.
Zie ook: Tranquilizer.

Stoned
Letterlijk (Engels): gestenigd, dronken.
Synoniem: High.
Zie ook: High.

Thymoleptica
Letterlijk: stemming verhogend. Geneesmiddelen tegen vermoeidheid en neerslachtigheid.
Synoniem: Antidepressiva.
Zie ook: Antidepressiva.

Tofranil
Merknaam van imipramine. Een tranquilizer met slaapopwekkende werking. De stof wordt toegepast bij depressieve patiënten en bij bedwateren.
Zie ook: Tranquilizer.

Tranquilizer
Engelse term voor kalmeringsmiddel (to tranquilize = kalmeren, rustig maken). Een geneesmiddel dat toegepast wordt om angst en spanning weg te nemen. Het verschaft rust en kalmte.
Synoniem: Ataractic.

Tryptizol
Merknaam van Amitryptiline. Tranquilizer, die verwant is aan Tofranil.
Zie ook: Tofranil.

Valium
Merknaam voor diazepam. Bekende tranquilizer die wordt voorgeschreven aan angstige patiënten.
Zie ook: Tranquilizer.

Verslavende middelen
Chemische of natuurlijke stoffen die tot verslaving leiden.
Zie ook: Verslaving.

Verslaving
Een toestand van periodieke of chronische vergiftiging, veroorzaakt door het gebruik van bepaalde uit de natuur verkregen of langs synthetische weg bereide chemische stoffen. (Wereld Gezondheids Organisatie, W.H.O.)
Synoniem: Addictie.

Waarheidsserum
Een populaire benaming voor een slaapmiddel dat ook remmingen zou wegnemen. De persoon die deze stof toegediend krijgt zou vrijuit kunnen spreken. Niets hindert hem meer. Het geloof in dit wondermiddel is bijna geheel verdwenen.
Zie ook: Amytal.

Abundancy drives
Letterlijk (Engels): overvloedmotieven. Soort motivatie die gericht is op het bevredigen van behoeften, het zoeken van plezier en genoegens. (Voorbeeld: het zoeken naar aangenaam gezelschap.)

Behoeftenhiërarchie
Een door Maslow gelanceerd begrip. Een ladder van behoeften met onderaan de fysiologische behoeften (voedsel- en waterinname) en bovenaan de zelf-actualisatiebehoefte. Alle trapjes van de hiërarchieladder moeten worden doorlopen om tot zelfontplooiing (zelfactualisatie) te komen.
Zie ook: Maslow/Zelfactualisatie.

Conatie
Enigszins verouderde term voor actie, streven.

Deficiency motives
Letterlijk (Engels): gebrek-, tekort-motieven. Soort motivatie die gericht is op het verwijderen of teniet doen van bepaalde gebreken of problemen (zoals het vermijden van honger).

Drive
Letterlijk (Engels): drijfveer. Een veel gebruikte, vage term voor kracht of druk, stimulator. Honger is een drive: het zet aan tot het zoeken naar voedsel of eetgedrag. Moederlijk gedrag is ook een drive: nest bouwen of de jongen verzorgen.
Synoniem: Motivatie.

Drive reduction
Letterlijk (Engels): afname, vermindering van een drive (motief). Drive reduction zou volgens de theorie tot stand komen door verzadiging. Voorbeeld: een proefrat loopt niet meer door het doolhof, omdat hij *goed gevoed* is.
Zie ook: Drive.

Evenwichtstheorie van de motivatie
Eigenlijk een groep van theorieën, die aangeven dat motivatie ontstaat doordat de mens zoekt naar het bereiken van een evenwichtstoestand. Voorbeeld: door te gaan eten wordt de honger verdreven. Men bereikt weer een evenwicht in het lichaam. (De evenwichtstheorieën kunnen niet alle motivatie verklaren.)

Hedonistische theorieën
Hedonisme = leer die stelt dat genot het doel is waarnaar de mens moet streven.

Een verzamelnaam voor een groep theorieën die gemeen hebben dat zij de menselijke motivatie verklaren uit het feit dat de mens tot actie wordt aangezet omdat hij streeft naar het prettige, het aangename, en het onaangename vermijdt.

Homeostase
Letterlijk: evenwicht. Het al dan niet bewust streven van een organisme om een evenwicht te krijgen of te behouden. Bijvoorbeeld: dorst betekent onevenwichtigheid. Deze wordt opgelost door water (of ander vocht) te drinken.

Instinct
Aangeboren acties en reacties waardoor het gedrag wordt geleid of bepaald. Is vaak bij dieren van groot belang.

Motivatie
Een in de psychologie (en ook daarbuiten!) veel gebruikte term, die vrij moeilijk is te omschrijven en vele synoniemen kent.
1. Het totaal van beweegredenen (drijfveren) dat op een bepaald ogenblik werkzaam is.
2. De mate waarin (sommige) beweegredenen op een bepaald moment werkzaam zijn.
Synoniemen: Drift/Drive.

Need
Letterlijk (Engels): behoefte. Deze vage term is door veel psychologen gebruikt, telkens met een enigszins andere betekenis. Het is in ieder geval een behoefte, tekort, gebrek, verlangen, etc. Diverse psychologen hebben lijsten samengesteld met behoeften die elk mens zou hebben (zoals behoefte aan liefde, begrip, prestatie etc.).
Zie ook: Behoeftenhiërarchie.

Obstructiemethode
Obstructie = versperring.
Een techniek die men bij dieren gebruikt om na te gaan hoe sterk drijfveren zijn. Men gaat bijvoorbeeld na of de honger van een dier zo hevig is dat het bereid is om elektrische schokken te doorstaan. Het dier kan alleen bij voedsel komen wanneer hij over een onder stroom staande ‘brug’ loopt.

Perceptueel-motivationele theorie
Theorie die stelt dat motivatie een proces is dat uit drie fasen bestaat:
1. een bepaalde situatie wordt waargenomen;
2. hierdoor ontstaat emotie;
3. deze emotie geeft op haar beurt richting aan het gedrag.
Voorbeeld: brief leidt tot verdriet, waarna een moord wordt gepleegd.
Zie ook: Perceptie.

Propensities
Letterlijk (Engels): geneigdheden. Een begrip dat van de Hormische school van McDougall afkomstig is. De door hem opgestelde lijst van propensities (waaronder honger, woede, kuddevorming) zou fundamenteel zijn.
Zie ook: Hormische psychologie/McDougall/Scholen in de psychologie.

Activatietheorie
Een theorie die stelt dat emotie een kwestie is van een algemene opgewonden toestand, terwijl de aard van de emotie wordt bepaald door de situatie (waarin de persoon zich bevindt).

Affect
Vage term die diverse betekenissen kan aannemen, zoals gevoel, stemming, emotie.

Emotie
Een binnen de psychologie (en daarbuiten!) veel gebruikte term, die moeilijk te omschrijven is. Een opgewonden toestand van het organisme, dat bewustzijns-, viscerale (ingewands-) en gedragsveranderingen omvat.

Expressie
Letterlijk: uitdrukking. Uiting van emotie, gevoel, denkbeeld, mening. Deze uiting is voor anderen waarneembaar.

Hyperemotionaliteit
Buitensporig emotioneel reageren op gebeurtenissen.
Zie ook: Emotie.

Impuls
Een onberedeneerde handeling. Voorbeeld: het zonder overleg of nadenken kopen van een snuisterij in een supermarkt (opgesteld bij de kassa).

James-Lange theorie
Een theorie die stelt dat de lichamelijke reacties (hartkloppingen e.d.) aanleiding zijn tot emoties (angst bijvoorbeeld) *en niet andersom.*
Zie ook: James.

Koude emotie
Een emotie die de persoon niet kan thuisbrengen. Het is een gevoel waarbij men niet weet waarmee het samenhangt (vreugde? verdriet?).

Leugendetector
Elektronisch apparaat waarmee men zou kunnen aantonen of iemand liegt of de waarheid spreekt. Het apparaat meet een aantal fysiologische reacties.

Als u een bepaald woord hier niet kunt vinden, raadpleeg dan het zoekregister (blz. 3 en verder).

Men neemt aan dat liegen emoties opwekt die met dit apparaat te meten zijn. Voorbeeld: bloeddruk loopt op, reactietijd verandert, hartslag wordt anders etc. De betrouwbaarheid van de leugendetector is niet hoog.

Ontspanning
De kalme toestand waarin een persoon verkeert. De persoon staat op dat moment niet bloot aan sterke emoties. De ontspanning gaat gepaard met ontspanning van de spieren.
Synoniem: Relaxatie.

Opwinding-onderdrukking dimensie
Een van de dimensies waarop volgens Wundt gevoelens geplaatst worden.
Zie ook: Spanning-ontspanning dimensie.

Plezierigheid-onplezierigheid dimensie
Een van de dimensies waarop volgens Wundt gevoelens geplaatst worden.
Zie ook: Spanning-ontspanning dimensie.

Sentiment
1. Synoniem voor emotioneel geladen attitude. Deze term wordt vooral in de Verenigde Staten gebruikt. Zoals bij consumer sentiments: attituden jegens de Amerikaanse economie, zoals die leven bij consumenten.
2. Neiging om emotioneel te reageren ('sentimenteel persoon').
3. Aangenaam gevoel.

Zie ook: Attitude.

Spanning-ontspanning dimensie
Een van de dimensies waarop het gevoel, gevoelens (emoties), geplaatst worden. Twee andere dimensies zijn opwinding-onderdrukking en plezierigheid-onplezierigheid. Deze indeling is afkomstig van Wundt.
Zie ook: Wundt.

De namen en woorden in dit handwoordenboek zijn ingedeeld in de vijf *basisgebieden* die men in de psychologie onderscheidt:

basisgebied 1 is methodenleer
basisgebied 2 is functieleer
basisgebied 3 is persoonlijkheidsleer
basisgebied 4 is ontwikkelingsleer
basisgebied 5 is gedragsleer

Dit is

basisgebied 3
Persoonlijkheidsleer

Elk basisgebied is onderverdeeld in een per basisgebied verschillend aantal *secties*. In *dit* basisgebied komen de volgende secties voor:

Binnen elk van de secties zijn de namen en begrippen steeds alfabetisch opgenomen.

ADVIES VOOR DE GEBRUIKER

Raadpleeg steeds eerst het zoekregister (blz. 3 en verder). Daar vindt u een complete lijst, alfabetisch gerangschikt, van alle begrippen die in dit woordenboek voorkomen.

In het zoekregister vindt u achter elk begrip de bladzijde waar u dat begrip kunt vinden.

Adler, Alfred, 1870–1937
Na zijn 'lidmaatschap' van Freuds Weens Psychoanalytisch Genootschap stichtte Adler (Oostenrijker) zijn eigen school: Individuele Psychologie. 'Zijn' psychologie bracht behalve allerlei nieuwe theorieën ook een nieuwe vorm van psychotherapie. Deze was gebaseerd op de Psychoanalyse. Adler was werkzaam op het gebied van de psychiatrie, de klinische psychologie en de kinder- en jeugdpsychologie. Zijn contacten met Freud en Jung zijn zeer belangrijk voor zijn denken geweest. Hij heeft erg veel psychotherapeutisch werk, ook bij kinderen, gedaan.
Overzicht van zijn werk: Bleidick, U., Individualpsychologie und Pädagogik, Alfred Adler und seine Schule (1958).
Tot zijn wetenschappelijke publikaties behoren: Über den nervösen Charakter (1912); Praxis und Theorie der Individualpsychologie (1918); Heilen und Bilden (1922); Menschenkenntnis (1927); Das Problem der Homosexualität (1930); Der Sinn des Lebens (1933).
Zie ook: Psychiatrie/Klinische Psychologie/Psychotherapie.

Allport, Gordon W., 1897–1967
Gordon Allport (Amerikaan) was hoogleraar aan de Harvard University te Cambridge (Mass.). Zijn studiegebied was persoonlijkheidsleer. Hij was een groot theoreticus: experimenteren deed hij vrij weinig. Zo ontwierp hij een theorie over psychologische traits (trekken). Een onderzoek op het gebied van persoonlijke waarden resulteerde in de Waarden Test (tezamen met Vernon). Hij was een voorloper van de tegenwoordige Humanistische Psychologie.
Overzicht van zijn werk: Wepman, J.M. en Heine R.M., Concepts of Personality (1964).
Tot zijn vele schrifturen behoren: A Study of Values (samen met P.E. Vernon, 1931); Studies in Expressive Movements (samen met P.E. Vernon 1933); Personality: a Psychological Interpretation (1937); The Psychology of Rumor (samen met L. Postman, 1947); The Individual and his Religion (1950); The Nature of Prejudice (1954); Becoming: Basic Considerations for a Psychology of Personality (1955); Pattern and Growth in Personality (1961).
Zie ook: Trait/Humanistische psychologie.

Barendregt, J.T., 1924–
Studeerde psychologie (1945–1951) te Amsterdam. Studeerde bij G. Révész en A.D. de Groot. Promoveerde in 1954 op: Rohrschachreacties van asthma-patiënten. Houdt zich bezig met klinische psychologie, in het bijzonder met fobieën. Voelt zich beïnvloed door het werk van B.J. Kouwer, H. Eysenck, A.D. de Groot, M. Shapiro, H.C.J. Duijker en S. Freud. Behoort niet tot een bepaalde groep of richting in de psychologie. Werd in 1962 hoogleraar aan de Universiteit van Amsterdam. Leeropdracht:

psychologische persoonlijkheidsleer. Is ook bekend geworden als schaker Behalve als schrijver van wetenschappelijke artikelen leverde hij ook incidentele bijdragen aan Elseviers Weekblad, Het Parool en de Haagse Post (o.a. over schaken en China). Is (co) auteur van een groot aantal wetenschappelijke publikaties.
Enige titels ter illustratie: Psychologische Tests in Psychosomatische Research; Performance on some Objective Tests under L.S.D. 25.; Research in Psychodiagnostics; Behavior Therapy; Phobias from Different Perspectives; Onderzoek van Fobieën; Phobias and Phobics. Overzichtswerk (met Boeke, P. en Cassee, A.P.): Klinische Psychologie in Nederland, delen 1, 2 (1973) en 3 (1976).

Bender, Lauretta, 1897–
Bekende Amerikaanse psychiater. Zij heeft zich beziggehouden met hersenbeschadigingen en het meten ervan. Dit resulteerde in de ontwikkeling van de bekende Bender Gestalt Test. Zij hield zich voorts bezig met psychotische kinderen.
Zie ook: Bender Gestalt Test.

Berg, J.H. van den, 1914–
Na het behalen van de onderwijzersakte en de akte M.O. wiskunde studeerde hij medicijnen aan de Rijksuniversiteit van Utrecht (waar hij zich specialiseerde in de psychiatrie), aan de Sorbonne (Parijs), verder in Lausanne, Bern en Münsterlingen. Studeerde bij de psychiaters H.C. Rümke, L. Binswanger en Henri Ey. Werkte in collegiaal verband samen met F.J.J. Buytendijk. Promoveerde bij Rümke: 'De betekenis van de phaenomenologische of existentiële anthropologie in de psychiatrie' op 2 juli 1946. Houdt zich bezig met psychiatrie, psychotherapie, dieptepsychologie, metabletica (Leer der veranderingen). Was van 1951–1959 buitengewoon hoogleraar pastoralè psychologie en psychopathologie aan de Faculteit der Godgeleerdheid te Utrecht. Werd in 1959 gewoon hoogleraar aan de Rijksuniversiteit van Leiden. Leeropdracht: Fenomenologische methode en Conflictpsychologie. Is door velen en door vele werken beïnvloed. Belangrijkste beïnvloeding door Blaise Pascal, Edmund Husserl, Martin Heidegger, Lucien Febvre, Harry Stack Sullivan. Maakte aanvankelijk deel uit van de fenomenologisch georiënteerde 'Utrechtse school', ging later eigen wegen en is de stichter geworden van de metabletische richting. Is auteur van een groot aantal boekwerken, waarvan vele vertaald zijn in verschillende talen.

Boeke, P.E., 1920–
Studeerde scheikunde en psychologie te Amsterdam (1939–1950) bij Révész en Duijker. Promoveerde (Groningen, 1962) op: 'Psychodiagnostische problemen van de epilepsie'. Werd in 1968 benoemd tot hoogleraar in Groningen (leeropdracht: Klinische psychologie). Is directeur van de afdeling klinische psychologie en van de afdeling medische psychologie (Rijksuniversiteit Groningen). Houdt zich bezig met klinische psychologie, psychotherapie, psychodiagnostiek. Publiceerde over o.a. psychotherapie, diagnose, psychologische factoren in de tandheelkunde. Is met Barendregt en Cassee 'editor' van Klinische Psychologie in Nederland (dl. 1, 2 en 3).

Bonarius, J.C.J., 1935–
Na zijn psychologiestudie in Leiden (1955–1962) promoveerde hij aan de Rijks Universiteit van Groningen. De titel van zijn dissertatie: 'Personal Construct Psychology and Extreme Response Style' (1970). Studeerde o.m. bij de Amerikaanse psycholoog Kelly, door wie hij zich ook beïnvloed weet. Is sterk geïnteresseerd in: schaalgedrag; psychotherapie; persoonlijkheidsleer. Werd in 1972 benoemd tot hoogleraar (differentiële psychologie) aan de R.U. Utrecht. Is tevens voorzitter van de vakgroep persoonlijkheidsleer, en redacteur van het Nederlands Tijdschrift voor de Psychologie en De Psycholoog.
Hij publiceerde o.m.: Research in the Personal Construct Theory of George A. Kelly (1965); The Fixed Role Therapy van George A. Kelly (1976).

Cassee, A.P., 1924–
Studeerde psychologie aan de Universiteit van Amsterdam, onder Révész en Duijker. Na zijn doctoraalexamen in 1949 volgde zijn dissertatie in 1967 aan de Vrije Universiteit te Amsterdam (Titel: Het Begrip Ik-Sterkte in de Psychoanalyse). In 1969 werd hij benoemd tot lector in de klinische psychologie aan de V.U. Vier jaar later volgde de benoeming tot hoogleraar in dit vak (ook aan de V.U.). Voelt zich beïnvloed door o.m. Freud en Rogers, houdt zich bezig met de ontwikkeling van psychotherapieën, indicatieproblematiek bij psychologische tests. Heeft zeer veel interesse in de psychotherapie. Hij volgde een groot aantal opleidingen op dat gebied. Momenteel is hij lid van de Nederlandse Vereniging voor Psychotherapie, Nederlandse Vereniging voor Psychoanalyse, Vereniging voor Rogeriaanse Therapie, Vereniging voor Gedragstherapie, Society for Psychotherapy Research. Hij is momenteel Voorzitter van de Registratiecommissie van klinisch psychologen van het Nederlands Instituut van Psychologen.
Publikaties: Klinische Psychologie: Knelpunten en Kansen (1969); Van Psychodiagnostiek naar Gedragsanalyse (1973); Klinische Psychologie in Nederland, delen 1, 2 (1973) en 3 (1976) (samen met Boeke, P. en Barendregt, J.).

Cattell, Raymond B., 1905–
Cattell werd in Engeland geboren. Hij studeerde scheikunde en later psychologie. Hij was student bij Spearman. Na de tweede wereldoorlog werd hij researchhoogleraar in de psychologie aan de University of Illinois (Chicago). Werkt nog steeds in de Verenigde Staten. Zijn studiegebied betreft de psychometrica (in ruime zin) van de persoonlijkheid. Hij verrichtte zeer veel werk op het gebied van het construeren en analyseren van tests. Hij construeerde o.a. de Cattell Kinder Schaal. Hij ontwierp een persoonlijkheidstheorie (Factorial Theory of Personality) die steunde op traits (trekken). Hij had contacten met o.a. Scheier en Thorndike.
Overzicht van zijn werk: Wepman, J.M. en Heine, R.M., Concepts of Personality (1964).
Publikaties: A Guide to Mental Testing (1936); General Psychology (1941);

Als u een bepaald woord hier niet kunt vinden, raadpleeg dan het zoekregister (blz. 3 en verder).

Description and Measurement of Personality (1946); Personality: a Systematic Theoretical and Factual Study (1952); The Meaning and Measurement of Neuroticism and Anxiety (1961); The Scientific Analysis of Personality (1965).
Zie ook: Psychometrica/Trait/Spearman.

Charcot, Jean-Martin, 1825–1893
Frans neuroloog. Hij was oprichter van een neurologische kliniek, die hem veel roem bracht. Hij hield zich o.m. bezig met hypnose, neuroses. Freud was een van zijn studenten.

Dijkhuis, J.H., 1929–
Studeerde van 1947 tot 1953 psychologie aan de Rijks Universiteit van Utrecht bij Buytendijk en Van Lennep. Zijn proefschrift ging over: Het Beoordelen in de Psychologie (R.U. Utrecht, 1960).
Voelt zich beïnvloed door Sullivan wat betreft theoretisch denken en Goldstein wat betreft onderzoeksopzetten. Is sinds 1965 hoogleraar aan de Utrechtse universiteit in de klinische psychologie en psychotherapie. Voelt zich vooral aangetrokken tot het laatste. Naast zijn directeurschap van het Utrechtse Instituut voor Medische Psychotherapie is hij voorzitter van vele organisaties en commissies op het gebied van de psychotherapie.
Van zijn hand verschenen naast eerder genoemde dissertatie: Praten met Patiënten (1967) en een aantal artikelen over geestelijke gezondheidszorg en over psychotherapie.

Eysenck, Hans Jürgen, 1916–
Een veelzijdig, in Duitsland geboren, Engels psycholoog. Hij hield zich o.m. bezig met persoonlijkheidstheorieën, IQ, psychologie van de politiek. Ontwikkelde diverse psychologische tests. Speelt een belangrijke rol in de klinische psychologie in Engeland. Hij is met name een vooraanstand figuur binnen de gedragstherapie. Schreef naast vele wetenschappelijke werken ook diverse populair-wetenschappelijke boekjes.
Zie ook: Gedragstherapie.

Freud, Sigmund, 1856–1939
Freud (Oostenrijker) studeerde medicijnen en was werkzaam in de neurologie, psychiatrie en psychologie. Zijn faam verwierf hij door de school die hij oprichtte: de Psychoanalyse. Hij was ontwerper van vele theorieën en introduceerde zeer veel nieuwe termen en begrippen. Zo zijn van Freud o.a. afkomstig de termen afweermechanismen, orale en anale fase en Oedipuscomplex. Freud was behalve theoreticus ook psychotherapeut (analyticus). Door zijn vele vaak speculatieve theorieën is hij een der bekendste psychologen ter wereld geworden. Hoewel hij eigenlijk geen psycholoog is!
Zijn vele artikelen en boeken zijn gebundeld in zijn verzameld werk: Standard Edition of Complete Psychological Works (24 delen) (1953).
Freuds leven en activiteiten zijn door zijn biograaf Jones, E. vervat in: Freud, Life and Work (3 delen) (1953).
Zie ook: Afweermechanismen/Orale fase/Anale fase/Oedipuscomplex/ Psychotherapie.

Fromm, Erich, 1900–
Werkte in Duitsland, Verenigde Staten en Mexico. Fromm is psycholoog en psychoanalyticus. Hij is aan verschillende Amerikaanse universiteiten hoogleraar geweest. Het meest recent aan de Nationale Universiteit van Mexico City. Fromm is een veelzijdig publicist die o.a. over de volgende gebieden heeft geschreven: ontwikkelingsleer, sociale psychologie, antropologie, filosofie, differentiële psychologie, politiek, sociologie. Fromm kan als 'armchair' geleerde worden gezien. Hij heeft relatief weinig aan onderzoek gedaan. Uitgangspunt van zijn 'leer' is de vervreemding van de mens en alles waardoor deze vervreemding kan worden tegengegaan.
Overzicht van zijn werk: Evans, R.I., Dialogue with E. Fromm (1966).
Publikaties: Escape from Freedom (1941); Man for Himself (1948); Psychoanalysis and Religion (1950); The Forgotten Language (1952); The Sane Society (1955); The Art of Loving (1956); The Heart of Man (1964); The Revolution of Hope (1968).
Zie ook: Ontwikkelingsleer/Sociale psychologie/Differentiële psychologie/ Armchair psychologie.

Hettema, P.J., 1934–
Na in Nijmegen (1954–1960) sociale- en bedrijfspsychologie gestudeerd te hebben, promoveerde hij in 1966 aan deze universiteit op het onderwerp: Stijlkenmerken in de Waarneming. Werd in 1971 benoemd tot hoogleraar in de persoonlijkheidsleer en psychodiagnostiek aan de Katholieke Hogeschool van Tilburg. Studeerde o.m. bij Rutten. Voelt zich beïnvloed door Mischel en Cronbach van de Amerikaanse Stanford Universiteit. Hij is directeur geweest van het Nijmeegs Instituut voor Onderwijs Research (van 1967 tot 1971) en voorzitter van de subfaculteit psychologie van de Hogeschool (1973–1975). Houdt zich o.m. bezig met: adaptatie, cognitieve stijlen, controlegedrag, oordelen.
Van zijn hand verschenen behalve de genoemde dissertatie verder nog: Trekken, Processen en Persoonlijkheidstests (1967); Cognitive Abilities as Process Variables (1968); Doceerstijlen (1972); Verschillen tussen Mensen (1972).

Heymans, Gerard, 1857–1930
Heymans was de eerste Nederlandse psycholoog van naam. Hij heeft filosofie en rechten gestudeerd. Was hoogleraar psychologie en filosofie aan de Groningse Universiteit. Zijn grootste verdiensten waren: het stichten van het eerste Nederlandse psychologisch laboratorium (Groningen, 1892), het opzetten van een persoonlijkheidstypologie (de zogenaamde Kubus van Heymans) en het als een der eersten gebruik maken van een schriftelijke enquête met meervoudige keuzemogelijkheden per vraag. Hij heeft vooral in Frankrijk veel invloed gehad. Zijn internationale roem werd bevestigd door zijn voorzitterschap van het achtste Internationale Psychologie Congres dat in 1926 te Groningen werd gehouden. Een overzicht van zijn leven en werken is te vinden in: Brugmans, H.J.F.W., G. Heymans (1942).
Tot zijn belangrijkste publikaties op het gebied van de psychologie behoren: Die Psychologie der Frauen (1910); Uber die Anwendbarkeit des Energiebegriffes in der Psychologie (1921); Inleiding tot de Speciale Psychologie (1929); Inleiding tot de Algemene Psychologie (1949).
Zie ook: Laboratorium/Typologie/Enquête.

Horney, Karen, 1885–1952
Amerikaanse psychiater en psychoanalytica van Duitse afkomst. Zij was oprichtster van haar eigen Psychoanalytische groep, waarvan de denkbeelden enigszins afweken van die van Freud en diens volgelingen. Zij was oprichtster van het American Institute of Psychoanalysis, te New York City.
Zie ook: Freud.

James, William, 1842–1910
Zoon van de bekende Amerikaanse auteur Henry James. William James was hoogleraar psychologie, filosofie en fysiologie aan de Harvard University te Cambridge (Mass.). Hij was de eerste die in de Verenigde Staten colleges psychologie gaf. Zelf had hij medicijnen gestudeerd. Zijn studiegebied kan het best worden omschreven als bewustzijnspsychologie. Ook deed hij aan godsdienstpsychologie (religieuze ervaringen). Hij was oprichter van het eerste Amerikaanse psychologisch laboratorium en grondlegger van het Functionalisme. Een van zijn bekendste theorieën is de James-Lange theorie over emotie. Overzicht van zijn werk: Linschoten, J., Op Weg naar een Fenomenologische Psychologie. De Psychologie van W. James (1959).
Tot zijn publikaties behoren: The Principles of Psychology (2 delen) (1890); The Will to Believe and Other Essays (1897); Varieties of Religious Experience (1902); The Meaning of Truth (1909).
Zie ook: James-Lange theorie/Bewustzijnspsychologie/Functionalisme.

Janet, Pierre, 1859–1947
Frans neuroloog en psycholoog. Hij studeerde samen met Freud. Hield zich o.m. bezig met de verschijnselen van hysterie, bewustzijn, en neurologische ziekten.
Zie ook: Hysterie.

Jung, Carl G., 1875–1961
Jung (Zwitserland) was arts/psychiater. Zijn studiegebieden waren de Psychoanalyse, culturele antropologie en klinische psychologie. Ook hij was actief aanhanger en medewerker van Freud. Nadat hij met Freud had gebroken, richtte hij zijn eigen school op: de Analytische Psychologie. Hierin lanceerde hij termen als introversie en extraversie, complex, collectief archetype e.d. Zijn twaalf boeken en vele tijdschriftartikelen zijn opgenomen in zijn Verzameld Werk. Dit is in 1958 in Engeland en de Verenigde Staten uitgegeven. Zijn leven en theorie worden behandeld in Fordham, F.; An introduction to Jungs psychology (1952).
Zie ook: Klinische psychologie/Freud/Introversie/Extraversie/Collectief archetype.

Klein, Melanie, 1882–1960
Engels psychoanalytica van Oostenrijkse afkomst. Zij hield zich voornamelijk met kinderen bezig. Zij benadrukte het belang van de eerste kinderjaren voor het verdere leven.

Loo, K.J.M. van de, 1922–
Studeerde van 1941 tot 1948 psychologie aan de Katholieke Universiteit van

Nijmegen. In 1952 promoveerde hij aan deze universiteit op het proefschrift: De Klinische Psychologie in Dienst van de Problematiek van de Essentiële Hypertensie – een Psychologische Bijdrage tot de Psychosomatische Geneeskunde. In 1962 werd hij in Nijmegen tot hoogleraar in de klinische psychologie benoemd. Hij studeerde bij Rutten (F.), Buytendijk en de psychiater Prick. Hij voelt zich sterk beïnvloed door Freud, Jung, Erikson, Von Weizsäcker, Mischel, Foucault, Szondi en zijn leermeester Buytendijk. Hij hield en houdt zich bezig met o.m. psychosomatische aandoeningen, psychodiagnostiek, beeldende expressie, forensische psychologie en suicidologie. Hij tracht fenomenologische en dieptepsychologische stromingen een meer experimenteel wetenschappelijk aanzien te geven. Is voor de periode 1975–1978 benoemd tot Mitglied des Vorstandes der Internationalen Forschungsgemeinschaft für Schicksalspsychologie. Is lid van de Centrale Raad van Advies van de Sectie Gevangeniswezen van het Ministerie van Justitie. Hij is redactielid van het Nederlands Tijdschrift voor de Kriminologie.
Enige publikaties: Bezigheidstherapie – een Proeve van Theoretische Fundering (1962); The Psychosomatic Approach to Primary Chronic Rheumatoid Arthritis (samen met Prick, J., 1964); The Cost of Crisis (samen met Diekstra, R., 1972). Tijdschriftartikelen: Over Grafschennende Handelingen (1968); Over Vrijwillige Zelfverbranding (1973); Psychological First Aid to Somacidal Persons (1974); Infanticide (1975); Anorexia Nervosa: Belichaamde Levensonmacht (1975).

Maslow, Abraham H., 1908–1972
Maslow (Verenigde Staten) was klinisch psycholoog en doceerde aan de Brandeis Universiteit te Waltham (Mass.). Hij was president van de A.P.A. van 1967 tot 1968. Maslow verrichte baanbrekend werk op het gebied van de Humanistische Psychologie. Hij was een der grondleggers van de theorie over zelf-actualisatie en was constructeur van een hiërarchische lijst van behoeften (needs). Enige jaren voor zijn dood hield hij zich bezig met groepsprocessen en therapeutische leefgemeenschappen. Hij had contacten met Rogers.
Publikaties: Self-actualizing People: a Study of Psychological Health (1950); Motivation and Personality (1954); New Knowledge in Human Values (1959); Toward a Psychology of Being (1962); Religions, Values and Peak Experiences (1964); Eupsychian Management: a Journal (1965).
Zie ook: Zelfactualisatie/Klinische psychologie/Humanistische psychologie/ Behoeftenhiërarchie.

Moor, W. de, 1936–
Studeerde psychologie aan de Katholieke Universiteit van Leuven (1957–1962). Hierna volgde hij diverse postuniversitaire opleidingen in de Verenigde Staten. Heeft bij diverse vooraanstaande psychologen gestudeerd, waaronder Nuttin, Wolpe, Ellis (A.) en Barber (T.X.). Promoveerde in 1969 te Leuven. Zijn promotie-onderzoek luidde: Reciprocal Inhibition Versus Unreinforced Massed Response Evocation in Behavior Therapy. Sinds 1973 is hij als hoogleraar klinische psychologie en psychotherapie verbonden aan de Katholieke Hogeschool van Tilburg. Behalve in psychotherapie is hij geïnteresseerd in seksuologie en hypnose.

Van zijn hand verschenen: Inleiding tot de Gedragstherapie (1972) (samen met Orlemans, J.W.G.) en De Psychotherapeutische Interventie. Deel I: De Probleemidentificatiefase (1975). Artikelen publiceerde hij o.m. in het American Journal of Psychotherapy, American Journal of Clinical Hypnosis, Journal of Behavior Therapy and Experimental Psychiatry, De Psycholoog.

Murray, Henry Alexander, 1893–
Amerikaans psycholoog. Studeerde o.m. bij Jung psychologie. Hield zich bezig met onderzoek en theorieën op het gebied van de persoonlijkheid. Is ontwerper van de bekende projectieve test de Thematische Apperceptie Test (TAT).
Zie ook: Thematische Apperceptie Test.

Nawas, M.M., 1928–
Hoogleraar in de klinische psychologie met inbegrip van de grondslagen der psychotherapie aan de Katholieke Universiteit van Nijmegen. (Tevens voorzitter van de vakgroep klinische psychologie.) Voorheen hoogleraar aan de University of Missouri (sinds 1967). Prof. Nawas, Amerikaan van geboorte, studeerde aan het Santa Monica City College (Cal.) van 1954 tot en met 1955. Vervolgens aan de University of Chicago (1956–1961). Hij studeerde daar klinische psychologie als hoofdvak en koos biologie, sociale antropologie, sociologie als bijvakken. Hij studeerde onder Samuel Beck (Rorschach technieken), Bettelheim (Psychoanalyse), Fiske (onderzoekmethoden), Havighurst (ontwikkelingspsychologie) en Carl Rogers (non-directieve therapie). Hij voelt zich beïnvloed door Freud, Skinner en Gordon Allport. Zijn promotie verraadt zijn toenmalige interesse in ontwikkelingspsychologie: Personality Change from Adolescence to Young Adulthood (University of Chicago 1961).
Een greep uit zijn werken: A Proposal for Re-directing Training in Clinical Psychology in the Light of the Experience of the Last Three Decades (1972); The Effects of Implanted Suggestion for Succes and Failure on the Outcome of Systematic Desensitization (1972); Toward Meaningful Training in Mental Health and Clinical Services (1973); Women's Liberation and Beyond (1974); Change in Efficiency of Ego Functioning and Complexity from Adolescence to Young Adulthood (1975). Enige tijdschriftartikelen: Wherefore Cognitive Therapy? (1970); Contributions to the Study of Style (1971); Landmarks in the History of Clinical Psychology from its Early Beginnings Through 1971 (1972).

Pinel, Philippe, 1745–1826
Franse arts, psychiater, die zich het lot van 'krankzinnig verklaarde mensen' aantrok. Hij verloste de patiënten van ketenen en opsluiting. Hij gaf ze een echte behandeling. Hij beschouwde hen als zieke mensen. Een nieuw denkbeeld in die tijd!

Poslavsky, A., 1919–
Werd geboren in de Verenigde Staten (Bisbee, Arizona). Studeerde geneeskunde in Utrecht (1936–1946), specialiseerde zich (1946–1949) in psychiatrie/neurologie. Studeerde o.a. bij D.J. van Lennep. Promoveerde (in 1953, bij H.C. Rümke) te Utrecht: Over het Gebruik van Pentotal in de

psychiatrische Kliniek. Behoort niet tot een bepaalde school in de psychologie, maar voelt zich beïnvloed door Freud, Sullivan, Binswanger, Jaspers, Rümke, Van der Horst, Buytendijk, Van Lennep, Dijkhuis en Everaerd. Werd in 1961 benoemd tot hoogleraar (Utrecht). Leeropdracht: patho-psychologie. Houdt zich o.a. bezig met de invloed van micro-sociale structuren op (probleem)gedrag, in het bijzonder met betrekking tot klinisch-psychiatrische hulpverlening. Publiceerde o.a. over medische psychologie (1956) en gedragstherapie (1973).

Rogers, Carl R., 1902–
Rogers is aan verschillende Amerikaanse universiteiten hoogleraar geweest. Voor alles is hij klinisch psycholoog. Hij richtte een nieuwe therapeutische school op: client centered therapy, non-directive counseling of Rogeriaanse therapie geheten. Hij was één der eersten die de resultaten van zijn therapieën evalueerde. Rogers is sterk aanhanger van de Humanistische Psychologie. In feite is hij daar een soort voorloper van geweest. Sinds 1930 heeft hij een stroom van publikaties het licht doen zien. Een overzicht van zijn werken en denken is te vinden in zijn eigen: On Becoming a Person (1961).
Zijn belangrijkste werken zijn: The Clinical Treatment of the Problem Child (1939); Counseling and Psychotherapy (1942); Client-centered Therapy (1951); Psychotherapy and Personality Change (1954) (met Dymond, R.E.); On Becoming a Person (1961).
Zie ook: Klinische psychologie/Non-directieve therapie/Humanistische psychologie.

Rorschach, Hermann, 1884–1922
Rorschach was een Zwitsers psychiater die wereldberoemd werd door de constructie van een projectietest, de zogenaamde inktvlekkentest, die (tegenwoordig) zijn naam draagt. Als psychiater stond Rorschach nogal geïsoleerd. Wél had zijn werk veel invloed na zijn dood. Een overzicht van van zijn werk is te vinden in: Misiak, H. en Staudt Sexton, V., History of Psychology: an Overview (1966). Zijn belangrijkste publikatie is Psychodiagnostik (1921). Dit werk bestaat uit twee delen.
Zie ook: Rorschachtest/Perceptietest.

Sheldon, William H., 1899–
Amerikaans psycholoog. Hij verwierf grote vermaardheid door zijn typologie. Volgens zijn theorie zou iemands lichaamsbouw samenhang vertonen met diens persoonlijkheid. Hij heeft aangegeven hoe deze samenhang meetbaar is. De resultaten van zijn uitvoerige studies zijn beschreven in twee boeken die hij de titels 'Atlas of Men' en 'Atlas of Women' meegaf. Zijn theorie is verwant aan die van Kretschmer. Zijn typologie is nogal omstreden.
Zie ook: Typologie van Sheldon/Kretschmer.

Als u een bepaald woord hier niet kunt vinden, raadpleeg dan het zoekregister (blz. 3 en verder).

Spearman, Charles E., 1863–1945
Engels psycholoog, die het belang van de statistiek in de psychologie benadrukte. Hij was als zodanig een voorloper. Hij verwierf voornamelijk bekendheid door zijn factor theorie van de intelligentie (er is één algemene intelligentiefactor en er zijn negen specifieke). Hij introduceerde de factoranalyse in de psychologie en ontwierp diverse statistische formules, welke nog steeds in de psychologie gebruikt worden. Hij was student van Wundt en hoogleraar aan de Universiteit van Londen.
Zie ook: Factortheorie van de intelligentie.

Tenhaeff, W.H.C., 1894–
Studeerde in de jaren twintig psychologie onder leiding van F. Roels. Promoveerde in 1933 op: Paragnosie en 'Einfühlen'. Houdt zich bezig met parapsychologie. Is nooit aanhanger geweest van een bepaalde school in de psychologie, maar werd wel beïnvloed door Heymans, Myers, Driesch, Jung en Jaspers. Werd in 1953 hoogleraar aan de Universiteit van Utrecht. Schreef diverse boeken en artikelen over parapsychologie, spiritisme, gebedsgenezing, telepathie en helderziendheid. Stichtte in 1928 het Tijdschrift voor Parapsychologie. Is medewerker van verschillende buitenlandse tijdschriften op het gebied van de parapsychologie. Heeft in Nederland baanbrekend werk verricht op het gebied van de parapsychologie en is ook buiten wetenschappelijke kringen bekend geworden. Vele van zijn opvattingen, onderzoekingen en theorieën hebben heftige wetenschappelijke discussies doen ontstaan, zowel binnen de psychologie als daarbuiten.

Verhage, F., 1927–
Studeerde psychologie in Groningen (doctoraal 1957) bij J.Th. Snijders en B.J. Kouwer. Promoveerde in 1964 op: Intelligentie en leeftijd bij een steekproef Nederlanders van 12 tot 77 jaar. Hield zich aanvankelijk bezig met testconstructie, daarna klinische psychologie; thans medische psychologie. Voelt zich beïnvloed door J.Th. Snijders (wetenschappelijke stellingname), S. Freud (de theorie) en Jeanne Lampl-de Groot (psychotherapeutische praktijk). Behoort tot de groep van psychoanalytisch georiënteerde psychologen. Is voorzitter van de opleidingscommissie voor de Psychoanalyse van de Nederlandse Vereniging voor Psychoanalyse, secretaris van het College van Curatoren van de Stichting Psychoanalytisch Instituut te Amsterdam, lid van de redactieraad van het Nederlands Tijdschrift voor de Psychologie, en adviseur Centraal Landelijk overleg inzake Epilepsie-onderzoek (TNO). Werd in 1972 hoogleraar aan de Erasmus Universiteit te Rotterdam (medische psychologie). Publiceerde diverse boeken en artikelen over intelligentie, psychotherapie en de opleiding tot Psychoanalyticus.

Vossen, A.J.M., 1923–
Studeerde filosofie en psychologie aan de Katholieke Universiteit van Leuven (doctoraal 1949) bij J. Nuttin, R. Dellaert (psychiater) en P. Calon. Promoveerde in 1967 aan de Katholieke Universiteit van Nijmegen: Zichzelf worden in menselijke relaties – een ontwikkelingspsychologische studie van de Rogeriaanse grondhouding en haar verwerkelijking in psychotherapie.

Behoort tot de Rogeriaanse richting in de therapie, is behalve door het werk van C. Rogers ook beïnvloed door P. Calon. Houdt zich bezig met psychotherapie, opleiding in psychotherapie, de toepassing van therapeutische principes in onderwijs en supervisie en met sociale verhoudingen in organisaties en bedrijven. Is directeur van het Paedologisch Instituut Nijmegen en hoofd opleiding Rogeriaanse psychotherapeuten. Werd in 1971 hoogleraar te Nijmegen. Leeropdracht: klinische ontwikkelingspsychologie. Publiceerde over therapie, therapeutische ervaringen, ontwikkelingsgestoorde kinderen, kinderen met lees- en schrijfstoornissen etc.

Wolpe, Joseph, 1915–
Een in Zuid-Afrika geboren en nu in de Verenigde Staten werkzame psychiater. Men beschouwt hem als de 'vader' van de gedragstherapie. Naar aanleiding van experimenten met katten, waarin hij experimentele neurosen opwekte, stelde hij dat neurotisch gedrag *aangeleerd* wordt. Het moet dus ook *af te leren* zijn. Hij ontwikkelde diverse technieken die dit afleren mogelijk maakten.
Zie ook: Gedragstherapie/Neurose.

Meer biografische gegevens treft u aan bij de andere basisgebieden. Raadpleeg steeds eerst het zoekregister (blz. 3 e.v.). Daar vindt u een complete lijst van alle begrippen (en persoonsnamen!) die in dit woordenboek voorkomen.
Als er naar uw mening (hier of elders) namen of woorden ontbreken, die volgens u in een volgende druk wel zouden moeten worden opgenomen, dan verzoeken wij u vriendelijk contact op te nemen met de uitgever: Van Loghum Slaterus, Postbus 23 Deventer. Bij voorbaat dank voor de moeite!

A.B.V.
Afkorting van Amsterdamse Biografische Vragenlijst, een bekende Nederlandse biografische vragenlijst.
Zie ook: Amsterdamse Biografische Vragenlijst.

Alfafoon
Elektronisch apparaat, waarmee men bij zichzelf alfa-ritmen (elektrische stroom in de hersenen) kan leren opwekken. De alfafoon is een hulpmiddel van vrij recente datum (en populair in sommige kringen). De effectiviteit hiervan is vrij omstreden.
Zie ook: Alfa-ritme.

Amsterdamse Biografische Vragenlijst
Een van de bekendste Nederlandse biografische vragenlijsten, ontwikkeld aan de Universiteit van Amsterdam. Zeer bekend onder de afkorting A.B.V. De vragenlijst bestaat uit een groot aantal korte vragen waarbij men *zelf* schriftelijk de vragen met 'ja', 'nee' of '?' beantwoordt. Wanneer alle 107 vragen beantwoord zijn, kan de psycholoog tot zekere uitspraken over de geteste persoon komen. Men kan aan de hand van deze test uitspraken doen over: neuroticisme, introversie en extraversie, mannelijkheid en vrouwelijkheid. Voorbeeld van een vraag: 'heeft u wel eens hoofdpijn?' ja – ? – nee.
Zie ook: Neuroticisme/Biografische vragenlijst/Introversie/Extraversie.

Analogieëntest
Psychologische test die uit analogieën bestaat. Men moet een woord invullen dat verband houdt met een ander woord waarmee het een paar vormt. Dit paar is analoog aan een tweede woordpaar. Voorbeeld: tafel staat tot stoel, als kopje staat tot ... Dit soort tests gebruikt men om intelligentie en kennis te meten.

Anamnese
1. Herinnering.
2. De ziektegeschiedenis van een patiënt, zoals deze beschreven is door een arts of psycholoog, bij opname in een ziekenhuis of vóór de aanvang van een psychotherapie.
Zie ook: Psychotherapie.

Assessment
Letterlijk (Engels): schatting, vaststelling, taxatie, bepaling. Wordt in de psychologie gebruikt in de betekenis van: 1. persoonlijkheidsbepaling en 2. psychodiagnostiek.
Zie ook: Persoonlijkheidsbepaling/Psychodiagnostiek.

Bender Gestalt Test
Een psychologische test die uit een aantal platen bestaat, die de geteste persoon na moet tekenen. Fouten bij het natekenen zijn indicatief voor bepaalde hersenstoornissen of -beschadigingen. Ontworpen door de bekende Amerikaanse psychiater Lauretta Bender.
Synoniem: Visual Motor Gestalt Test.
Zie ook: Bender.

Biografische vragenlijst
Soort psychologische test waarbij de te testen persoon het juiste antwoord op de vragen van het formulier aankruist. De vragen betreffen de eigen geestelijke en lichamelijke toestand. Voorbeeld: Amsterdamse Biografische Vragenlijst (A.B.V.).
Zie ook: Vragenlijst/Test/Amsterdamse Biografische Vragenlijst.

Blinddiagnose
Interpretatie van testgegevens, door een psycholoog die de geteste persoon niet kent. De psycholoog heeft alleen de beschikking over de testgegevens.
Zie ook: Diagnostiek.

Boomtest
Een psychologische test, waarbij het gaat om de expressie van de geteste persoon. Men krijgt hier de opdracht een (vrucht)boom te tekenen. Psychologen die deze test gebruiken, menen uit de tekeningen persoonlijkheidsaspecten te kunnen aflezen. Een dikke boomstam zou iets anders betekenen dan een dunne stam. Het tekenen van veel bladeren iets anders dan geen bladeren. De waarde van dit soort tests is zeer omstreden.
Zie ook: Test/Expressie.

California F Scale
Een door Adorno geconstrueerde attitudeschaal die pretendeert de autoritaire persoonlijkheid bloot te leggen. (De F staat voor fascisme.) De laatste jaren is men nogal gaan twijfelen aan het bestaan van zo'n soort autoritair persoonlijkheidstype. Zie ook: Autoritaire persoonlijkheid.

Computerdiagnose
Vorm van psychodiagnostiek van vrij recente datum. Bij deze methode verzamelt men zoveel mogelijk gegevens over de te diagnostiseren persoon. Sommige gegevens krijgen gewichten. Dit betekent dat wanneer de diagnosticus van mening is dat bepaalde feiten méér ter zake doend zijn dan andere, hij aan de eerste, zware feiten een waarde van bijvoorbeeld 2 kan toekennen en aan de andere, lichte feiten de waarde 1. Alle verzamelde gegevens, plus hun gewichten, worden ten slotte de computer binnengevoerd, waarna deze het antwoord (de diagnose) geeft. Deze methode lijkt objectief maar is het niet helemaal. De gegevens die in de computer worden gestopt, zijn vaak subjectief. Dit geldt ook voor de toegekende gewichten. De ontwikkeling van deze methode verkeert overigens nog in een experimentele fase.
Zie ook: Psychodiagnostiek.

Constructietest
Een type test waarbij de te testen persoon dingen in elkaar moet zetten (voorbeeld: een bepaald patroon). Het werk wordt geobserveerd en hier worden bepaalde conclusies over de persoonlijkheid aan verbonden. Dit soort tests is nogal omstreden.
Zie ook: Test/Observatietest.

Diagnostiek
De leer of de techniek van de diagnosestelling. Diagnose is de vaststelling van de aard van een aandoening (lichamelijk of geestelijk) of een toestand (idem). Deze term wordt in de medische wetenschap (nog) vaker gebruikt dan in de psychologie, waar men meestal spreekt over: psychodiagnostiek.
Zie ook: Psychodiagnostiek.

Diagnostiseren
Het vaststellen, bepalen van een ziekte, om deze vervolgens onder te brengen in een bepaalde ziekteklasse. Het gediagnostiseerde geeft men een naam, om het van andere diagnoses te onderscheiden.
Zie ook: Psychodiagnostiek.

Edwards Personal Preference Schedule
Bekende persoonlijkheidstest. De test meet 15 persoonlijkheidsaspecten, waaronder agressie, vriendschap, volharding. Het is een vragenlijst, die bestaat uit 225 paren van uitspraken in de ik-vorm. De geteste persoon zegt steeds welke uitspraak op hem van toepassing is.
Zie ook: Test.

E.P.P.S.
Afkorting van Edwards Personal Preference Schedule.
Zie ook: Edwards Personal Preference Schedule.

Experimenteel-individuele diagnose
Vorm van psychodiagnostiek. Deze vorm blijkt nogal succesvol te zijn. Jammergenoeg is zij tijdrovend en kostbaar. Zij is ontwikkeld door de Engelse psychologen Shapiro en G. Jones. Men onderzoekt bij de cliënt/patiënt allerlei zaken: intelligentie, neuroticisme, motoriek (bewegen), gezichtsvermogen, zintuigen etc. Deze onderzoekmethode is eigenlijk 'maatwerk' voor de cliënt/patiënt.
Zie ook: Psychodiagnostiek/Motoriek.

Expressietest
Expressie = uiting.
Een type test waarbij de te testen persoon bepaalde dingen moet doen. Voorbeeld: een boom tekenen, opstel schrijven. Uit de tekeningen worden

Als u een bepaald woord hier niet kunt vinden, raadpleeg dan het zoekregister (blz. 3 en verder).

conclusies getrokken over de persoonlijkheid. Dit soort tests is zeer omstreden.
Zie ook: Test.

Gedragsbeoordeling
Beoordeling van het gedrag van zowel normale, gezonde als van abnormale, zieke personen. De beoordeling kan aan de hand van een (speciale) test geschieden of zonder test. Zij komt dan tot stand door observatie, bijvoorbeeld.

Hersenorganiciteitstest
Volledige naam van de meestal gebruikte term organiciteitstest (psychologische test die de aanwezigheid van hersenletsel vaststelt).
Synoniem: Organiciteitstest.
Zie ook: Organiciteitstest.

Hypnose Inductie Apparatuur
Verzamelnaam voor diverse soorten apparaten die tot doel hebben langs machinale weg een persoon te hypnotiseren.
Zie ook: Hypnose.

Individuele observatietest
Psychologische test waarbij men een individuele persoon observeert. In tegenstelling tot een groepsobservatietest.
Zie ook: Individuele test/Observatietest.

Inktvlekkentest
Populaire benaming voor Rorschachtest. De bij deze test gebruikte platen zien eruit als tussen een dubbel velletje papier 'platgedrukte' inktdruppels.
Synoniem: Rorschachtest.
Zie ook: Rorschachtest.

Interpretatietest
Psychologische test, die lijkt op de perceptietest. De psycholoog interpreteert hier de antwoord(en) die de geteste persoon geeft. Voorbeeld: De Thematische Apperceptie Test (T.A.T.).
Zie ook: Perceptietest/Thematische Apperceptie Test.

Karaktertest
Verouderde naam voor persoonlijkheidstest.
Synoniem: Persoonlijkheidstest.
Zie ook: Persoonlijkheidstest/Persoonlijkheid/Test.

Keuzetest
Een type psychologische test waarbij de geteste persoon moet zeggen wat hij graag zou willen zijn. Een bloem, een dier (welk?) e.d. Een zeer omstreden soort test.
Zie ook: Test.

Klassieke diagnose
Vorm van psychodiagnostiek. De activiteit van een psycholoog die volgens de gebruikelijke voorschriften een patiënt een aantal psychologische tests afneemt (een testbatterij) en ten slotte deze patiënt in een categorie indeelt: fobicus, hystericus etc. Deze vorm van diagnostiek is niet erg betrouwbaar. Veel psychologen maken hiernaast gebruik van wat in de vaktaal '*klinische blik*' heet. Zij voelen aan wat voor vlees zij in de kuip hebben. Het blijkt dat hun ideeën nogal eens door de testresultaten worden bevestigd...
Zie ook: Psychodiagnostiek.

Klinische blik
De ervaring en 'het gevoel' van de klinisch psycholoog die een rol spelen, samen met testresultaten, bij de diagnose van een patiënt.
Zie ook: Klassieke diagnose.

Klinische diagnose
De diagnose zoals de klinisch psycholoog of de psychiater deze stelt. Deze, enigszins verouderde vorm van psychodiagnostiek, komt tot stand aan de hand van een langdurig gesprek met de cliënt/patiënt. Er wordt bij de klinische diagnose geen gebruik gemaakt van meer objectieve psychologische tests.
Zie ook: Psychodiagnostiek/Test.

Klinische test
Algemene en vage verzamelnaam voor psychologische tests, die door klinisch psychologen worden gebruikt.
Zie ook: Test/Klinische psychologie.

Maudsley Personality Inventory
Inventory (Engels) = inventarisatie.
Een door de bekende Engelse psycholoog Eysenck ontwikkelde objectieve persoonlijkheidstest. (Afkorting: M.P.I.). De test bestaat uit 48 vragen. Zij meet neuroticisme en introversie/extraversie. (Maudsley is een bekend Londens hospitaal.)
Zie ook: Persoonlijkheidstest/Neuroticisme/Introversie/Extraversie.

Mava-methode
Afkorting van: Multipele Abstracte Variantie-Analyse. Een onderzoek-methode om het relatieve belang van de erfelijkheid versus de omgeving, voor persoonlijkheidstrekken te bepalen.

Minnesota Multiphasic Personality Inventory
Een aan de Universiteit van Minnesota ontwikkelde persoonlijkheidstest. De test is ontworpen door Hathaway en McKinley. Zij kan zowel individueel, als in groepen worden afgenomen. Zij bestaat uit 550 kaartjes met uitspraken (of een lijst met deze uitspraken). Deze kaartjes moeten in drie stapeltjes worden ondergebracht: waar, niet waar, en weet niet. De test meet de volgende ziekten: hypochondrie, depressie, hysterie, psychopathie, paranoia, psychasthenie, schizofrenie, hypomanie. En voorts mannelijkheid/vrouwelijkheid van de geteste persoon. Het geven van consequente

antwoorden wordt gecontroleerd met behulp van een zogenaamde leugenschaal. Afkorting: M.M.P.I.
Zie ook: Hypochondrie/Depressie/Hysterie/Psychopathie/Paranoia Psychasthenie/Schizofrenie/Hypomanie/Leugenschaal.

M.M.P.I.
Afkorting van Minnesota Multiphasic Personality Inventory. Een der bekendste persoonlijkheidstests uit de psychologie.
Zie ook: Minnesota Multiphasic Personality Inventory/Test/Persoonlijkheid.

Motorische test
Psychologische test die tot doel heeft na te gaan in hoeverre de motoriek van een getest persoon (goed) functioneert. Dit soort tests wordt meestal door klinisch psychologen gebruikt, als aanvulling op onderzoek van medici.
Zie ook: Motoriek/Test/Klinische psychologie.

M.P.I.
Afkorting van Maudsley Personality Inventory. Een door Eysenck geconstrueerde persoonlijkheidstest.
Zie ook: Maudsley Personality Inventory.

Multiple abstracte variantie-analyse
Onderzoekmethode om de invloed van de erfelijkheid en de omgeving op de (vorming van de) persoonlijkheid te bepalen.
Zie ook: Mava-methode.

Myokinetische test
Nogal omstreden psychologische test, waaruit men persoonlijkheidstrekken zou kunnen ontdekken. De geteste persoon moet geblinddoekt een aantal lijnen natekenen. Aan de hand van de afwijkingen van de tekenopdracht wordt bepaald welke persoonlijkheidstrekken er uitspringen.

Observatietest
Soort psychologische test waarbij de geteste persoon dingen moet doen waarbij de tester hem kan observeren en uit zijn testgedrag conclusies kan trekken die kenmerkend zouden zijn voor de geteste persoon.
Zie ook: Test/Observeren.

Observeren
Letterlijk: gadeslaan. In de psychologie gebruikt men deze term om het systematisch gadeslaan van mensen mee aan te duiden. Meestal heeft men hierbij bepaalde ideeën en let men slechts op enkele gedragskenmerken.
Zie ook: Observatietest.

Organiciteitstest
Psychologische test die tot doel heeft na te gaan of de geteste persoon enig hersenletsel heeft, en zo ja, waar en hoe ernstig. Deze test wordt gebruikt door klinisch psychologen, meestal als aanvulling op onderzoek van psychiaters en neurologen.

Synoniem: Hersenorganiciteitstest.
Zie ook: Test/Klinische psychologie/Psychiatrie/Neurologie.

Perceptietest
Perceptie = waarneming.
Een type psychologische test waarbij het gaat om wat de te testen persoon ziet in bepaalde afbeeldingen. Voorbeeld: inktvlekkentest.
Zie ook: Test/Rorschachtest/Perceptie.

Personal Data Sheet
Letterlijk (Engels): Lijst van persoonlijke gegevens. Een verzameling van persoonlijke vragen, die als eerste persoonlijkheidstest werd erkend. Deze test is door de Amerikaan Woodworth in het begin van de eerste wereldoorlog ontworpen.
Zie ook: Persoonlijkheidstest.

16 Persoonlijke Factoren Test
Persoonlijkheidstest die gebaseerd is op 16 factoren van gemeten traits (trekken). De test is ontworpen door Cattell. Voorbeelden van traits: brutaliteit, eigenzinnigheid, arrogantie etc.
Zie ook: Test/Cattell/Factoranalyse.

Persoonlijkheidsbepaling
Het vaststellen van een aantal persoonlijkheidstrekken van een persoon. Dit geschiedt aan de hand van een aantal psychologische tests. Persoonlijkheidsbepaling is eigenlijk psychodiagnostiek bij gezonde, niet-abnormale personen.
Synoniemen: Psychodiagnostiek/Assessment.
Zie ook: Persoonlijkheid/Trait.

Persoonlijkheidstest
Psychologische test die is opgesteld met de bedoeling de persoonlijkheid (het unieke, het eigene, het karakteristieke) van de persoon te achterhalen.
Synoniem: Karaktertest.
Zie ook: Persoonlijkheid/Test.

16 P.F. Test
Afkorting van 16 Persoonlijke Factoren Test.
Zie ook: 16 Persoonlijke Factoren Test.

Projectietest
Projectie = naar voren werpen.
Een test waarbij de te testen persoon moet reageren op vaag en nauwelijks gestructureerd materiaal (inktvlekken). Zijn antwoorden worden door de psycholoog *geïnterpreteerd.* Men neemt aan dat de geteste persoon delen van zijn persoonlijkheid (ongewild) op het testmateriaal 'zet'. (Waarom ziet de één in een inktvlek een auto en de ander in dezelfde vlek een vrouw?)
Synoniem: Projectieve test.
Zie ook: Perceptietest/Rorschachtest.

Projectieve test
Synoniem: Projectietest.
Zie ook: Projectietest.

Psychodiagnostiek
De diagnostiek die door de psycholoog wordt bedreven. Dat wil zeggen: persoonlijkheidsbepaling en bepaling van de geestesziekte, waaraan de persoon lijdt.
Synoniemen: Persoonlijkheidsbepaling/Assessment.
Zie ook: Persoonlijkheid.

Q-Sort
Q is een afkorting van questionnaire = vragenlijst. Een persoonlijkheidstest, die bestaat uit een aantal uitspraken. Op elke kaart staat een uitspraak, die al dan niet van toepassing kan zijn op de geteste persoon. De geteste persoon legt stapels van deze kaartjes in diverse categorieën, die de mate van toepassing voor hem aangeven.
Synoniem: Q-technique.

Q-technique
Synoniem: Q-sort.
Zie ook: Q-sort.

Rorschachtest
Veel gebruikte perceptietest in de psychologie. De geteste persoon moet zeggen wat hij in een aantal inktvlekkaarten ziet. Zijn antwoorden worden verwerkt en vervolgens in een of ander vast schema geïnterpreteerd. Deze test is enigszins omstreden en verouderd. Ontworpen door de Zwitserse psychiater Rorschach.
Synoniem: Inktvlekkentest.
Zie ook: Rorschach/Perceptietest/Test/Betrouwbaarheid/Inktvlekkentest.

Self Report Inventory
Letterlijk (Engels): inventarisatie van zichzelf opmaken. Een persoonlijkheids- of interesse vragenlijst. In deze vragenlijst staat een aantal uitspraken, of woorden (of vragen). De geteste persoon vult zelf in welke uitspraken, woorden e.d. kenmerkend voor hem zijn, en welke niet.

Szondi Test
Een psychologische test, projectieve test, die bestaat uit een aantal foto's van geesteszieke patiënten. Het betreft een aantal verschillende ziekten. De te testen persoon moet telkens foto's kiezen van personen die hij sympathiek of niet-sympathiek vindt. De test is zeer omstreden en raakt steeds meer in ongebruik. De test stamt uit 1947 en is genoemd naar de ontwerper, de Hongaarse psychiater Szondi.
Zie ook: Projectieve test.

T.A.T.
Afkorting van Thematische Apperceptie Test.
Zie ook: Thematische Apperceptie Test.

Thematische Apperceptie Test
Een psychologische interpretatietest. De test bestaat uit een aantal platen met verschillende afbeeldingen. Alle platen zijn vaag en onduidelijk getekend (zogenaamde ambigue stimuli). De geteste persoon moet zeggen wat de afbeelding voorstelt. Doel van de test: persoonlijke meningen, emoties, gevoelens, houdingen losmaken. Men neemt aan dat deze gevoelens etc. op de afbeeldingen zullen worden geprojecteerd.
Zie ook: Test/Projectie/Ambigu.

Visual Motor Gestalt Test
Volledige naam van de Bender Gestalt Test, een test die hersenstoornissen meet.
Synoniem: Bender Gestalt Test.
Zie ook: Bender Gestalt Test.

Z.A.T.
Afkorting van zinaanvullingstest.
Zie ook: Zinaanvullingstest.

Zinaanvullingstest
Nogal omstreden en minder betrouwbare psychologische test, waarbij de geteste persoon halve zinnen moet aanvullen (voorbeeld: mijn moeder is...). Doel van de test is 'de persoonlijkheid bloot te leggen'.
Zie ook: Test/Associatietest.

Als u een bepaald woord hier niet kunt vinden, raadpleeg dan het zoekregister (blz. 3 en verder).

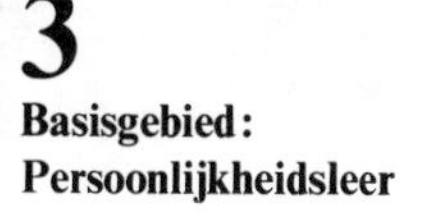

Autohypnose
Zelfhypnose. Men hypnotiseert zichzelf, door bijvoorbeeld de ogen op een bepaald voorwerp of een plaat te fixeren. Of door zichzelf hypnotische instructies te geven ('ontspan je nu helemaal...').
Zie ook: Hypnose.

Differentiële psychologie
Letterlijk: verschillen-psychologie (different = verschillend). Een studiegebied binnen de psychologie, waar men zich bezighoudt met de verschillen tussen individuen, zowel wat de oorzaken betreft als de gevolgen ervan.

Existentiële psychologie
Existentie = bestaan, leven.
Een stroming in de psychologie, die gebaseerd is op de filosofische stroming van het existentialisme. Kern is de menselijke vrijheid en keuze. Existentiële psychologie is 'armchair-psychologie'. Men doet geen onderzoek, maar stelt theorieën op.
Zie ook: Armchair psychologie.

Fenomenologische psychologie
Fenomeen = verschijnsel.
Een stroming binnen de psychologie die in eerste instantie niet de experimentatie belangrijk vindt, maar de verschijnselen zoals deze zich aan ons voordoen. De fenomenologische psychologie is nogal filosofisch van aard en beschrijvend (niet-experimenteel). Deze stroming komt o.m. voor in Frankrijk en Duitsland. In zeer geringe mate in o.a. Nederland, Groot-Brittannië, Verenigde Staten. Deze landen zijn meer georiënteerd op het Behaviorisme, een tegenhanger van de fenomenologische psychologie.
Zie ook: Filosofie/Behaviorisme.

Geest
Abstract en moeilijk, zo niet ondefinieerbaar begrip. Moeilijk toegankelijk voor psychologisch onderzoek. Psychologie zou de geest moeten bestuderen. De hedendaagse psychologie bestudeert, het meer meetbare, concrete en definieerbare, gedrag.
Synoniemen: Ziel/Psyche/Mind.
Zie ook: Gedrag/Psychologie.

Hersenspoeling
Methoden om een persoon van (politieke) denkbeelden te laten veranderen. Dit zou kunnen gaan met behulp van bepaalde drugs, eenzame opsluiting, marteling e.d. Het is niet duidelijk of hersenspoeling mogelijk is. Als zij het wel is, is niet bekend hoe lang de resultaten stand houden.
Synoniem: Menticide.

Holisme
Holos (Grieks) = geheel.
Een leer (binnen de psychologie) die stelt dat een levend wezen of zijn gedrag niet alleen kan worden verklaard in termen van het gedrag van de delen; de gehele persoon moet onderwerp van studie zijn. Het Holisme staat lineair tegenover het Behaviorisme.
Zie ook: Behaviorisme.

Humanistische psychologie
Een vrij nieuwe stroming binnen de psychologie, die zich afzet tegen de gevestigde psychologie. Zij onderzoekt terreinen die de psychologie eigenlijk links laat liggen of verwaarloost. Voorbeeld: onderzoek naar dromen, meditatie, yoga, werking van drugs. (Humanistisch = menselijk. Men doelt op een psychologie die zich moet bezighouden met mensen, en niet of minder met dieren, c.q. witte ratten. Vooral de Behavioristen doen veel onderzoek met dieren.)
Zie ook: Maslow.

Human potentials movement
Letterlijk (Engels): menselijk-potentieelbeweging. Een stroming in de psychologie (met name in de Humanistische Psychologie) die de eigen capaciteiten van de mens, die benut kunnen worden, benadrukt.
Zie ook: Humanistische psychologie/Zelfactualisatie.

Hypnose
Een kunstmatig opgewekte, op slaap lijkende toestand, waarbij de persoon zéér gevoelig is voor allerlei invloeden, met name voor die van de hypnotiseur. Men maakt bij psychotherapie wel gebruik van hypnose.
Zie ook: Psychotherapie.

Hypnotisme
De studie en de beoefening van hypnose.
Zie ook: Hypnose.

Latent
Latens (Latijn) = verborgen, onzichtbaar.
In vele gebieden in de psychologie wordt dit begrip gebruikt. Het duidt op iets dat sluimert, verborgen is, nog niet tot uiting gekomen is. Iets wat latent is kan, maar hoeft niet naar voren of tot uiting te komen. Met de term latent probeert men een verklaring voor een verschijnsel aan te geven, dat plotseling of onverwacht tot uiting komt, of kan komen.

Menticide
Letterlijk: doden van de geest.
Synoniem: Hersenspoeling.
Zie ook: Hersenspoeling.

Mesmerisme
Een 'voorloper' van het begrip hypnose. Genoemd naar de Franse arts, van Oostenrijkse afkomst, Friedrich Anton Mesmer (1734–1815). Het woord is in onbruik geraakt.
Zie ook: Hypnose.

Mind
Letterlijk (Engels): geest. Een moeilijk of niet te definiëren begrip.
Synoniemen: Geest/Psyche/Ziel.
Zie ook: Geest.

Personalistische psychologie
Verouderde naam voor persoonlijkheidsleer. De persoonlijkheidsleer is een van de vijf basisgebieden in de psychologie.
Zie ook: Persoonlijkheidsleer/Basisgebieden van de psychologie.

Persoonlijkheid
1. Het studiegebied van de persoonlijkheidsleer.
2. Het totaal van gedragingen en eigenschappen, die min of meer bij elkaar passen en kenmerkend zijn voor een bepaald individu.
3. Een manier om te reageren op problemen van het leven.
4. Datgene waarin het individu uniek is en anders is dan andere personen.

Zie ook: Persoonlijkheidsleer.

Persoonlijkheidsleer
Een van de vijf basisgebieden van de psychologie. Zij onderzoekt het totaal van de gedragsmogelijkheden van de persoon, normaal en abnormaal. Zij houdt zich bezig met unieke persoonlijkheidskenmerken: overeenkomsten met anderen en verschillen met anderen. De klinische psychologie is een uiterst belangrijk studiegebied binnen de persoonlijkheidsleer. De persoonlijkheidsleer omvat de studie van de individuele persoonlijkheid, zowel normaal als abnormaal.
Zie ook: Persoonlijkheid/Klinische psychologie/Psychopathologie/Basisgebieden van de psychologie.

Post-hypnotische suggestie
De suggestie die de hypnotiseur de gehypnotiseerde persoon geeft om *na* de hypnose een of andere handeling te verrichten. De gehypnotiseerde persoon zal aan deze suggestie gehoorzamen. Hij weet echter niet *waarom* hij deze activiteit doet. Voorbeeld: 'ga na afloop van de hypnose een glas water halen'. Dit doet de gehypnotiseerde, zonder te weten waarom.
Zie ook: Hypnose.

Psyche
Letterlijk (Grieks): adem, levensbeginsel, geest, gemoed. De psyche zou onderwerp van studie van de psychologie moeten zijn. Het begrip is echter uiterst vaag en dus moeilijk toegankelijk. Het is daarom binnen de psychologie vervangen door het begrip gedrag. Gedrag is per definitie meetbaar. Men kan daarom stellen dat de naam psychologie (= leer van de psyche) verouderd is. Een betere (Nederlandse) naam zou zijn: gedragskunde.
Synoniemen: Geest/Ziel/Mind.
Zie ook: Geest/Gedrag.

Slaapwandelen
Letterlijk: rondlopen in niet wakende toestand. Een van de activiteiten die valt onder het eigenlijk meer omvattende begrip somnambulisme.
Zie ook: Somnambulisme.

Somnambulisme
Somnus (Latijn) = slaap; ambulare (Latijn) = wandelen.
1. Slaapwandelen, of andere activiteiten, van een slapende persoon, hoewel deze activiteiten gewoonlijk in wakende toestand verricht worden (rondlopen etc.).
2. Stadium in een hypnose waarbij het lijkt alsof de gehypnotiseerde persoon wakker is, terwijl hij al onder invloed van de hypnotiseur is.
Zie ook: Hypnose/Slaapwandelen.

Tijdschrift voor Psychotherapie
Vaktijdschrift voor Nederlandse (klinisch) psychologen, die zich met psychotherapie bezighouden. Het is een tweemaandelijks tijdschrift, dat uitgegeven wordt door Van Loghum Slaterus, Deventer.
Zie ook: Psychotherapie.

Transcendent
Transcendentie = overschrijding van zekere grenzen.
Buiten het bewustzijn liggend. Het begrip is vaag. Het begrip heeft een filosofische geschiedenis (Griekse oudheid/Kant). De term wordt tegenwoordig veelvuldig gebruikt in samenstelling met meditatie, transcendente meditatie.
Zie ook: Meditatie.

Trance
Een door hypnose, drugs, religieuze beleving, muziek, of anderszins veroorzaakte slaapachtige toestand van een persoon. Het bewustzijn verkeert in een niet-gebruikelijke toestand.
Zie ook: Hypnose/Bewustzijn.

Yoga
Een Hindoestaanse leer. Zij bestaat uit leefregels (een filosofie) en methoden (oefeningen) waardoor men tot lichamelijk en geestelijk welzijn kan komen. Er zijn diverse vormen van yoga. Yoga zou een goed middel zijn tegen de gevolgen van het jachtige moderne leven.

Ziel
Een uiterst vaag en ondefinieerbaar begrip. Ziel zou het object van studie van de psychologie moeten zijn (psycholoog heet dan zielkundige). In de psychologie is de term ziel vervangen door gedrag. Dit begrip is wél toegankelijk (en meetbaar).
Synoniemen: Geest/Psyche/Mind.
Zie ook: Geest/Gedrag.

A
Afkorting van actief, een van de dimensies van de Kubus van Heymans.
Zie ook: Kubus van Heymans.

Actief
Een der dimensies in de Kubus van Heymans.
Zie ook: Kubus van Heymans.

Agressie
Een tegen een mens of ding gerichte vijandige actie.
Zie ook: Frustratie-agressie hypothese.

Altruïsme
Alter (Latijn) = de ander.
Rekening houden met een ander. Een ander ontzien. Liefde voor de ander. Altruïsme is het tegengestelde van egoïsme. Een altruïstisch iemand zal een ander hulp bieden, bezorgd zijn over het lot van anderen. Soms komt altruïstisch gedrag voort uit eigen belang.

Ascese
Letterlijk (Grieks): oefening. Zelfbeheersing t.a.v. allerlei stoffelijke en lichamelijke zaken. Zich onthouden, de ziel sterken.

Aspiratieniveau
De hoogte van de eigen toekomstige prestaties, volgens eigen verwachting. Wanneer iemand zijn aspiratieniveau te hoog heeft gesteld, leidt dit tot frustraties. Voorbeeld: Aspireren de snelste sprinter van de school te worden en hiervoor elke dag trainen.
Zie ook: Frustratie.

Atletische lichaamsbouw
Lichaamsbouw die wordt gekenmerkt door een gespierd en goed geproportioneerd lichaam. Volgens de zeer omstreden en verouderde theorieën van Kretschmer (Duits psychiater) zou deze lichaamsbouw samenhangen met epilepsie (= vallende ziekte).
Zie ook: Epilepsie.

Autoritaire persoonlijkheid
De persoonlijkheid die zich graag onderwerpt aan autoriteiten, het gezag.

Als u een bepaald woord hier niet kunt vinden, raadpleeg dan het zoekregister (blz. 3 en verder).

Deze persoonlijkheid zou (volgens de theorie van de Amerikaans-Duitse filosoof en psycholoog Adorno) aangetrokken worden tot het fascisme. Adorno poogde deze persoonlijkheid te meten met behulp van de door hem ontwikkelde California F Scale. Het begrip is de laatste jaren enigszins in onbruik geraakt. In de spreektaal verstaat men onder autoritaire persoonlijkheid juist het tegenovergestelde: iemand die gezag uitoefent, de lakens uitdeelt.
Zie ook: California F Scale/Persoonlijkheid.

Cerebrotonie
Persoonlijkheidstype, volgens de Amerikaanse psycholoog Sheldon. Dit type zou een ectomorfe lichaamsbouw hebben (lang en mager). Deze personen zouden in zichzelf gekeerd en geremd zijn. Voorts zouden zij van privacy en eenzaamheid houden.
Zie ook: Ectomorfie/Introversie/Sheldon.

Conflict
Letterlijk: botsing van meningen, onenigheid. Het gelijktijdig voorkomen van twee tegengestelde krachten, tendenties bij een persoon. Dit veroorzaakt een spanning in de persoon. Het conflict zal groter zijn naarmate de krachten qua sterkte dichter bij elkaar liggen. De te maken keuze wordt dan steeds moeilijker.

Conflictuologie
Interdisciplinair studiegebied dat zich bezighoudt met het ontstaan, voorkomen en oplossen van conflicten in de ruimste zin van het woord en op alle gebieden. Psychologen bestuderen de conflicten binnen de persoon, tussen personen en tussen groepen. Andere wetenschappen die zich met de conflictuologie bezighouden zijn o.m. juridische wetenschappen, sociologie, antropologie, andragologie.
Zie ook: Conflict.

Cyclothiem
Persoonlijkheidstype dat wordt onderscheiden in de omstreden persoonlijkheidstheorie van de Duitse psychiater Kretschmer. Dit type wordt gekenmerkt door een pycnische lichaamsbouw (kort en dik lichaam). Deze personen zouden gezellig en praktisch zijn en graag in gezelschap vertoeven.
Zie ook: Pycnische lichaamsbouw.

Dispositie
De georganiseerde totaliteit van de psychofysische tendenties om op een bepaalde manier te reageren. Aanleg, neiging, ontvankelijkheid.

Dominantie
Dominus (Latijn) = heer, heerser.
Persoonlijkheidstrek om zich boven een ander te stellen en invloed uit te oefenen op die persoon.
Zie ook: Persoonlijkheidstrek.

E
Afkorting van emotioneel, een dimensie in de Kubus van Heymans.
Zie ook: Kubus van Heymans.

Ectomorfie
Lichaamsbouw, die volgens de Amerikaanse psycholoog Sheldon wordt gekenmerkt door lengte en fragiliteit. Ectomorfe personen zouden grotere hersenen hebben dan anderen. Deze lichaamsbouw zou duiden op cerebrotonie (persoonlijkheidseigenschappen die duiden op een in zichzelf gekeerd zijn).
Zie ook: Cerebrotonie/Sheldon.

Emotioneel
Een van de dimensies in de Kubus van Heymans.
Zie ook: Kubus van Heymans.

Empathie
Het meeleven, het meevoelen met anderen. De gevoelens en problemen van anderen begrijpen. Zich inleven in de gevoelens van anderen.

Endomorfie
Lichaamsbouw, die volgens de Amerikaanse psycholoog Sheldon wordt gekenmerkt door ronde lichaamsvormen, en een overontwikkeld spijsverteringsorgaan. Deze lichaamsbouw zou duiden op viscerotonie (= persoonlijkheidstype gekenmerkt door ontspanning, gezelligheid e.d.).
Zie ook: Viscerotonie/Sheldon.

Extraversie
Een persoon is extravert wanneer hij op de 'grote wereld' georiënteerd is. Het is iemand die veel uitgaat, gemakkelijk contacten legt etc. (Extravert.) Hij is tegengesteld aan de introverte ('gesloten') persoon.
Zie ook: Introversie.

Flegmatisch
Letterlijk: onaandoenlijk, lauw, onverstoorbaar, nuchter. Term uit de spreektaal, niet uit de wetenschappelijke psychologie.

Frustratie
Een onaangenaam gevoel dat men heeft wanneer het doel dat men wil bereiken, hoe dan ook, buiten bereik is of geblokkeerd wordt. In het spraakgebruik verstaat men onder frustratie veelal teleurgesteld zijn, iets te kort komen, iets ontzegd zijn. Eigenlijk is dit verkeerd taalgebruik.
Zie ook: Frustratie-agressie hypothese.

Frustratie-agressie hypothese
Een oorspronkelijk door Freud opgeworpen hypothese die stelt dat frustratie tot agressie leidt. (Frustratie behoeft overigens niet altijd tot agressie te leiden.)
Zie ook: Frustratie/Agressie/Freud.

Grafologie
Grafein (Grieks) = schrijven.
Grafologie pretendeert uitsluitsel te geven over iemands persoonlijkheid en capaciteiten aan de hand van bestudering van de handschriften van de persoon. Grafologie is een pseudowetenschap. Heeft niets met wetenschappelijke psychologie te maken.
Synoniem: Handschriftkunde.

Handlijnkunde
Een vorm van namaak-psychologie. Een 'handlijnkundige' geeft een persoonsbeschrijving en/of kijkt in de toekomst van degene wiens lijnen in de palm van de hand 'gelezen' worden. Dit heeft niets met wetenschappelijke psychologie te doen. Het is pure charlatannerie.

Handschriftkunde
Quasi-psychologische studie van het handschrift, als expressie van de persoonlijkheid.
Synoniem: Grafologie.
Zie ook: Grafologie.

Identiteit
Een verzameling van kenmerken, zowel fysieke als psychische, waardoor men zich onderscheidt van anderen. Identiteit is uniek. Men kan zijn identiteit kwijtraken door o.a. psychoses, bepaalde dwang van buitenaf (bijvoorbeeld 'hersenspoeling').
Zie ook: Psychose/Hersenspoeling.

Ik-ideaal
Het ideaalbeeld dat men van zichzelf heeft. Soms is dit een idool, een voetballer, filmster, zanger(es) etc.

Individu
Individuus (Latijn) = ondeelbaar. Persoon, uniek menselijk wezen.

Introversie
Letterlijk: naar binnen gekeerd zijn. Een persoon is introvert wanneer hij nogal op zichzelf leeft, naar binnen gekeerd is, meer aandacht heeft voor zijn eigen wereld dan de 'grote wereld' om hem heen. Zo iemand is tegengesteld aan een extravert persoon.
Zie ook: Extraversie.

Karakter
Een zeer vaag en moeilijk te omschrijven begrip. Een consistente en langdurige eigenschap of kwaliteit waardoor een persoon geïdentificeerd (herkend) kan worden. Men kan beter spreken van persoonlijkheid. Karakter is in de psychologie een wat verouderd begrip.

Karakterkunde
Studie van het karakter (persoonlijkheid).
Synoniemen: Karakterologie/Karakterleer.
Zie ook: Karakterologie.

Karakterleer
Studie van het karakter (persoonlijkheid).
Synoniemen: Karakterologie/Karakterkunde.
Zie ook: Karakterologie.

Karakterologie
Een systeem van persoonlijkheidsbeschrijving. Het gaat hier om één persoon, in tegenstelling tot de typologie.
Synoniemen: Karakterleer/Karakterkunde.
Zie ook: Karakter/Persoonlijkheid/Typologie.

Kubus van Heymans
Een typologie, ontworpen door de Nederlandse psycholoog Heymans. Hij onderscheidde drie dimensies aan de menselijke persoonlijkheid:
a. emotioneel (= E) – niet emotioneel (= nE)
b. secundair (= S) – primair (= P)
c. actief (= A) – niet actief (= nA)
Deze drie dimensies kunnen worden gezien als de ribben van een kubus (= lengte, breedte, hoogte). Primair en secundair slaan op nogal vage hersenfuncties. Zij hebben iets te maken met het snel vergeten van gevoelsindrukken. De andere dimensies slaan op persoonlijke eigenschappen. Heymans ging ervan uit dat iedereen op deze dimensies geplaatst kon worden. Zodoende kon hij voor iedereen een soort kleine formule maken, zoals EAP of EnAS, en dan plaatsen in zijn kubus.
Zie ook: Typologie/Heymans.

Leptosome lichaamsbouw
Lang en dun lichaam. Volgens de Duitse psychiater Kretschmer zou schizofrenie (= ernstige geestesziekte, waarbij de persoonlijkheid veranderd is) vaak bij personen met deze lichaamsbouw voorkomen.
Zie ook: Schizofrenie.

Lombroso-type
Volgens de Italiaan Lombroso (1835–1909) zouden misdadigers duidelijk herkenbaar zijn aan bepaalde (typische) uiterlijke kenmerken. De theorie van Lombroso is sinds lange tijd achterhaald.

Melancholie
Letterlijk zwaarmoedigheid, droefgeestigheid. Term uit de spreektaal, niet uit de wetenschappelijke psychologie.

Mesomorfie
Mesos (Grieks) = midden; morfè (Grieks) = vorm, gedaante.
Lichaamsvorm, die volgens de Amerikaanse psycholoog Sheldon wordt gekenmerkt door sterke beenderen, spieren en weefsel en een zwaar, hard,

vierkant(-achtig) uiterlijk. Deze lichaamsbouw zou duiden op somatotonie (= persoonlijkheidstype gekenmerkt door zelfverzekerdheid en energiek gedrag). Zie ook: Somatotonie/Sheldon.

Misantropie
Misein (Grieks) = haten; anthroopos (Grieks) = mens.
Het haten van mensen.

Misogamie
Een afkeer van het huwelijk hebben. Het huwelijk haten.

Misogynie
Afkeer van vrouwen hebben. Vrouwen haten.

Misoneïsme
Afkeer hebben van veranderingen, nieuwe voorwerpen, ideeën e.d.

Misopedie
Afkeer van kinderen hebben. Kinderen haten.

nA
Afkorting van niet-actief. Actief is een van de drie dimensies van de Kubus van Heymans.
Zie ook: Kubus van Heymans.

nE
Afkorting van niet-emotioneel. Emotioneel is een van de drie dimensies van de Kubus van Heymans.
Zie ook: Kubus van Heymans.

Niet-actief
Actief is een van de drie dimensies van de Kubus van Heymans.
Zie ook: Kubus van Heymans.

Niet-emotioneel
Emotioneel is een van de drie dimensies van de Kubus van Heymans.
Zie ook: Kubus van Heymans.

Normaal
1. Binnen zekere grenzen vallend. Men bedoelt: statistische grenzen.
Voorbeeld: wanneer 80% van de bevolking steelt, is dit normaal. De 20% niet dieven zijn dan niet normaal.
2. Aangepast, niet geestesziek, geen psychische stoornis of afwijking. Men bedoelt: normaal in klinische zin.

P
Afkorting van primair, een van de drie dimensies van de Kubus van Heymans.
Zie ook: Kubus van Heymans.

Persoonlijkheidstrek
Nederlandse term voor het vaak gebruikte Engelse trait: tendentie om op een bepaalde manier te reageren.
Synoniemen: Trait/Trek.
Zie ook: Trait.

Primair
Een van de drie dimensies in de Kubus van Heymans. De term primair heeft toegang gevonden in de spreektaal. Met 'primair reageren' bedoelt men iets anders dan in de oorspronkelijke theorie. Namelijk: snel, spontaan, zonder nadenken ergens op reageren. Afgaan op eerste indrukken.
Zie ook: Kubus van Heymans.

Proprium
Proprius (Latijn) = eigen, bijzonder.
Term afkomstig van G.W. Allport. Het unieke patroon van traits (= trekken, persoonlijkheidskenmerken), die de persoon kenmerken. De term is in onbruik geraakt.
Zie ook: Trait/Allport.

Pycnische lichaamsbouw
Puknos (Grieks) = dicht op een, massief, stevig.
Een kort en dik lichaam. Volgens de Duitse psychiater Kretschmer zou de manisch-depressieve psychose (geestesziekte die bestaat uit afwisselende ziekelijke vrolijkheid en ziekelijke neerslachtigheid) veel voorkomen bij personen met deze lichaamsbouw.
Zie ook: Manisch-depressieve psychose.

Rigiditeit
Starheid. Niet flexibel zijn in gedrag en denkbeelden.

S
Afkorting van secundair. Het tegengestelde van primair, een van de drie dimensies van de Kubus van Heymans.
Zie ook: Kubus van Heymans.

Schizothiem
Persoonlijkheidstype van de Duitse psychiater Kretschmer. Dit type wordt gekenmerkt door een leptosome (lang en dun) lichaamsbouw. Deze personen zouden overgevoelig en eenzelvig zijn.
Zie ook: Leptosome lichaamsbouw.

Secundair
Tegengestelde van primair, een van de drie dimensies in de Kubus van Heymans.
Zie ook: Kubus van Heymans.

Als u een bepaald woord hier niet kunt vinden, raadpleeg dan het zoekregister (blz. 3 en verder).

Somatotonie
Sooma (Grieks) = lichaam.
Persoonlijkheidstype, volgens de Amerikaanse psycholoog Sheldon. Dit type zou een mesomorfe (sterk gestel, vierkant uiterlijk) lichaamsbouw hebben. Deze personen zouden zelfverzekerd, energiek en moedig zijn. Zij zouden een voorkeur hebben voor kracht en risico.
Zie ook: Mesomorfie.

Suggestibiliteit
Ontvankelijk zijn, open staan voor suggesties, ideeën, emoties etc. (van anderen).
Zie ook: Hypnose/Hysterie.

Temperament
1. Een vaststaande neiging om telkens op dezelfde manier te reageren, te handelen.
2. Aangeboren reactiepatroon.
In de psychologie is deze term nogal vaag en verouderd. In de spreektaal verstaat men er iets anders onder: vurig van aard (temperamentvol).

Temperamentenleer
De oudste en meest primitieve vorm van persoonlijkheidsbeschrijvingen. Afgeleid van systemen uit de Griekse oudheid, die proberen de mens te reduceren tot een samenstelling van verschillende oerelementen, als water, lucht en dergelijke.
Zie ook: Persoonlijkheid/Temperament.

Tolerantie
1. Het vermogen hebben om opgewassen te zijn tegen bijvoorbeeld (zware) druk, alcohol, drugs, martelingen etc.
2. Open staan voor ideeën en handelingen van anderen. D.w.z. deze toestaan, niet verhinderen.

Trait
Letterlijk (Engels): trek. Tendentie om steeds op een bepaalde (eigen) manier te reageren. Traits zijn bijvoorbeeld: brutaliteit, verlegenheid, hooghartigheid, slimheid, boosaardigheid, etc.
Synoniemen: Trek/Persoonlijkheidstrek.
Zie ook: Persoonlijkheid.

Transactie
Het verklaren van gedrag of gebeurtenissen door na te gaan welke invloed omgevings- en sociale factoren hebben gehad. Voorbeeld: waardoor ontstaat een rel op straat? Wat zijn de invloeden van het weer, soort mensen aanwezig etc. De term transactie heeft niets te maken met de gelijknamige handelsterm.

Trek
Nederlands synoniem van het Engelse trait, persoonlijkheidstrek.
Synoniem: Trait.
Zie ook: Trait/Persoonlijkheidstrek.

Typologie
Een soort persoonlijkheidsbeschrijving, waarbij individuen worden geclassificeerd, ingedeeld worden in klassen aan de hand van een of meer overeenkomsten. Voorbeelden: kletskousen, zwijgers, slimmeriken, cynici etc. Typologieën, hoe goed doordacht ook, zijn gedoemd te mislukken. De mens laat zich niet indelen in vakjes. Er zijn na de tweede wereldoorlog dan ook relatief minder typologieën ontwikkeld dan ervoor. Het werken met typen is kenmerkend voor de psychologiebeoefening tussen de beide wereldoorlogen.
Zie ook: Persoonlijkheid.

Typologie van Kretschmer
De typologie van Kretschmer (1889–1964) (en die van Sheldon, 1899) legt verband tussen lichaamsbouw en persoonlijkheidseigenschappen. Beide typologieën houden zich ook bezig met de klinische, afwijkende persoon. Kretschmer, Duits psychiater, ontdekte in de jaren twintig in zijn psychiatrische kliniek dat er een verband bestond tussen iemands lichaamsbouw en ziektebeeld. Om deze vondst te systematiseren, construeerde hij drie lichaamstypen:
1. pycnische lichaamsbouw, kort en dik lichaam;
2. atletische bouw, gespierd, goed geproportioneerd, lichaam;
3. leptosome bouw, lang en dun lichaam.
Deze drie soorten lichaamsbouw bleken wonderwel goed te corresponderen met drie (psychiatrische) ziekten. Na experimentatie was Kretschmer zelfs in staat aan te geven:
a. 65% der manisch-depressieven heeft een pycnische lichaamsbouw;
b. 50% van de schizofrenen heeft een leptosome bouw;
c. 29% der epileptici heeft een atletische lichaamsbouw.
Manisch-depressief is een afwisseling van vrolijke uitbundigheid en sombere neerslachtigheid. Schizofreen betekent: lijdend aan een ernstige geestesziekte, onder andere gekenmerkt door waanvoorstellingen (hallucinaties). Epilepsie is een stoornis in het centraal zenuwstelsel, waarbij iemand veelal neervalt, half bewusteloos raakt en niet meer weet wie of wat hij is of waar hij is. Epilepsie wordt gekenmerkt door plotseling optredende aanvallen. In een latere fase van zijn onderzoek trok Kretschmer zijn vondst door naar de normale persoonlijkheid. Dat wil zeggen: hij verzamelde persoonlijkheidskenmerken bij de drie soorten lichaamsbouw en benoemde de typen die hij daarmee onderscheidde:

lichaamsbouw	*omschrijving*	*naam type*	*psychologische kenmerken*
pycnisch	kort en dik	cyclothiem	gezellig, praktisch, graag in gezelschap
atletisch	gespierd, goede proporties	visceus	stabiel, hardnekkig
leptosoom	lang en dun	schizothiem	overgevoelig, eenzelvig

Zie ook: Typologie/Typologie van Sheldon/Sheldon.

Typologie van Sheldon

De Amerikaanse psycholoog Sheldon (1899) wordt als opvolger van Kretschmer beschouwd. Zijn typologie was destijds nogal modern (en dus statistisch georiënteerd). Hij liet foto's maken van vele duizenden mensen. Uit deze verzameling viste hij ten slotte drie soorten lichaamsbouw. Deze drie extreme vormen correspondeerden met door zijn proefpersonen opgegeven persoonlijke eigenschappen. Sheldon zag echter wel in, dat hij niet verder kwam wanneer hij iedereen in extremen indeelde. Daarom ontwierp hij een beoordelingssysteem van de lichaamsbouw. Dit systeem baseerde hij op de cijfers die hij aan elke lichaamsbouw gaf. Hij ging hierbij van enige regels uit:

1. Iemand met een uiterst ectomorfe lichaamsbouw krijgt een 7 voor het aspect ectomorfie.
2. Wanneer iemand een extreme ectomorf is, is hij per definitie niet of nauwelijks endomorf of mesomorf. Daarom gaf Sheldon de persoon voor die twee typen lichaamsbouw het cijfer 1. Deze cijfers zijn willekeurig door Sheldon gekozen.

Deze twee regels gelden voor alle drie de soorten lichaamsbouw. Sheldon kon nu extreme lichaamsvormen indelen. De bovengenoemde ectomorfe persoon werd in een formule uitgedrukt als: 7–1–1. Of wel: uiterst ectomorf, (en dus) niet-mesomorf, niet-endomorf. Ook de tussenliggende getallen werden door Sheldon voor zijn beoordelingssysteem gebruikt. Iemand die bijvoorbeeld een niet opvallende bouw heeft, krijgt de cijfers 4–4–4. Dit betekent: deze bouw is gemiddeld (het cijfer 4 staat middenin de reeks cijfers van 1 tot en met 7). De cijfers 2 en 3 en 5 en 6 duiden op lichaamsbouw die minder extreem is dan de tot hier genoemde vormen. Voorbeeld: Iemand wordt gekarakteriseerd door de formule 6–2–1. De persoon is zeer ectomorf, een klein beetje mesomorf en helemaal niet endomorf. Een ander voorbeeld: iemand met de lichaamsbouw 6–1–2 is zeer ectomorf, helemaal niet mesomorf en een klein beetje endomorf. Met behulp van deze cijfers was Sheldon in staat iedereen in een formule uit te drukken. (Het toekennen van de cijfers is overigens een arbitraire, subjectieve zaak.) Sheldon verzamelde zijn kennis over de menselijke lichaamsbouw in twee boeken, die duidelijke titels meekregen: Atlas of Men en Atlas of Women.

lichaamsbouw	*omschrijving*	*naam type*	*psychologische kenmerken*
endomorfie	ronde vormen, overontwikkeling spijsverteringsorganen	viscerotonie	ontspannen, liefdevol, voorkeur voor eten, gezellig
mesomorfie	sterke beenderen, spieren en weefsel, zwaar, hard, breed gebouwd	somatotonie	zelfverzekerd, energiek, moedig, voorkeur voor kracht en risico
ectomorfie	lang, fragiel grootste hersenen en zenuwstelsel t.o.v. anderen	cerebrotonie	gereserveerdheid, introversie, geremd, houdt van privacy en eenzaamheid

Zie ook: Typologie van Kretschmer/Sheldon/Typologie.

Viscerotonie
Persoonlijkheidstype volgens de Amerikaanse psycholoog Sheldon. Dit type zou een endomorfe (= ronde) lichaamsbouw hebben. Deze personen zouden ontspannen en liefdevol zijn. Voorts zouden zij gezellig zijn en een voorkeur voor voedsel hebben.
Zie ook: Endomorfie/Sheldon.

Visceus
Visceus = taai-vloeibaar, kleverig.
Persoonlijkheidstype van de Duitse psychiater Kretschmer. Dit type wordt gekenmerkt door een atletische lichaamsbouw. Deze personen zouden voorts stabiel en hardnekkig, vasthoudend zijn.
Zie ook: Atletische lichaamsbouw.

Weltschmerz
Letterlijk (Duits): wereldpijn. De toestand van de wereld nogal somber inzien. Gevoelig zijn voor alle ellende op de wereld. Geen psychologische (eerder een dichterlijke) term.

Zelfactualisatie
1. Het streven van de persoon om zijn innerlijk potentieel te verwezenlijken.
2. De pogingen van de mens om al zijn vaardigheden, manieren van handelen en capaciteiten te gebruiken om zich als persoon te vervolmaken, om gelukkig en tevreden te zijn met zichzelf. Kortom: zichzelf ontplooien.
Zie ook: Maslow: Human potentials movement.

Zelfbeeld
Het beeld dat men van zichzelf heeft, hoe men zichzelf bewust ziet.

Zelfbehouddrift
Het streven van het individu om in leven te blijven. De wil om te overleven en te leven. Deze term heeft een biologische achtergrond.
Zie ook: Drift.

Afrodisiaca
Enkelvoud: afrodisiacum, genoemd naar de Griekse godin van de liefde Afródite. Verzamelnaam voor middelen die de liefdeslust en de potentie (zouden) kunnen opwekken. Voorbeelden: tijgerbalsem, Spaanse vlieg en synthetische stoffen als hormoonpreparaten.

Algolagnie
Algos (Grieks) = pijn.
De seksuele genoegens of opwinding die men verkrijgt door zichzelf (wreedaardig) pijn te doen, of door pijn gedaan te worden (masochistische algolagnie). Ook de seksuele genoegens die men beleeft door anderen pijn (aan) te doen (sadistische algolagnie).
Zie ook: Masochisme/Sadisme.

Auto-erotiek
Autos (Grieks) = zelf; eros (Grieks) = liefde.
Seksuele genoegens die betrekking hebben op het eigen lichaam, zoals bij masturbatie.
Zie ook: Masturbatie.

Autoplerose
Zelfbevrediging.
Synoniemen: Ipsatie/Masturbatie/Autostimulatie/Zelfbevrediging/Onanie.
Zie ook: Masturbatie.

Autostimulatie
Het prikkelen van de eigen geslachtsorganen: zelfbevrediging.
Synoniemen: Masturbatie/Autoplerose/Zelfbevrediging/Ipsatie/Onanie.
Zie ook: Masturbatie.

Bijslaap
Geslachtsgemeenschap.
Synoniemen: Coïtus/Copulatie/Cohabitatie.
Zie ook: Coïtus.

Biseksualiteit
Bi- (Latijn) = twee(voudig).
Het vermogen om zowel homoseksuele als heteroseksuele relaties aan te

Als u een bepaald woord hier niet kunt vinden, raadpleeg dan het zoekregister (blz. 3 en verder).

gaan. Het betreft mannen en vrouwen, die weinig of geen voorkeur hebben in de keuze van het geslacht van degene met wie zij geslachtsverkeer willen hebben.
Zie ook: Homoseksualiteit/Heteroseksualiteit.

Bloedschande
Geslachtsgemeenschap tussen directe familieleden.
Synoniem: Incest.
Zie ook: Incest.

Clitoromanie
Ziekelijke belangstelling voor mannen. Buitensporig vaak geslachtelijke omgang met hen hebben.
Synoniem: Nymfomanie.
Zie ook: Erotomanie.

Cohabitatie
Letterlijk (Latijn): samenwoning. Geslachtsverkeer.
Synoniemen: Coïtus/Copulatie/Bijslaap.
Zie ook: Coïtus.

Coïtus
Co-ire (Latijn) = samengaan.
Geslachtsverkeer, waardoor de mens zich kan voortplanten.
Synoniemen: Copulatie/Cohabitatie/Bijslaap.

Coïtus interruptus
Letterlijk (Latijn): onderbroken geslachtsverkeer. Geslachtsverkeer, waarbij de penis uit de schede is teruggetrokken, vóórdat de zaadlozing plaatsvindt. Wordt gebruikt als methode om geen kinderen te krijgen; dit is een ernstige vergissing omdat in het voorvocht al zaadcellen zitten en de kans op bevruchting dus al aanwezig is.
Zie ook: Coïtus.

Coïtus prolongatus
Letterlijk (Latijn): verlengd geslachtsverkeer. Geslachtsverkeer, waarbij het mannelijk of vrouwelijk orgasme wordt uitgesteld, om de seksuele genoegens te vergroten.
Zie ook: Coïtus.

Coïtus reservatus
Letterlijk (Latijn): beperkt geslachtsverkeer. Geslachtsverkeer, waarbij het orgasme opzettelijk wordt vermeden. In plaats hiervan gaan de partners lezen, mediteren.
Zie ook: Coïtus.

Copulatie
Copulare (Latijn) = verbinden, verenigen.
Geslachtsdaad.
Synoniemen: Coïtus/Cohabitatie/Bijslaap.
Zie ook: Coïtus.

Dyspareunie
1. Het hebben van een pijnlijke coïtus.
2. Geen plezier kunnen beleven aan de geslachtsdaad.

Efebofilie
Efèbos (Grieks) = jongeling.
Zich, al dan niet in seksuele zin, aangetrokken voelen tot jongeren.

Ejaculatie
Eiaculare (Latijn) = uitwerpen, uitspuiten.
Zaadlozing. Deze komt gewoonlijk bij het bereiken van het orgasme.

Ejaculatio precox
Een vroegtijdige, te snelle zaadlozing vóór het bereiken van het orgasme.
Een seksuele stoornis.
Zie ook: Seksuele stoornis.

Eonisme
Het verlangen kleding van het andere geslacht te dragen.
Synoniemen: Travestisme/Transvestisme.
Zie ook: Travestisme.

Erotische pislust
Een ziekelijke belangstelling voor urine hebben, vanwege het plezier dat men eraan ontleent.
Synoniem: Urolagnie
Zie ook: Urolagnie.

Erotomanie
Een ziekelijk en ongeremde belangstelling voor de andere sekse en het bedrijven van geslachtsgemeenschap. Deze belangstelling en het hiermee samenhangende gedrag heet bij vrouwen nymfomanie en bij mannen satyriase.

Exhibitionisme
Exhibere (Latijn) = tentoonspreiden, vertonen.
De ziekelijke neiging de eigen geslachtsorganen aan anderen te tonen, ten einde hier genoegens aan te beleven.

Extramaritaal
Buiten het huwelijk, buitenechtelijk. Extramaritale relaties: meestal seksuele relaties hebben buiten het huwelijk om (dus niet met de echtgenoot/echtgenote).

Fellatio
Fellare (Latijn) = zuigen.
Het met de mond (door zuigen en bijten) prikkelen van de penis, ten einde de partner seksueel te bevredigen.
Synoniem: Peninlingus.

Femmofilie
Femme (Frans) = vrouw.
De voorkeur die bij sommige mannen voorkomt om de rol van de vrouw te spelen.

Fetisjisme
1. Het vereren van voorwerpen, waaraan men magische krachten toekent. Dit komt voor bij diverse stammen in o.m. Afrika.
2. Een ziekelijke aantrekkingskracht van voorwerpen, meestal kledingstukken, van het andere geslacht. Deze voorwerpen wekken seksuele verlangens op. Het zien en betasten van deze voorwerpen kan leiden tot seksuele bevrediging.

Flagellatie
1. Het gebruik van een zweep om seksuele verlangens op te wekken.
2. Het gebruik van een zweep om religieuze gevoelens op te wekken.

Flagellomanie
De seksuele genoegens die men beleeft door met een zweep geslagen te worden of door iemand met een zweep af te ranselen.

Frigiditeit
Frigide = koel, koud.
Impotentie van de vrouw, een seksuele stoornis.
Zie ook: Impotentie/Seksuele stoornis.

Frotteur
Frotter (Frans) = wrijven.
Een persoon die (seksuele) genoegens verkrijgt door heimelijk geslachtsdelen van anderen aan te raken. Bij voorbeeld: in een volle tram dicht tegen iemand aan gaan staan, op straat passerende vrouwen in de billen knijpen etc.

Gerontofilie
Seksueel aangetrokken worden door oude(re) personen.

Hermafroditisme
Naar Hermafroditos: de tweeslachtige zoon van Hermes en Afrodite.
Afwijking van geslachtsorganen. De uiterlijke geslachtsorganen van het ene geslacht gaan samen met de inwendige geslachtsorganen van het andere geslacht, in dezelfde persoon. De hermafrodiet heeft dus geslachtskenmerken van beide geslachten.

Heteroseksualiteit
Gevoelens van seksuele aantrekkingskracht jegens het andere geslacht.
Het onderhouden van seksuele relaties met het andere geslacht.

Homofilie
Eufemisme voor homoseksualiteit.
Zie ook: Homoseksualiteit.

Homoseksualiteit
Gevoelens van seksuele aantrekkingskracht, jegens leden van het eigen geslacht. Ook het onderhouden van seksuele relaties met leden van het eigen geslacht.
Zie ook: Homofilie.

Hyperseksualiteit
Buitensporige behoefte tot het hebben van geslachtelijk verkeer. (D.w.z. meer dan de gemiddelde, normale behoefte.)

Impotentie
Letterlijk: onvermogen. Seksuele stoornis bij mannen en vrouwen. Bij vrouwen spreekt men echter eerder van frigiditeit. Bij mannen: de onmacht seksuele contacten te hebben door het ontbreken van een erectie of een te snelle ejaculatie. Impotentie kan een lichamelijke oorzaak hebben, maar ook een psychologische (angst).
Zie ook: Frigiditeit/Seksuele stoornis.

Incest
Incestus (Latijn) = onrein, onzedelijk.
Geslachtsomgang met de eigen directe familieleden of met nauwe verwanten. (Voorbeeld: vader met dochter.)
Synoniem: Bloedschande.

Ipsatie
Seksuele zelfbevrediging.
Synoniemen: Masturbatie/Autoplerose/Autostimulatie/Zelfbevrediging/Onanie.
Zie ook: Masturbatie.

Kinsey onderzoek
Een van 1948–1953 gehouden onderzoek naar het seksuele gedrag van Amerikaanse mannen en vrouwen. Het onderzoek, onder leiding van de bioloog/seksuoloog Kinsey, maakte gebruik van vragenlijsten om het seksuele gedrag te onderzoeken. De resultaten van het onderzoek is men na verloop van tijd kritischer gaan beschouwen.

Kleptolagnie
Kleptein (Grieks) = stelen.
De seksuele gevoelens en opwinding die gepaard gaan met stelen.

Lesbisme
Homoseksualiteit bij vrouwen.
Synoniem: Saffisme.
Zie ook: Homoseksualiteit.

Masochisme
Een vorm van agressie, veelal met een seksuele ondertoon. Het is het streven zichzelf pijn (aan) te doen of door toedoen van anderen pijn te krijgen. Een masochist beleeft genoegen aan de eigen pijn.
Zie ook: Agressie.

Masochistische algolagnie
De seksuele genoegens die samengaan met het toegediend worden van pijn.
Zie ook: Algolagnie.

Masturbatie
Manus (Latijn) = hand; stuprare (Latijn) = verkrachten.
(Het streven naar) seksuele bevrediging door de geslachtsorganen met de handen of via apparaten te prikkelen. Zelfbevrediging.
Synoniemen: Onanie/Autoplerose/Autostimulatie/Zelfbevrediging.

Narcisme
Naar Narcissus, een Grieks mythologisch figuur, die op zijn eigen spiegelbeeld verliefd werd. Overdreven, meestal ziekelijke liefde voor zichzelf.

Necrofilie
Nekros (Grieks) = lijk.
De seksuele aantrekkingskracht van lijken. Het verlangen geslachtsverkeer met een lijk te hebben.

Nymfomanie
Nymfè (Grieks) = bruid.
Bij vrouwen: buitensporig vaak geslachtsverkeer willen hebben.
Synoniem: Clitoromanie.
Zie ook: Erotomanie.

Onanie
Naar Onan, bijbels figuur, die zijn zaad verspilde (Gen. 38 : 9).
1. Zelfbevrediging.
2. Het bij het geslachtsverkeer terugtrekken van penis voordat de zaadlozing plaatsvindt.
Synoniemen: Masturbatie/Autoplerose/Autostimulatie/Zelfbevrediging.
Zie ook: Masturbatie/Coïtus interruptus.

Orgasme
Hoogtepunt van seksuele activiteit, zowel bij de man als de vrouw. Het geheel komt tot stand door het samentrekken van spieren in de geslachtsorganen. Het is de climax van het beleven van de aangename gevoelens.

Panseksualiteit
Pan- (Grieks) = alles, geheel.
Het verlangen geslachtsverkeer te hebben, waarbij geslacht, leeftijd (mens of dier), van de partner van ondergeschikt belang is.
Zie ook: Seksualiteit.

Parafilie
Algemene stoornis in de seksualiteit.
Zie ook: Seksualiteit.

Paraseksualiteit
Abnormaal seksueel gedrag.

Pederastie
Anaal geslachtsverkeer van een man met een (minderjarige) jongen.
Zie ook: Homoseksualiteit.

Pedofilie
De seksuele aantrekkingskracht die van kinderen uitgaat, zoals dit bij sommige volwassenen voorkomt.

Peninlingus
Het met de mond stimuleren van de penis.
Synoniem: Fellatio.
Zie ook: Fellatio.

Perversie
Letterlijk: omkering, verdorvenheid. Een afwijking, van meestal seksuele normen. Voorbeeld: Homoseksualiteit als perversie. D.w.z. er wordt van de norm afgeweken.
Zie ook: Norm/Homoseksualiteit.

Sadisme
Vorm van agressie, veelal met een seksuele ondertoon. Het is het streven anderen pijn te doen.
Zie ook: Agressie.

Sadistische algolagnie
De (seksuele) genoegens die men beleeft door anderen pijn te doen.
Zie ook: Algolagnie.

Sadomasochisme
Seksuele genoegens verkrijgen door anderen pijn te doen, of door anderen pijn gedaan te worden.
Zie ook: Sadisme/Masochisme.

Saffisme
Naar Sapfo: Grieks dichteres.
Homoseksualiteit bij vrouwen.
Synoniem: Lesbisme.
Zie ook: Lesbisme.

Saliromanie
Sale (Frans) = vuil.
Seksuele genoegens beleven aan het bevuilen van voorwerpen en lichamen.

Satyriase
Bij mannen: buitensporige (seksuele) belangstelling voor vrouwen.
Zie ook: Erotomanie.

Als u een bepaald woord hier niet kunt vinden, raadpleeg dan het zoekregister (blz. 3 en verder).

Scopofilie
Seksueel plezier ontlenen aan het gadeslaan van de geslachtsdaad bij anderen.
Synoniemen: Scoptofilie/Voyeurisme.
Zie ook: Voyeurisme.

Scoptofilie
Synoniemen: Voyeurisme/Scopofilie.
Zie ook: Voyeurisme.

Seksualiteit
Alles wat met lichamelijke voortplanting en beleving van de geslachtsorganen te maken heeft. Dit betreft o.m.: geslachtsorganen, seksueel gedrag, voortplanting bij mens en dier. De seksualiteit kan vanuit de biologie, psychologie, fysiologie, antropologie etc. worden bestudeerd.

Seksuele stoornis
Een stoornis die de seksualiteit betreft. Het gaat meestal om seksueel contact. De meest bekende seksuele stoornissen zijn impotentie bij de man en frigiditeit bij de vrouw.
Zie ook: Impotentie/Frigiditeit.

Seksuologie
De multidisciplinaire wetenschap die zich bezighoudt met de studie van de seksualiteit, met alle facetten van het seksuele gedrag van mens en dier.
Zie ook: Seksualiteit.

Sodomie
1. Geslachtsverkeer tussen mens en dier.
2. Geslachtsverkeer middels de anus.

Transseksueel
Een persoon die door een operatieve behandeling van geslacht verandert. Een man die na behandeling vrouw geworden is en omgekeerd. De gevolgen hiervan zijn zeer ingrijpend voor de persoon. Deze veranderingen betreffen o.a. relaties met partners, rolgedrag, maatschappelijke positie.

Transvestisme
Synoniemen: Travestisme/Eonisme.
Zie ook: Travestisme.

Travestie
Vestire (Latijn) = kleden.
Het dragen van kleding van het andere geslacht. Voorbeeld: mannen in vrouwenkleding.
Zie ook: Travestisme.

Travestisme
1. Het verlangen kleding van het andere geslacht te dragen (mannen in vrouwenkleding bijvoorbeeld).

2. De seksuele opwinding die gepaard gaat met het dragen van kleding van het andere geslacht.
Synoniemen: Eonisme/Transvestisme.

Vaginisme
Relatief weinig voorkomende seksuele stoornis bij de vrouw. Het is een onvrijwillige kramp in de spieren rondom de ingang van de schede en van de bekkenbodemspieren. De kramp wordt als pijnlijk ervaren. Hierdoor wordt geslachtsverkeer meestal vermeden. Volgens sommige Psychoanalytische theoretici hangt vaginisme samen met vroegere pijnlijke ervaringen of 'verboden' uit de jeugd om seksuele omgang te hebben.
Zie ook: Seksuele stoornis.

Voyeurisme
Seksuele genoegens verkrijgen door het gadeslaan van het geslachtsverkeer van anderen.
Synoniemen: Scopofilie/Scoptofilie.

Zelfbevrediging
Het verkrijgen van seksuele genoegens door zelf de geslachtsorganen te prikkelen.
Synoniemen: Masturbatie/Autoplerose/Ipsatie/Autostimulatie/Onanie.
Zie ook: Masturbatie.

Zoöerastie
Geslachtsverkeer tussen een mens en een dier.
Synoniem: Sodomie.

Zoöfilie
Buitensporig aangetrokken worden door dieren. Buitengewone dierenliefde hebben.

Automatisch schrift
Een verschijnsel uit de parapsychologie. Een paranormaal begaafd persoon houdt losjes een potlood in de hand. Op onverklaarbare wijze gaat het potlood in de hand bewegen. Buiten de wil om schrijft de hand bepaalde teksten op. Soms schrijft de begaafde persoon verhalen in een taal die hij objectief aantoonbaar niet beheerst. Ook schrijven niet-muzikaal begaafde personen wel ingewikkelde klassieke composities op (van Liszt bijvoorbeeld).

Autoscopie
Letterlijk (Grieks): zichzelf zien. In de parapsychologie betekent dit dat de (niet-geesteszieke) persoon zichzelf waarneemt. Bijvoorbeeld wanneer hij 'uit zijn eigen lichaam getreden is'.

Bovernatuurlijke verschijnselen
Een algemene term die het studiegebied van de parapsychologie omvat. Het betreft verschijnselen die wij (met onze huidige wetenschappelijke kennis), niet kunnen verklaren. Voorbeeld: helderziendheid. Dit is een nog onverklaarbaar (dus bovennatuurlijk) verschijnsel.
Synoniem: Paranormale verschijnselen.

Clairaudience
Letterlijk (Frans): helderhorendheid. De kennis of waarneming van verschijnselen uit heden, verleden of toekomst, zonder dat bekend is via welke zintuigen deze informatie bij de helderhorende binnen komt. (Men 'hoort' deze verschijnselen.)
Zie ook: Helderziendheid.

Clairvoyance
De Franse term voor helderziendheid.
Zie ook: Helderziendheid.

Déjà-vu
Letterlijk (Frans): al gezien hebben. Bekend verschijnsel in de parapsychologie. Het gevoel, idee hebben dat een nieuwe situatie al eerder is gezien, terwijl dit objectief gezien niet waar kan zijn. Voorbeeld: het gevoel hebben dat men de kerk in het dorpje, waar men nooit eerder is geweest, toch kent.
Synoniem: Paramnesie.

E.S.P.
Afkorting van Extra-sensorische perceptie. Extra = buiten, buitenom; sensorisch = zintuiglijk; perceptie = waarneming. Waarneming buiten de zintuigen om, waarneming zonder zintuigen.
Zie ook: Extra-sensorische perceptie.

Extra-sensorische perceptie
Letterlijk: buitenzintuiglijke waarneming. (Gewoonlijk afgekort tot E.S.P.) Een veel gebruikt begrip in de parapsychologie. Men verstaat hieronder waarnemen zonder gebruik te maken van (de ons momenteel bekende) zintuigen. Voorbeeld: Ik 'zie' iets gebeuren achter een muur of op driehonderd kilometer afstand.
Synoniem: E.S.P.

Helderziendheid
Kennis of waarneming van verschijnselen (mensen, dingen, gebeurtenissen) uit het heden, het verleden of de toekomst, zonder dat bekend is via welke zintuigen deze informatie bij de helderziende komt.
Synoniem: Clairvoyance.

Medium
Medium (Latijn) = midden.
Middel waardoor iets doorgegeven kan worden, tussenstof.
1. In de parapsychologie: iemand die als tussenpersoon functioneert in de communicatie tussen geesten en personen of tussen gestorven personen en levenden.
2. In de communicatieleer: een instrument dat informatie overbrengt (bijvoorbeeld: dagblad, televisie).

Paragnosie
Gnoosis (Grieks) = onderzoek, inzicht, bekendheid.
Het verkrijgen van allerlei informatie over mensen, gebeurtenissen en dingen, via niet-zintuiglijke weg, of niet-logische beredenering. Voorbeeld: iemands gedachten 'lezen'.
Zie ook: Zintuig/Telepathie.

Paramnesie
Anamnèsis (Grieks) = herinnering.
1. Synoniem van déjà-vu.
2. Stoornis in het geheugen, namelijk verkeerde herinnering, geheugenbedrog.
Zie ook: Déjà-vu.

Paranormale verschijnselen
Paranormaal = bovennormaal.
Synoniem: Bovennatuurlijke verschijnselen.
Zie ook: Bovennatuurlijke verschijnselen.

Parapsychologie
Een psychologisch specialisme waarbinnen men zich bezighoudt met het onderzoek naar bovennatuurlijke gaven van personen. Bovennatuurlijk betekent hier: nog niet wetenschappelijk verklaarbaar. Het specialisme is niet overal (als wetenschap) erkend.
Zie ook: Telepathie.

Parergie
Ergon (Grieks) = werk.
Werking van een persoon op de materie, die niet langs de gewone weg wordt uitgeoefend, zoals met spieren, hersenen en zenuwen. Voorbeeld: tafels laten zweven, theelepeltjes laten buigen, etc.

Postmortale manifestaties
Postmortaal = na de dood.
Verschijnselen die samenhangen met reeds overleden personen. Voorbeeld: contact met overleden personen onderhouden.

Precognitie
Letterlijk: voorkennis.
Een bekend verschijnsel in de parapsychologie. Dankzij extra-sensorische perceptie kan de paranormaal begaafde persoon in de toekomst kijken, hij heeft dus voorkennis.
Zie ook: Extra-sensorische perceptie.

Psi
Zeer vaag begrip uit de parapsychologie. Iemand die psi 'bezit', heeft de beschikking over diverse paranormale eigenschappen. Psi is vooralsnog onmeetbaar.

Psychical Research
Onderzoek in de parapsychologie (verouderd begrip).
Synoniem: Psychic research.
Zie ook: Psychic research.

Psychic research
Enigszins verouderde benaming voor onderzoek op het gebied van de parapsychologie.
Synoniem: Psychical research.

Psychokinese
Kinesis (Grieks) = beweging.
Het op voorwerpen en gebeurtenissen invloed uitoefenen zonder spier- of motorische kracht. Voorbeeld: invloed uitoefenen op het vallen van de dobbelsteen, zodat steeds weer de zes bovenkomt.
Zie ook: Parergie.

Séance
Letterlijk (Frans): zitting, vergadering. Bijeenkomst waarbij een medium in contact staat (geraakt) met overleden personen. Bij deze zitting zijn andere personen aanwezig. (Bijvoorbeeld familieleden van de overledenen.)
Zie ook: Medium.

Als u een bepaald woord hier niet kunt vinden, raadpleeg dan het zoekregister (blz. 3 en verder).

Spiritisme
Spiritus (Latijn) = adem, geest.
1. Het primitieve geloof in geesten.
2. De leer die zich bezighoudt met de studie en de praktijk van het communiceren met overleden personen. (Dit is geen wetenschappelijk onderzoek.)

Telepathie
Tèle (Grieks) = ver; pathos (Grieks) = lijden, aandoening, indruk.
Kennis die van de ene persoon naar de andere gaat zonder dat de zintuigen eraan te pas komen, terwijl de personen vaak ver van elkaar verwijderd zijn. Ook: het waarnemen (voelen) van ververwijderde situaties, zonder gebruik van de zintuigen. Voorbeeld: persoon A in Frankrijk op vakantie, 'ziet' hoe haar zoon in Nederland onder een auto komt.
Zie ook: Zintuig.

Xenoglossie
Xenos (Grieks) = vreemd; gloossa (Grieks) = tong, taal.
Het vermogen van een medium om zich uit te drukken in een vreemde taal, die het medium zelf niet heeft geleerd. Het is een paranormale begaafdheid, die (vermoedelijk) zeer zelden voorkomt.
Zie ook: Medium.

Zener kaarten
Kaarten waarop verschillende eenvoudige meetkundige symbolen (driehoek etc.) voorkomen. Deze worden gebruikt voor wetenschappelijke onderzoeken op het gebied van de parapsychologie. Ze zijn ontworpen door de Amerikaanse wiskundige Zener.
Ter illustratie: Proefpersoon A zit in de ene kamer met de kaarten voor zich. Proefpersoon B zit in een andere kamer. Ze kunnen elkaar niet zien, niet horen. Proefpersoon B moet proberen er langs telepathische weg achter te komen, welke kaarten proefpersoon A achtereenvolgens voor zich heeft en bekijkt. Aangezien het om een beperkt aantal (bekende) kaarten gaat, is de mate van telepathische begaafdheid van proefpersoon B gemakkelijk te bepalen: het juiste aantal antwoorden minus de toevalskans.

Abasie
Basis (Grieks) = stap, gang, fundament.
Door een stoornis van de motorische coördinatie niet kunnen lopen. Het is een psychologische stoornis, aangezien spieren, evenwichtsgevoel etc. niet gestoord zijn.

Aberratie
Afwijking. Eigenlijk alles wat afwijkt, waaronder afwijkend gedrag, i.t.t. gezond, normaal gedrag.

Abnormaal gedrag
Gedrag dat afwijkend is, dat niet normaal is. D.w.z. onaangepast, ziekelijk gedrag.
Zie ook: Normaal/Gedrag.

Abnormale psychologie
Een onderdeel van de psychologie. Het is tegengesteld aan het niet bestaande 'normale psychologie'. Abnormale psychologie is een vage verzamelnaam voor o.a. de studie van geestesziekten (neurosen, gebreken, stoornissen etc.).
Synoniem: Psychopathologie.
Zie ook: Psychopathologie.

Aboulie
Aboulos (Grieks) = onberaden, onverschillig, zonder wil.
Een ziekelijke willoosheid. Daden, activiteiten blijven uit. Men kan geen besluit nemen.

Absence
Letterlijk (Frans): afwezigheid. Een zeer kort durende epileptische aanval (bij kinderen). De bewustzijnsvernauwing duurt enige seconden.
Zie ook: Epilepsie.

Abstinentieverschijnselen
Abstinentie = onthouding.
Verschijnselen die zich voordoen bij de persoon die stopt met het gebruik van verslavende of geneesmiddelen. Veel voorkomende abstinentie-verschijnselen bij drug-verslaafden zijn: geeuwen, tranenvloed, neusvloed, transpireren, wijde pupillen, tremor (beven), kippevel, gebrek aan eetlust, rusteloosheid, braken, temperatuurverhoging, versnelde ademhaling, bloeddrukverhoging, gewichtsverlies.
Synoniem: Onthoudingsverschijnselen.
Zie ook: Verslaving/Verslavende middelen/Drugs.

Achtervolgingswaan
Waan, ziekelijke, onberedeneerbare overtuiging dat men voortdurend achtervolgd wordt, bedreigd wordt e.d. Voorbeeld: 'Er zitten steeds dieven achter mij aan'. Het komt voor bij paranoïde psychose.
Zie ook: Paranoïde psychose.

Addictie
Addiction (Engels) = verslaving.
Synoniem: Verslaving.
Zie ook: Verslaving.

Agrypnie
Chronische slapeloosheid.
Synoniem: Insomnie.
Zie ook: Insomnie.

Alcoholische psychose
Psychose veroorzaakt door overmatig gebruik van alcohol. De psychose komt in twee vormen voor: delirium tremens en Korsakovs psychose.
Zie ook: Psychose/Korsakovs psychose/Delirium tremens.

Amnesie
Letterlijk (Grieks): geheugenverlies. Gedeeltelijk of geheel geheugenverlies. Een enkele ervaring, alleenstaand feit of gebeurtenis kan men zich niet meer herinneren, of men leidt aan verlies van het gehele geheugen. De oorzaak kan zowel psychologisch als fysiologisch van aard zijn.

Amok
Tijdelijk abnormaal gedrag. Iemand die amok maakt kan in zijn blinde woede alles en iedereen vernietigen (vermoorden). In Maleise culturen (Indonesië) is amok een 'normale abnormaliteit'. Het is een bewustzijnsvernauwing van tijdelijke aard.

Anorexie
Geen honger, geen eetlust hebben. De oorzaak kan zowel fysiologisch van aard zijn, als psychologisch.
Zie ook: Anorexia nervosa.

Anorexia nervosa
Anorexia (Grieks) = zonder begeerte.
Geen honger, geen trek hebben. Deze ziekte kan zo ernstig zijn, dat zij de dood ten gevolge heeft. De oorzaken van deze ziekte zijn psychisch, en de ziekte is geneesbaar. (Er zijn geen aanwijsbare medische stoornissen.) De ziekte komt voornamelijk voor bij meisjes en jongere vrouwen.
Zie ook: Anorexie.

Apraxie
Praxis (Grieks) = handeling, bezigheid, onderneming.
Niet in staat zijn een aantal zinvolle bewegingen te maken. Oorzaak: een

hersenletsel. De spieren functioneren niet normaal. Voorbeeld: lucifer niet of slechts zeer stuntelig uit het doosje kunnen halen.

Arteriosclerosis cerebri
Aderverkalking in de hersenen. Een ziekelijke verandering in de bloedvaten in de hersenen van oudere mensen. Mogelijke oorzaken zijn slechte voeding, drank, nicotine, psychologische factoren. Door kalkafzetting zijn de bloedvaten niet meer elastisch. Men krijgt last van hoofdpijn en geheugenstoornissen.

Astasie
Stasis (Grieks) = het (op)staan.
Niet in staat zijn om te kunnen staan. Het is een psychologische stoornis, vergelijkbaar met en soms samengaand met abasie.
Zie ook: Abasie.

Asthenie
Sthenos (Grieks) = kracht.
Ziekelijke slapheid, krachteloosheid, gebrek aan vitaliteit. Het heeft meestal een psychologische achtergrond.

Autisme
Ziekelijk in zichzelf gekeerd zijn en geen contact met andere mensen hebben.

Autofagie
Fagein (Grieks) = eten.
Het eten van de eigen lichaamsdelen (zoals dit bij zeer ernstige idioten voorkomt).
Zie ook: Idiotie.

Automutilatie
Letterlijk: zelfverminking. Zichzelf opzettelijk verwonden (zoals dat o.m. bij zwakzinnigen voorkomt).
Zie ook: Zwakbegaafdheid.

Boelimie
Bous (Grieks) = rund; Limos (Grieks) = honger.
Ziekelijke honger, eetlust.
Synoniemen: Sitomanie/Hyperfagie.
Zie ook: Sitomanie.

Catalepsie
Toestand waarin de spieren gedurende langere tijd stijf zijn, waardoor de persoon in een bepaalde houding blijft. De ledematen kunnen in elke positie geplaatst worden en ook zo blijven. Deze ziekte vormt een onderdeel van catatonische schizofrenie. Het kan ook tijdelijk door hypnose tot stand worden gebracht.
Zie ook: Catatonische schizofrenie.

Catatonie
Tonos (Grieks) = spanning.
Synoniem: Catatonische schizofrenie.
Zie ook: Catatonische schizofrenie.

Catatonische schizofrenie
Vorm van schizofrenie die gekenmerkt wordt door o.m. catatonie. De patiënt blijft gedurende langere tijd in een zelfde (verwrongen) houding zitten. Andere verschijnselen: rusteloosheid en inactiviteit.
Synoniem: Catatonie.
Zie ook: Schizofrenie.

Causalgie
Kausis (Grieks) = hitte, branden; algos (Grieks) = pijn.
Brandende pijn voelen.
Synoniem: Thermalgie.
Zie ook: Thermalgie.

Chronische ziekte
Chronisch = langdurig, slepend.
Een langdurige, slepende ziekte, waarvan vaak het eind niet in zicht is. Ook: een ziekte waarbij geen verbetering of genezing te verwachten is.

Cold turkey
Letterlijk (Engels): koude kalkoen (kippevel). Synoniem voor abstinentieverschijnselen bij gebruikers van zogenaamde hard drugs.
Zie ook: Abstinentieverschijnselen/Drugs.

Commotio cerebri
Commotio (Latijn) = schudding, opschudding.
Een ontregeling van bepaalde delen van de hersenen. Dit is van tijdelijke aard. Gebeurt bij een plotselinge schok (val, botsing). Enige kenmerken: bewusteloosheid, misselijkheid, hoofdpijn. Het desbetreffende ongeval (de schok) wordt geheel vergeten (geheugenverlies). Een verwaarloosde hersenschudding kan tot diverse ernstige problemen aanleiding geven.
Synoniem: Hersenschudding.

Confabulatie
Het goedmaken van geheugenverlies door het vertellen van fantasievolle verhalen of -details.
Synoniem: Fabulatie.

Coprofagie
Kopros (Grieks) = drek, uitwerpselen.
Het eten van uitwerpselen. Een ziekelijke afwijking bij mensen, niet bij dieren. (Diverse diersoorten leven van de uitwerpselen van andere.)

Coprofilie
Een ziekelijke belangstelling voor uitwerpselen, fecaliën.

Debiliteit
Een vorm van zwakzinnigheid, die wordt gekenmerkt door een I.Q. van 50–70. (Het gemiddelde voor de hele bevolking is 100). Debiliteit berust op aangeboren afwijkingen, niet op erfelijke factoren. Debielen kan men slechts weinig dingen leren. Ze worden meestal verzorgd in speciale inrichtingen.
Synoniem: Moroon.
Zie ook: Zwakzinnigheid/I.Q.

Delirium
Delirare (Latijn) = krankzinnig zijn, raaskallen.
Een psychose waarbij hallucinaties op de voorgrond staan. Oorzaken zijn vergiftigingen en hevige koorts. Persoonlijke relaties worden zeer moeilijk door deze hallucinaties.
Synoniem: Zinsverbijstering.
Zie ook: Psychose/Hallucinatie.

Delirium tremens
Letterlijk: 'sidderende waanzin'. Psychose die veroorzaakt wordt door het overmatig gebruik van alcohol. Dit delirium gaat gepaard met trillingen over het gehele lichaam. Enige kenmerken zijn: angst, hallucinaties (allerlei dieren zien), zweten, perioden van hevige opwinding.
Zie ook: Delirium/Korsakovs psychose/Hallucinatie.

Dementia precox
Verouderde term voor schizofrenie (= ernstige geestesziekte).
Zie ook: Schizofrenie.

Depersonalisatie
Letterlijk: ontpersoonlijking. Het niet langer zichzelf voelen. Gevoelens van een persoon, waarbij hij niet het idee heeft te bestaan. Hij heeft het contact met de werkelijkheid verloren. Depersonalisatie kan tijdelijk zijn, zoals bijvoorbeeld onder invloed van drugs, maar ook chronisch.

Depressie
Neerslachtigheid. Samengaand met gevoelens van hulpeloosheid. Depressie is ten dele normaal. Iedereen heeft er wel eens last van. Het kan ook ziekelijk zijn. In dit geval gaat het meestal samen met andere symptomen.

Dipsomanie
Onbeheerste drankzucht. Deze drang naar alcoholische drank komt steeds weer terug na een periode van betrekkelijke onthouding.

Als u een bepaald woord hier niet kunt vinden, raadpleeg dan het zoekregister (blz. 3 en verder).

Dissociatie
Letterlijk: splijting, ontbinding, splitsing.
Zie ook: Hysterie.

Doorgangshuis
Een meestal aan een psychiatrisch ziekenhuis verbonden woonhuis waarin patiënten van dit ziekenhuis tijdelijk wonen. Deze patiënten zijn grotendeels genezen. Zij kunnen echter (nog) niet op eigen benen staan. Zij hebben nog voortdurende steun nodig. Het doorgangshuis staat tussen de maatschappij, en de psychiatrische inrichting in. De patiënten hebben veelal een normale baan (buiten de inrichting).

Double bind hypothese
Letterlijk (Engels): dubbele binding, tweemaal gebonden zijn. Deze hypothese geeft het ontstaan van neurosen en andere vormen van geestesziekten als volgt aan. De geestesziekte is in de jeugd ontstaan. De ouders hebben zonder het te weten de ziekte veroorzaakt door zeer vaak het kind tegenstrijdige berichten te verstrekken. Voorbeeld: van vader mag iets wél, van moeder niet; vader zegt ga boodschappen doen, moeder zegt doe het maar niet. Deze tegenstrijdigheid is vaak moeilijk te ontdekken (minder duidelijk dan deze voorbeelden). De kinderen zijn afhankelijk van hun ouders. Zij kunnen niet vluchten uit al die tegenstrijdige situaties.

Dubbele oriëntatie
Verschijnsel dat voorkomt bij schizofrene patiënten. De patiënt verwart zijn eigen persoonlijkheid met die van een ander. Voorbeeld: de patiënt zegt het ene moment Jansen te zijn (zichzelf). Het volgende moment beweert hij Napoleon of zijn behandelend geneesheer te zijn, en is daar ook helemaal zeker van.
Zie ook: Schizofrenie.

Dwangbuis
Een stevig soort jas dat tot doel heeft bewegingen van agressieve geesteszieke patiënten tegen te gaan. Dit kledingstuk wordt tegenwoordig nog maar zelden gebruikt (men geeft de voorkeur aan kalmerende middelen).

Dysbulie
Boulè (Grieks) = wil.
Het ziekelijk hebben van denkproblemen en zich niet kunnen concentreren.

Dysmnesie
Geheugenstoornis.

Dyspraxie
Praxis (Grieks) = handeling, bezigheid, onderneming.
1. Een storing in de coördinatie van lichamelijke bewegingen.
2. Geen fijne precieze bewegingen kunnen maken.

Encefalitis
Letterlijk: hersenontsteking.
Kan bij elke infectieziekte voorkomen. Behoeft niet per se ernstig te zijn. Ernstige vormen kunnen leiden tot blijvende veranderingen van de persoonlijkheid.

Epifenomeen
Letterlijk: opper (boven) verschijnsel, (fenomeen = verschijnsel).
1. Een verschijnsel dat samengaat met een ander verschijnsel, zonder dat er enig verband tussen beide verschijnselen bestaat. Voorbeeld: tweeling wordt tijdens een hevig onweer geboren. (De tweeling had ook eerder of later geboren kunnen worden. Het onweer oefende geen invloed hierop uit.)
2. Een symptoom dat niet rechtstreeks in verband staat met de oorzaak van de ziekte.

Epilepsie
Een stoornis in het centraal zenuwstelsel, waardoor iemand veelal neervalt, bewusteloos (in coma) raakt, en daarna niet meer weet wie of wat hij is of waar hij zich bevindt. Epilepsie wordt gekenmerkt door plotseling optredende, periodieke aanvallen.
Zie ook: Grand mal/Petit mal.

Epileptologie
De multidisciplinaire wetenschappelijke studie van de ziekte epilepsie, en alles wat daarmee samenhangt.
Zie ook: Epilepsie.

Etiologie
Leer van de oorzaken van ziekten.

Extramuraal
Extra (Latijn) = buiten; murus (Latijn) = muur.
D.w.z.: buiten de inrichting.
Zie ook: Intramuraal.

Fabulatie
Het vertellen van fantasierijke verhalen (ten einde geheugenverlies te maskeren).
Synoniem: Confabulatie.
Zie ook: Confabulatie.

Fagomanie
Fagein (Grieks) = eten.
Ziekelijke behoefte (drang) om zeer veel te eten.

Faneromanie
De ziekelijke, dwangmatige neiging om eigen lichaamsdelen aan te raken.
Zie ook: Dwanghandeling.

Fenylketonurie
Stoornis in de stofwisseling. Hierdoor wordt de stof fenylalanine, welke schadelijk is voor de hersenen, niet omgezet in een andere stof.
Zie ook: Fenylpyruvische zwakzinnigheid.

Fenylpyruvische oligofrenie
Zwakzinnigheid, veroorzaakt door fenylketonurie, een stoornis in de stofwisseling.
Synoniem: Fenylpyruvische zwakzinnigheid.
Zie ook: Fenylpyruvische zwakzinnigheid/Fenylketonurie.

Fenylpyruvische zwakzinnigheid
Een vorm van zwakzinnigheid, die veroorzaakt wordt door een stoornis van het eiwitmetabolisme. Wanneer deze afwijking snel na de geboorte ontdekt wordt, is zij goeddeels te verhelpen.
Synoniem: Fenylpyruvische oligofrenie.
Zie ook: Zwakbegaafdheid.

Folie à deux
Letterlijk (Frans): krankzinnigheid bij twee. Het tegelijkertijd voorkomen van dezelfde geestesziekte bij 2 personen die in elkaars nabijheid leven (zoals gezinsleden). De ene persoon heeft de ander beïnvloed. Wanneer men beide personen scheidt, verdwijnt de ziekte bij één van beiden.

Folie à quatre
Het tegelijkertijd voorkomen van dezelfde geestesziekte bij vier personen, die in elkaars nabijheid leven.
Zie ook: Folie à deux.

Folie à trois
Het tegelijkertijd voorkomen van dezelfde geestesziekte bij drie personen, die in elkaars nabijheid leven.
Zie ook: Folie à deux.

Fugue
Fuga (Latijn) = vlucht.
Een vlucht uit het dagelijks bestaan. De persoon vlucht weg van huis en verandert zijn gedrag. Hij lijdt aan geheugenverlies. Wanneer de fugue toestand is afgelopen keert het 'oude' geheugen weer terug. De vlucht en alles wat daarmee samenhing is vergeten.

Geestesziekte
Een toestand van een persoon, vaak niet te herleiden tot een duidelijk omschreven oorzaak, van meestal tijdelijke en soms van blijvende aard. Deze toestand wordt door de persoon en zijn omgeving als onaangenaam, hinderlijk of pijnlijk ervaren. Geestesziekten komen tot uiting in afwijkende gevoelens, belevingen, ideeën, inzichten en opvattingen, die vaak verstorend werken in het sociale verkeer met andere mensen.
Zie ook: Neurose/Psychopathologie/Psychotherapie.

Grand mal
Letterlijk (Frans): grote kwaal.
Een epileptische aanval, die bestaat uit bewusteloosheid, krampen en diepe slaap. De lijder blijft soms nog enige tijd slaperig en 'afwezig'. Aan de aanval gaan vaak bepaalde zintuigelijke gevoelens vooraf van onbekende aard.
Zie ook: Epilepsie/Petit mal.

Hallucinatie
Waanvoorstelling. Het waarnemen van niet bestaande personen, objecten en situaties. Zij hangt nauw samen met geestesziekte (schizofrenie).
Zie ook: Waan/Geestesziekte/Schizofrenie.

Hallucinose
Psychose, die geheel beheerst wordt door hallucinaties.
Zie ook: Psychose/Hallucinatie.

Hebefrenie
Hèbè (Grieks) = jeugd; frèn (Grieks) = geest.
Vorm van schizofrenie, die vooral bij jongere personen voorkomt. Enige kenmerken zijn: wanen, hallucinaties, lach- en huiluitbarstingen, agressief gedrag. De ziekte neemt steeds ernstiger vormen aan in de persoon.
Synoniem: Hebefrenische schizofrenie.
Zie ook: Schizofrenie.

Hebefrenische schizofrenie
Synoniem: Hebefrenie.
Zie ook: Hebefrenie.

Hersenletsel
Beschadigingen aan of afwijkingen van delen van de hersenen, die langs natuurlijke weg, door ongeval of operatie veroorzaakt zijn. Letsel kan leiden tot lichamelijke gebreken (verlamming van ledematen), zintuiglijke gebreken (blindheid), leerstoornissen (geheugenverlies) etc.

Hersenschudding
Tijdelijke ontregeling van delen van de hersenen.
Synoniem: Commotio cerebri.
Zie ook: Commotio cerebri.

Hersenvliesontsteking
Verzamelnaam voor een aantal variëteiten van ontsteking van de hersenvliezen; veelal veroorzaakt door infectie. Leidt o.m. tot prikkelbaarheid en lusteloosheid, hoofdpijn, verwardheid.
Synoniem: Meningitis.
Zie ook: Meningitis.

Hersenziekte
Vage benaming voor één of meer klachten die betrekking hebben op de hersenen of delen hiervan. De naam als zodanig levert geen enkele informatie op over oorzaak, soort ziekte etc.

Hyperergasie
Ergon (Grieks) = werk.
Benaming van de manische fase van de manisch-depressieve psychose.
Zie ook: Manisch-depressieve psychose.

Hyperfagie
Fagein (Grieks) = eten.
Ziekelijke honger, eetlust.
Synoniemen: Sitomanie/Boelimie.
Zie ook: Sitomanie.

Hyperkinesis
Kinèsis (Grieks) = beweging.
Buitensporige lichamelijke rusteloosheid. Ontstaat door een stoornis in de hersenen of is van psychische aard. Komt veelal bij (nerveuze) kinderen voor.

Hypnolepsie
Lèpsis (Grieks) = aanval, het ontvangen.
Slaapzucht. Neiging om steeds in slaap te vallen.
Synoniem: Narcolepsie.
Zie ook: Narcolepsie.

Hypobulie
Boulè (Grieks) = wil.
Een tekort aan wilskracht hebben. Niet voldoende wilskracht hebben.

Hypoërgasie
Ergon (Grieks) = werk.
Benaming van de depressieve fase van de manisch-depressieve psychose.
Zie ook: Manisch-depressieve psychose.

Hypomanie
Een lichte vorm van een manie. Enige kenmerken: opwinding, rusteloosheid, activiteit.
Zie ook: Manie.

Iatrogeen
Iatros (Grieks) = arts.
Door arts of psychiater veroorzaakte ziekte. De ziekte kan bijvoorbeeld 'aangepraat' zijn.

Idée-fixe
Letterlijk (Frans): vast idee.
Een denkbeeld dat iemand voortdurend dwangmatig bezighoudt, zonder dat er een objectief motief voor bestaat.

Idiotie
Vorm van zwakzinnigheid. Iedereen met een I.Q. van hoogstens 20 noemt men idioot. Idiotie is de laagste categorie van zwakzinnigheid. Zij

ontstaat door aangeboren afwijkingen (is dus niet erfelijk). Men kan idioten weinig aanleren. Zij worden verzorgd in speciale inrichtingen.
Zie ook: Zwakzinnigheid/I.Q.

Idiot savant
Letterlijk (Frans): wijze, geleerde idioot. Een zwakbegaafde persoon, idioot, die op één terrein buitengewoon begaafd is. Bijvoorbeeld hoofdrekenen.
Zie ook: Idiotie/Zwakbegaafdheid.

Imbeciliteit
Vorm van zwakzinnigheid die gekenmerkt wordt door een I.Q. tussen de 20 en de 50 (gemiddelde voor de hele bevolking is 100). Imbeciliteit, de middelste categorie van zwakzinnigheid berust op aangeboren afwijkingen. Zij is dus niet erfelijk bepaald. Men kan imbecielen weinig aanleren. Zij worden verzorgd in speciale inrichtingen.
Zie ook: Zwakzinnigheid/I.Q.

Insomnie
Somnus (Latijn) = slaap.
Chronische (en dus ziekelijke) slapeloosheid. Kan veroorzaakt worden door hersenletsel of doordat men voortdurend onder druk staat.
Synoniem: Agrypnie.

Intake gesprek
Intake (Engels) = inname, opname.
Het gesprek dat plaatsvindt tussen patiënt en arts of psycholoog, voordat over een eventuele behandeling wordt beslist. Het is een soort eerste, oriënterende bespreking.

Intramuraal
Behandeling en verblijf van patiënten binnen (de muren van) een ziekenhuis of kliniek. (Het tegengestelde is extramuraal. Voorbeeld: patiënten die alleen 's ochtends voor behandeling komen en dan naar huis gaan of naar hun werk.)

Klinische psychologie
Eén van de meest bekende specialismen binnen de psychologie. Men houdt zich bezig met psychodiagnostiek, psychotherapie en studie hiervan bij de geesteszieke persoon.
Zie ook: Psychodiagnostiek/Psychotherapie.

Korsakovs psychose
Een psychose die wordt veroorzaakt door overmatig alcoholgebruik. Kenmerkend zijn de geheugenstoornissen: men wordt vergeetachtig.
Serge Korsakov (1854–1900) was een bekend Russisch neuroloog.

Als u een bepaald woord hier niet kunt vinden, raadpleeg dan het zoekregister (blz. 3 en verder).

Synoniem: Korsakovs syndroom.
Zie ook: Psychose.

Korsakovs syndroom
Synoniem: Korsakovs psychose.
Zie ook: Korsakovs psychose.

Krankzinnigheid
Woord dat in de spreektaal wordt gebruikt voor geestesziekte. Gestoordheid van geestelijke vermogens.
Synoniem: Psychose.
Zie ook: Psychose.

Latah
Een vorm van geestesziekte die niet in Europa voorkomt, maar wel in Maleise culturen (Indonesië). De lijder aan deze ziekte verkeert voortdurend in een opgewonden toestand. Hij is zeer ontvankelijk voor suggesties. Bij deze ziekte komen ook wel hallucinaties voor.
Zie ook: Geestesziekte/Hallucinatie.

Lerema
Neiging van psychotische patiënten om nogal spraakzaam te zijn.
Zie ook: Psychose.

Lesie
Laedere (Latijn): kwetsen, beschadigen, krenken.
Lesie = letsel, wond, kwetsuur.
Een beschadiging van weefsel (lichaam, hersenen), het gevolg van een ziekte, verwonding of chirurgische ingreep.

Leucotomie
Operatief verwijderen van een hersenkwab.
Synoniem: Lobotomie.
Zie ook: Lobotomie.

Lobectomie
Het operatief verwijderen van een of meer delen van de frontale hersenkwab.
Zie ook: Frontale lob.

Lobotomie
Temnein (Grieks) = snijden.
Het operatief wegnemen van zenuwvezels, die de frontale hersenkwab verbinden met de thalamus en de hypothalamus. Deze methode werd toegepast bij sommige vormen van psychose.
Synoniem: Leucotomie.
Zie ook: Frontale lob/Thalamus/Hypothalamus.

Lygofilie
Ziekelijk verlangen om op donkere plaatsen te verblijven.

Manie
1. Een fase in de manisch-depressieve psychose.
2. Onbeheersbare neiging om bepaalde activiteiten te doen.
3. Toestand van opwinding, onbeheerst overactief gedrag, gevoelens van welbehagen.

Zie ook: Manisch-depressieve psychose.

Manisch-depressieve psychose
Veelal afgekort tot M.D.P. Een psychose die bestaat uit depressiviteit (neerslachtigheid) en manie (overdreven vrolijkheid), die elkaar telkens afwisselen.

M.D.P.
Afkorting van manisch-depressieve psychose.
Zie ook: Manisch-depressieve psychose.

Medische psychologie
Verouderde naam voor klinische psychologie. Zij stamt uit de tijd dat klinische psychologie nog een gebied was dat verwant en opgenomen was in de geneeskunde. Dit is in o.m. België nog steeds het geval. (In medische kringen verstaat men hieronder de psychologische begeleiding van patiënten door hun artsen.)
Zie ook: Klinische psychologie.

Megalomanie
Letterlijk: grootheidswaan. Ziekelijke overschatting van de eigen bekwaamheden, belangrijkheid. Voorbeeld: zichzelf buitengewone seksuele capaciteiten toekennen.

Meningitis
Door infectie veroorzaakte ontsteking van de hersenvliezen. Dit leidt o.m. tot prikkelbaarheid, lusteloosheid.
Synoniem: Hersenvliesontsteking.
Zie ook: Hersenvliesontsteking.

Migraine
Eigenlijk: enkelzijdige hoofdpijn. Soort hoofdpijn die meestal voor het eerst voorkomt in de puberteit. De oorzaak is vooralsnog onbekend. De hoofdpijn komt in golven en duurt meestal enige uren. Soms ook: misselijkheid, braken, lusteloosheid.

Monomanie
1. Zich ziekelijk of overdreven bezighouden met één idee, onderwerp.
2. Verouderde term voor paranoia.

Zie ook: Paranoia.

Morbide
Letterlijk: ziekelijk. Morbide persoonlijkheid: persoonlijkheid die ziekelijk, onaangepast, gestoord e.d. is.
Zie ook: Persoonlijkheid.

Moroon
Debiel, zwakzinnige.
Synoniem: Debiel.
Zie ook: Debiliteit.

Mysofilie
Ziekelijke belangstelling voor vuil of vieze voorwerpen.

Mythomanie
Ziekelijk verlangen om te liegen of denkbeeldige verhalen te vertellen.

Myxodeem
Een ziekte welke het gevolg is van een tekort aan of afwezigheid van een door de schildklier aangemaakt hormoon. De ziekte leidt tot lichamelijke en geestelijke achterlijkheid. Zij komt voor bij oudere kinderen en volwassenen.

Narcolepsie
Narkoodès (Grieks) = verdovend, verdoofd; lèpsis (Grieks) = aanval, het ontvangen.
1. De ziekelijke wens om steeds te gaan slapen (slaapzucht).
2. De steeds terugkerende en onbedwingbare neiging om in slaap te vallen.
Synoniem: Hypnolepsie.

Narcomanie
Aan verdovende middelen verslaafd zijn.

Neerslachtigheid
Terneergeslagen zijn. Moedeloos, bedroefd zijn.
Synoniem: Depressie.
Zie ook: Depressie.

Negatief-abnormaal gedrag
Gedrag dat afwijkt van normaal gedrag in statistische zin. Gedrag dat anders is dan dat van de meeste mensen en dat de abnormale persoon zodanig hindert dat hij zichzelf niet kan helpen, anderen hindert of gevaarlijk is voor zichzelf en anderen. Ernstige gevallen van negatief-abnormaal gedrag dienen in klinieken en ziekenhuizen te worden behandeld.
Zie ook: Gedrag/Klinische psychologie/Statistiek.

Neurologie
Een medisch specialisme dat zich bezighoudt met de studie van de structuur en het functioneren van het gezonde en zieke zenuwstelsel.

Neuropathologie
Onderdeel van de geneeskunde. Men houdt zich bezig met microscopisch onderzoek van ziekten van het zenuwweefsel.

Neuropsychologie
Specialisme in de psychologie. Men houdt zich bezig met het onderzoek naar de samenhang tussen menselijk gedrag en de structuur en functies van de

hersenen. Men doet hier onder andere onderzoek naar het gevolg van hersenbeschadigingen. Het is de psychologische tegenhanger van de neurologie.
Zie ook: Neurologie.

Nosologie
Een term uit de geneeskunde voor het categoriseren, indelen van ziekten.

Oligofrenie
Letterlijk (Grieks): weinig verstand. Zwakzinnigheid, een aangeboren afwijking van de geestelijke vermogens.
Synoniemen: Zwakzinnigheid/Zwakbegaafdheid.
Zie ook: Zwakzinnigheid.

Onthoudingsverschijnselen
Doen zich voor wanneer een verslaafde (aan drugs) stopt met het gebruik hiervan.
Synoniem: Abstinentieverschijnselen.
Zie ook: Abstinentieverschijnselen.

Osfresiolagnie
Ziekelijke bezorgdheid over (eigen) lichaamsgeuren.

Paracusis imaginaria
Het hebben van auditieve (gehoors) hallucinaties (= waanvoorstellingen).
Zie ook: Hallucinatie.

Parageusie
Het hebben van smaakhallucinaties (= waanvoorstelling), iets wat zeer zelden voorkomt.
Zie ook: Hallucinatie.

Paralyse agitans
Hersenstoornis, gekenmerkt door trillingen in het lichaam, strakke gelaatsuitdrukking.
Synoniem: Ziekte van Parkinson.
Zie ook: Ziekte van Parkinson.

Paramimie
Mimèsis (Grieks) = nabootsing.
Een ziekte waarbij de gebaren die de persoon maakt, niet aanduiden wat zij behoren aan te duiden. De gebaren komen niet meer overeen met onderliggende gevoelens. Ook de gebaren die niet overeenstemmen met het gesprokene.

Paranoia
Synoniem: Paranoïde psychose.
Zie ook: Paranoïde psychose.

Paranoïde psychose
Een psychose, die wordt gekenmerkt door één of meer wanen. Er zijn

grootheidswanen ('ik ben Napoleon'), achtervolgingswanen ('ik word mijn hele leven al door de C.I.A. achtervolgd'), godsdienstwanen ('ik ben de verlosser') etc.
Synoniem: Paranoia.
Zie ook: Psychose/Waan.

Pathopsychologie
Studie van geestesziekten.
Synoniem: Psychopathologie.
Zie ook: Psychopathologie.

Patricide
Pater (Latijn) = vader.
Vadermoord. Het doden van de eigen vader. Duidt meestal op nogal ernstige conflicten uit de jeugd tussen vader en kind (zoon).
Psychoanalytische theorie stelt de vraag: jaloezie vanwege de moeder?

Perseveratie
Letterlijk: volharding.
1. De voortzetting van een handeling, activiteit, nadat deze overbodig of niet meer toepasselijk is.
2. De terugkeer van een denkbeeld, zonder dat hier enige aanleiding van buitenaf voor is.
3. De ziekelijke herhaling van woorden en zinnen in een gesprek.

Petit mal
Letterlijk (Frans): kleine kwaal.
Een epileptische aanval, die bestaat uit een kortstondige bewusteloosheid.
Zie ook: Epilepsie/Grand mal.

P.K.U.
Afkorting van fenylketonurie (Ph = F). Stoornis in de stofwisseling, die zwakzinnigheid veroorzaakt.
Zie ook: Fenylketonurie/Fenylpyruvische zwakzinnigheid.

Pseudologia fantastica
Ziekelijke gewoonte om fantastische verhalen te vertellen, die betrekking hebben op de eigen belevenissen en prestaties. De verhalen klinken meestal zeer geloofwaardig. Ze worden met overtuiging gebracht.

Psychiater
Beoefenaar van de psychiatrie, een arts die zich heeft gespecialiseerd. Psychiaters zijn werkzaam in psychiatrische inrichtingen of hebben praktijk aan huis. Zij zijn veelal opdrachtgevers van klinisch psychologen. Aangezien de psychiater arts is, mag hij medicijnen voorschrijven. De klinisch psycholoog niet. In cartoons, sketches en verhalen vaak afgebeeld als een, met een Duits accent sprèkende (Freud!), verwarde, onnozele arts, die op elke slak zout legt.
Synoniem: Zenuwarts.
Zie ook: Psychiatrie/Psychiatrische instelling.

Psychiatrie
Een medisch specialisme dat zich bezighoudt met de diagnose, behandeling en preventie (= voorkoming) van geestesziekten. Psychiatrie is de medische tegenhanger van klinische psychologie.
Zie ook: Klinische psychologie.

Psychiatrisch centrum
Synoniemen: Psychiatrische inrichting/Psychiatrisch ziekenhuis.
Zie ook: Psychiatrische inrichting.

Psychiatrische inrichting
Een speciaal voor de opneming en behandeling van meestal ernstig en chronisch geesteszieke patiënten ingericht ziekenhuis. Er zijn relatief veel klinisch psychologen verbonden aan deze inrichtingen. (Vroeger sprak men van krankzinnigengesticht en gekkenhuis.)
Synoniemen: Psychiatrisch centrum/Psychiatrisch ziekenhuis.
Zie ook: Klinische psychologie.

Psychiatrisch ziekenhuis
Synoniemen: Psychiatrische inrichting/Psychiatrisch centrum.

Psychochirurgie
Het uitvoeren van hersenoperaties, die tot doel hebben geestesziekten te genezen of de verschijnselen te verminderen. Een betere benaming is neurochirurgie.
Synoniem: Neurochirurgie.

Psychopaat
Een vaag en verouderd begrip uit de psychiatrie en de klinische psychologie. Iemand aan wie een storing in de persoonlijkheid wordt toegeschreven (een geesteszieke). Kenmerken van de psychopaat zijn gebrek aan angst en anti-sociaal gedrag.
Zie ook: Klinische psychologie/Psychopathologie.

Psychopathie
De ziekte waaraan een psychopaat lijdt.
Zie ook: Psychopaat.

Psychopathologie
Letterlijk: ziekteleer van de geest. De leer (het studiegebied) van de ernstige ziekteverschijnselen van de geesteszieke mens. (De term is in feite nogal breed en dus vaag.) Het omvat een beschrijving van *alle* ziektebeelden van geesteszieke mensen.
Synoniem: Pathopsychologie.
Zie ook: Geestesziekte.

Als u een bepaald woord hier niet kunt vinden, raadpleeg dan het zoekregister (blz. 3 en verder).

Psychose
Een veel gebruikt begrip in de psychiatrie en klinische psychologie. Het is echter vaag omschreven. Het wordt gekenmerkt door: disorganisatie van denkprocessen, storingen in de emoties, disoriëntatie in tijd, ruimte en personen, hallucinaties, wanen. Psychose is ongeveer datgene wat men in de spreektaal krankzinnigheid noemt.
Synoniem: Krankzinnigheid.
Zie ook: Denken/Emotie/Hallucinatie/Waan.

Psychosomatiek
Een interdisciplinair studiegebied van de medische wetenschap en de psychologie. Men houdt zich hier bezig met de lichamelijke ziekten die veroorzaakt worden door psychische verschijnselen. In de psychosomatiek neemt men aan dat er ziekten zijn die een bepaalde geestesgesteldheid als oorzaak hebben. Voorbeeld: men neemt aan dat een maagzweer veroorzaakt wordt door spanningen, waaraan iemand is blootgesteld.

Psychosomatische ziekte
Lichamelijke ziekte waarvan wordt verondersteld dat zij veroorzaakt is door druk, spanningen, e.d. Voorbeeld: maagzweer, sommige hartkwalen.
Zie ook: Psychosomatiek.

Pyromanie
Pur (Grieks) = vuur.
Ziekelijke neiging om brand te stichten.

Recidivisme
1. De (telkens) terugkerende misdadige gedragingen in een persoon.
2. De terugkeer van een (genezen) geestesziekte of neurose.

Rehabilitatie
Het herstel van een ziekte, zoals dat geschiedt met hulp van artsen, psychologen, maatschappelijk werkers e.d. Er wordt getracht de persoon weer helemaal rijp te maken om zijn 'oude leven' van vóór de ziekte weer op te vatten.

Residentiële behandeling
Intramurale behandeling. De patiënt wordt in een ziekenhuis of inrichting behandeld.
Zie ook: Intramuraal.

Revalidatie
Letterlijk: weer gezond maken. Een zieke, nog niet geheel genezen persoon weer gereed maken om bepaalde lichamelijke en/of sociale functies te (laten) vervullen. Voorbeeld: iemand na een ernstig ongeval weer leren lopen, zodat hij weer in de maatschappij kan worden opgenomen.

Schizofrenie
Een veel gebruikte term in de psychiatrie en de klinische psychologie. De term is erg vaag. Het is een der meest voorkomende ernstige vormen van

geestesziekte. De essentie is een ziekelijke verandering van de persoonlijkheid als geheel, die speciaal koloriet (kleur) geeft aan alle andere verschijnselen. Vooruitzichten op genezing zijn hierbij in het algemeen niet gunstig.

Serotonine
Een stof die o.m. in de hersenen wordt gevonden. Heeft een vaatvernauwende werking. Deze stof zou een rol spelen bij diverse vormen van geestesziekten. Dit is echter nog geen uitgemaakte zaak.

Sitomanie
Sitos (Grieks) = tarwe, voedsel.
Ziekelijk verlangen, 'honger', naar voedsel. Vraatzucht.
Synoniemen: Boelimie/Hyperfagie.

Suicide
Zelfmoord.
Zie ook: Tentamen suicidii.

Symptomatologie
1. Het geheel van samenhangende symptomen (dit is eigenlijk onjuist gebruik).
2. Leer van de ziekteverschijnselen.
Zie ook: Symptoom.

Symptoom
Letterlijk: verschijnsel.
1. Een indicatie van een ziektebeeld.
2. Kenmerkend verschijnsel voor een ziektebeeld.
Voorbeeld: zwelling in de lendenen (rechts) betekent blindedarmontsteking.

Syndroom
Een verzameling van symptomen, die alle duiden op een ziektebeeld.
Voorbeeld: hoofdpijn + slapeloosheid + slecht zien + irritatie + rusteloosheid = ziekte.
Zie ook: Symptoom.

Tafefilie
Ziekelijke belangstelling voor alles wat met graven en kerkhoven te maken heeft.

Tentamen suicidii
Zelfmoordpoging. Veelal duidt een poging op aandacht trekken. Globaal stelt men wel: zij die het plan zelfmoord te plegen vertellen of een poging wagen doen het niet. Zij die het gedaan hebben, hebben nooit iets gezegd. (Dit geldt zeker niet voor alle gevallen.) Zelfmoordpogingen kunnen tijdens een ziekte (depressie) komen, of geheel beredeneerd zijn (uitzichtloze situatie).

Theomanie
Een waanvoorstelling, waarbij men meent God te zijn.
Zie ook: Waan.

Thermalgie
Algos (Grieks) = pijn.
Het hebben van gevoelens van brandende pijn. Komt voor bij enkele vormen van hersenbeschadiging, maar ook inbeelding (psychisch).
Synoniem: Causalgie.

Thymopathie
Buitensporige instabiliteit, onevenwichtigheid van emoties.
Zie ook: Emotie.

Token Economy
Letterlijk (Engels): economie, gebaseerd op tokens (fiches).
Het 'geldverkeer' in een kleine (therapeutische) samenleving (psychiatrische inrichting) waarbij beloningen voor goed gedrag uitgekeerd worden in tokens (bijvoorbeeld plastic fiches) die goed zijn voor snoep uit de kantine, of voor een dagje uit. Men doet dat om bepaalde gewenste gedragingen te belonen.
Zie ook: Token reward.

Token reward
Letterlijk (Engels): symbolische beloning.
Een voorwerp waarmee iemand beloond wordt, wanneer hij bepaalde gewenste handelingen heeft verricht (geleerd). De token reward heeft alleen de waarde die men er tevoren aan toekent. De waarde kan een gulden zijn of een rol drop of wat dan ook.
Zie ook: Token Economy.

Topectomie
Een variant van lobotomie om psychotische reacties te verminderen. Men maakt kleine sneden in de frontale lob. Dit wordt zeer zelden toegepast. Als laatste middel, als psychotherapieën en medicijnen niet helpen.
Zie ook: Psychose/Frontale lob/Lobotomie.

Toxicomanie
Verslaafd zijn aan verdovende middelen, drugs. Eigenlijk: verlangen om vergiftigd te worden.

Toxische psychose
Psychose die veroorzaakt is door de aanwezigheid van giftige stoffen (waaronder sommige drugs) in het lichaam.
Zie ook: Psychose/Drugs.

Traumatische psychose
Trauma (Grieks) = wond, kwetsuur.
Psychose die teweeg is gebracht door een hersenbeschadiging (verkeersongeval, bijvoorbeeld).
Zie ook :Psychose.

Tremor
Letterlijk (Latijn): trilling, beving. Het trillen, beven van lichaamsdelen. Het zijn onvrijwillige bewegingen.

Trichotillomanie
Dwangmatig de haren uit het eigen hoofd trekken. Komt voor bij psychosen.
Zie ook: Psychose.

Tumor
Letterlijk (Latijn): gezwel, zwelling (in de hersenen). Een gezwel duidt op een ontsteking. Kwaadaardige gezwellen in de hersenen kunnen, wanneer zij niet worden verwijderd tot een grote hoeveelheid verschijnselen aanleiding geven die een normaal leven verhinderen (niet meer kunnen spreken, lezen etc.). Ze kunnen ten slotte de dood ten gevolge hebben.

Urolagnie
Letterlijk: urinelust.
1. Zich buitensporig veel bezighouden met urine, omdat men hier genoegens aan beleeft.
2. Seksuele opwinding die samenhangt met urine.
Synoniem: Erotische pislust.

Waan
Een opvatting, een overtuiging, die in strijd is met de werkelijkheid. Dit komt onder andere voor bij de paranoïde psychose. Er zijn achtervolgingswanen, grootheidswanen en dergelijke.
Zie ook: Paranoïde psychose.

Windigo psychose
Psychose die uitsluitend voorkomt bij de Ojibwa indianen. De windigo is een kannibalistische reus van ijs. De persoon met deze ziekte gelooft dat hij een windigo is geworden. Het hoogtepunt van deze ziekte (of juist dieptepunt) is het opeten van de eigen familieleden!
Zie ook: Psychose.

Zenuwarts
Arts die zich heeft gespecialiseerd in de psychiatrie.
Synoniem: Psychiater.
Zie ook: Psychiatrie.

Ziekenhuispsychologie
Psychologie, zoals die in algemene (en andere) ziekenhuizen wordt uitgeoefend. Dat betekent dat deze tak van de psychologie gebaseerd is op klinische psychologie (diagnose en therapie), gedragsleer (contacten tussen arts en patiënt, artsen onderling), bedrijfspsychologie (personeelsorganisatie van het ziekenhuis). In de praktijk betekent ziekenhuispsychologie klinische psychologie toegepast op ziekenhuispatiënten.

Ziekte-inzicht
De patiënt onderkent het ziek zijn bij zichzelf. Hij is zich zijn eigen symptomen en klachten bewust. Bij geestesziekten is het hebben van ziekte-inzicht een positieve factor bij de genezing.

Ziekte van Parkinson
Ziekte die vooral voorkomt bij mannen van circa 50 jaar. Oorzaak is een stoornis in bepaalde delen van de hersenen. Kenmerken zijn: trillingen in het lichaam, strakke gelaatsuitdrukking. James Parkinson (1755–1824) was Engels arts.
Synoniem: Paralyse agitans.

Zinsverbijstering
Belemmering van de geestesvermogens.
Synoniem: Delirium.
Zie ook: Delirium.

Zwakbegaafdheid
Weinig begaafdheid bezitten en wel op het intellectuele vlak.
Synoniemen: Zwakzinnigheid/Oligofrenie.
Zie ook: Zwakzinnigheid.

Zwakzinnigheid
Aangeboren (niet-erfelijke) afwijking van de intellectuele vermogens. Men spreekt van zwakzinnigheid wanneer het gemeten I.Q. niet hoger is dan 80. Kinderen met zo'n laag intelligentieniveau krijgen meestal speciaal aangepast onderwijs. In sommige gevallen is onderwijs vrijwel niet mogelijk. Ernstig zwakzinnigen worden verpleegd in speciale inrichtingen.
Synoniemen: Zwakbegaafdheid/Oligofrenie/I.Q.

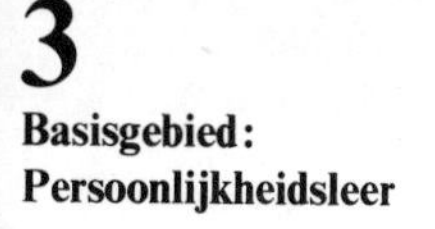

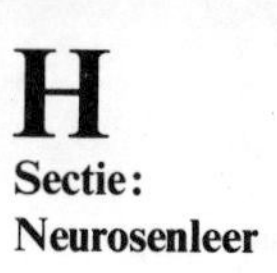

Angst
Fundamenteel begrip in de neurosenleer. Vrees voor objecten, personen of gebeurtenissen, zonder dat er een duidelijk motief voor deze vrees bestaat. De vrees is onberedeneerd.

Angstneurose
De meest eenvoudige soort neurose. Angst staat centraal. De neuroticus voelt allerlei angsten, die hij tracht te vermijden. Wanneer de angst niet te groot is, kan deze beheerst worden. Personen met deze neurose zeggen vaak last te hebben van chronische vermoeidheid, last te hebben van concentratiestoornissen, of (geheel ten onrechte) het idee te hebben dat zij krankzinnig zullen worden. Angst is in de neurosenleer een fundamenteel begrip. In het algemeen geldt, dat er geen neurose bestaat zonder angst. (Er bestaan echter wel enkele soorten waarbij angst geen centrale rol speelt.)
Zie ook: Angst/Neurose.

Anhedonie
Het vermogen missen om genoegens te beleven, plezier te kunnen hebben, van welke aard dan ook.

Apathie
Apatheia (Grieks) = onverschilligheid, gelatenheid.
Lusteloosheid. Dit kan ziekelijk zijn, wanneer het chronisch is. Het kan ook een meer normale vorm hebben. Apathie gaat veelal samen met zware depressies.
Zie ook: Depressie.

Balanssuïcide
Zelfmoord die tot stand komt na het zorgvuldig afwegen van alle voor- en nadelen. Men gaat objectief te werk en beziet de hopeloosheid van de situatie.

Belle indifference
Letterlijk (Frans): mooie onverschilligheid. De onverschilligheid waarmee sommige neuroselijders hun ziekte benaderen. Dit is geen gunstig teken.

Cefalea
Kefalè (Grieks) = hoofd.
Medische term voor hoofdpijn. Er zijn zeer veel oorzaken (o.m.

Als u een bepaald woord hier niet kunt vinden, raadpleeg dan het zoekregister (blz. 3 en verder).

hersenvliezen, ontstemmingen, spanningen) voor deze, bij zeer veel personen voorkomende klachten. Voordat met de behandeling van ernstige hoofdpijnklachten (chronisch) begonnen kan worden moet de oorzaak worden opgespoord.
Synoniemen: Cefalodynie/Hoofdpijn.

Cefalodynie
Oodis (Grieks) = pijn.
Medische term voor hoofdpijn.
Synoniemen: Cefalea/Hoofdpijn.
Zie ook: Cefalea.

Concentratiekampsyndroom
Syndroom = verzameling van met elkaar verbonden ziektekenmerken. Neurose die veroorzaakt is door het verblijf in een concentratiekamp (gedurende de tweede wereldoorlog). Deze neurose is nog niet zo lang geleden 'ontdekt'. Kenmerken zijn: angstige dromen, slapeloosheid, neerslachtigheid, lichamelijke klachten. Herinneringen aan kampervaringen staan centraal. Deze herinneringen komen steeds terug.
Synoniemen: K.Z.-syndroom/Post-concentratiekampsyndroom/ Existentieel emotioneel stress-syndroom.

Conversieverschijnsel
Conversie = omkering.
1. Ziekteverschijnselen die *lijken* op echte ziekteverschijnselen, maar zij zijn het niet. Er is geen organische (fysiologische) grondslag aanwezig. Voorbeeld: blindheid kan een conversieverschijnsel zijn, wanneer geen oogbeschadiging of oogafwijking wordt gevonden. (Deze wordt soms dan ook wel door psychologen genezen.)
2. De expressie van een psychisch conflict in een lichamelijke functiestoornis, pijn of onaangename sensaties (Kuiper, 1971).
Zie ook: Functiestoornis.

Dwanggedachten
Gedachten die telkens terugkeren en iemand voortdurend kunnen bezighouden. Men kan ze niet uit het hoofd zetten. De persoon is zich hier zeer bewust van, maar kan niet verklaren waarom de gedachten steeds weer terugkeren en hem kwellen. Dwanggedachten hoeven niet altijd een ziekelijke vorm te hebben. Voorbeeld van een niet ziekelijke en milde dwanggedachte: 'Heb ik het gas wel uitgedraaid?', op weg naar het vakantieadres.

Dwanghandeling
Handeling die iemand tegen zijn wil in doet, omdat hij hiertoe door zijn eigen innerlijk wordt gedwongen. Men is zich hiervan bewust, maar kan zich er niet tegen verzetten. Vandaar dat het een ziekelijk verschijnsel is. Dwanghandelingen vormen vaak een ritueel, bijvoorbeeld het reinigen van de gehele keuken, alvorens een maaltijd te gaan bereiden. Enkele andere dwanghandelingen (die niet hoeven te betekenen dat men aan een dwangneurose lijdt):
a. Voor het vertrek naar het vakantieadres: 'Ik moet niet vergeten de

gaskraan af te sluiten'. Onderweg: 'Heb ik eigenlijk de gaskraan wel afgesloten'. Dan terugrijden en thuis de gaskraan controleren.
b. Kettingroken. De kettingroker voelt zich min of meer gedwongen de ene sigaret na de andere op te steken en op te roken.
c. Verzamelwoede: een postzegelverzamelaar heeft de neiging voor elke postzegelwinkel stil te staan en te kijken naar de collectie in de winkel. Hij is geobsedeerd door de zegels.
d. Elke dag de krant lezen. Terwijl er niet elke dag lezenswaardige berichten in staan. Men vindt dat men de krant eigenlijk geen dag kan missen. Zij moet worden gelezen...
e. Elke avond, in bed, vraagt men zich af of de wekker wel goed is afgesteld. Men mag zich niet verslapen...
Zie ook: Dwangneurose.

Dwangneurose
Een soort neurose die wordt gekenmerkt door dwangmatige, onaangepaste, irrationele handelingen, die dienen om de angst van de persoon te verminderen. Iemand met een dwangneurose verricht dwanghandelingen, waartegen hij zich niet kan verzetten. De persoon voelt zich gedwongen bepaalde dingen te doen terwijl hij wéét dat het onzinnig is om het te doen. Hij kan zich er niet tegen verzetten. Voorbeeld: een postbode die typisch dwangmatig gedrag vertoonde: bij elke brief die hij bestelde, moest hij nagaan of deze inderdaad even tevoren door hem in de brievenbus was gedeponeerd. Hij wist dat de brief door hem besteld was. Toch kon hij zich niet verzetten tegen het controleren van zijn eigen werk.

E.E.S.
Afkorting van Existentieel Emotioneel Stress-syndroom.
Zie ook: Concentratiekampsyndroom.

Egocentriciteit
Ego (Latijn) = ik.
De ziekelijke geneigdheid alles op zichzelf te betrekken. Zichzelf in het middelpunt plaatsen.

Epinosis
Nosos (Grieks) = ziekte.
Het indirecte voordeel dat men van een ziekte heeft (zoals toegenomen liefde en aandacht van anderen).
Synoniem: Secundaire ziektewinst.
Zie ook: Secundaire ziektewinst.

Existentieel emotioneel stress-syndroom
Neurose veroorzaakt door verblijf in een concentratiekamp.
Synoniemen: Concentratiekampsyndroom/K.Z. syndroom/Post-concentratiekampsyndroom.
Zie ook: Concentratiekampsyndroom/Neurose.

Experimentele neurose
Neurose die op experimentele wijze (niet natuurlijk) tot stand is gebracht. Dit doet men in het laboratorium met dieren. Op deze manier hoopt men achter de ontstaanswijze en genezing van neurosen te komen. De term is opgeworpen door Pavlov.
Zie ook: Pavlov.

Flatneurose
Neurose die veroorzaakt zou zijn door het wonen in een flat, etagewoning, appartement. De bewoners en hun kinderen missen groen, zien te veel mensen om zich heen, met wie ze geen contact hebben, zijn of worden overgevoelig voor lawaai, geluiden, de buren, de TV van de buren etc. De term wordt in de spreektaal gebruikt, niet binnen de wetenschappelijke psychologie.

Functiestoornis
Stoornis van een orgaan. Voorbeeld: stoornis in de seksualiteit (impotentie, frigiditeit). Stoornis in de waarneming: men ziet slecht. Bij een functiestoornis is er geen sprake van een lichamelijke/fysiologische afwijking.
Zie ook: Conversieverschijnsel.

Hoofdpijn
Synoniemen: Cefalea/Cefalodynie.
Zie ook: Cefalea.

Hypochondriase
Hypochondrios (Grieks) = onder het borstbeen, d.w.z. de bovenbuik, de ingewanden.
Ziekelijke gepreoccupeerdheid met de gezondheid van het eigen lichaam.
Synoniem: Hypochondrie.
Zie ook: Hypochondrie.

Hypochondriasis
Psychose waarvan de kern hypochondrische wanen zijn (waanvoorstelling dat men aan een ernstige, ongeneeslijke ziekte lijdt).
Zie ook: Hypochondrie/Psychose/Waan.

Hypochondrie
Een ziekelijke gepreoccupeerdheid met de gezondheid van het eigen lichaam. Lijders aan deze ziekte noemt men hypochonders. Zij denken altijd dat zij een of andere ziekte hebben. Hun gedachtenwereld is vol ziekten. Zij blijven denken dat zij ziek zijn, terwijl van medische zijde geen ziekten kunnen worden aangetoond. Zij bezoeken dan ook vele artsen (specialisten) en lezen de populair-medische lectuur. In ernstige vorm, wanneer de persoon nooit meer aan iets anders dan zijn eigen gesteldheid kan denken, rekent men de hypochondrie tot de dwangneurose.
Zie ook: Dwangneurose.

Hysterie
Uiterst vage en eigenlijk onbruikbare term uit de psychiatrie en klinische psychologie. Het is een vorm van neurose, die gekenmerkt wordt door:
- emotionele instabiliteit;
- repressie (= onderdrukking van gevoelens, ideeën);
- dissociatie (= 'splitsing van de persoonlijkheid');
- suggestibiliteit (ontvankelijkheid voor beïnvloeding).

Identiteitscrisis
Verandering in de beleving van de identiteit. Dit kan negatief of positief zijn ten opzichte van de beleving vóór dit crisispunt. Meestal is het negatief.
De persoon heeft of krijgt problemen met zichzelf, anderen en de wereld om zich heen.
Zie ook: Identiteit.

Insufficiëntiegevoelens
Insufficiënt = ontoereikend, niet voldoende.
Het gevoel hebben onbeduidend te zijn. Dit kan leiden tot onzekerheid.
Synoniem: Minderwaardigheidscomplex.
Zie ook: Minderwaardigheidscomplex.

Karakterneurose
Een neurose die volledig deel uitmaakt van de persoonlijkheid. Hij is opgenomen in de persoonlijkheid. Deze langdurige neurose is zó verankerd in de persoon (hij leeft er al lang mee) dat hij zeer moeilijk te genezen is.
Zie ook: Persoonlijkheid.

Kleptomanie
Kleptein (Grieks) = stelen.
De dwangmatige neiging om te stelen, zonder dat er sprake is van bepaalde verlangens of economische behoefte om te stelen.

K.Z.-syndroom
K.Z. = afkorting van het Duitse woord Konzentrations Lager. Een K.Z.-syndroom is een neurose, veroorzaakt door een verblijf in een Duits concentratiekamp (gedurende de tweede wereldoorlog).
Synoniemen: Concentratiekampsyndroom/Post-concentratiekampsyndroom/Existentieel emotioneel stress-syndroom.

Labiliteit
Labile (Frans) = onvast.
Tegengestelde van stabiliteit. Onstandvastig gedrag. Wankele, snel beïnvloedbare persoonlijkheid.

Lethargie
Toestand van lusteloosheid, slaperigheid, gebrek aan motivatie.
Zie ook: Motivatie.

Nervositeit
Tijdelijke of chronische eigenschap van een persoon. Nervositeit wordt

gekenmerkt door prikkelbaarheid, gejaagdheid, gespannenheid. Nervositeit is iets anders dan neurose.
Synoniem: Zenuwachtigheid.
Zie ook: Neurose.

Neurasthenie
Astheneia (Grieks) = krachteloosheid.
Neurose die gekenmerkt wordt door vermoeidheid, prikkelbaarheid, slapeloosheid, angst en allerlei lichamelijke klachten (hartkloppingen, rugpijn etc.). Er is geen lichamelijke afwijking of stoornis.

Neurose
Een niet kwaadaardige, milde vorm van geestesziekte. Neuroses komen betrekkelijk vaak voor in de bevolking. De kans om ervan genezen te worden is afhankelijk van de soort neurose. De kans is wel aanzienlijk groter dan bij andere vormen van geestesziekte. Het is de meest bestudeerde ziekte in de (klinische) psychologie. Neurosen zijn in de psychiatrische wereld populair geworden door Freud. Hij heeft veel therapie en onderzoek op dit terrein gedaan. Dit leidde tot vele hypothesen en theorieën over de neurose. De meeste hiervan zijn inmiddels achterhaald. Freud probeerde zich in de leef- en denkwereld van neurotische patiënten te verplaatsen. Hij wilde de geheimen, de oorzaken doorgronden. Het aanwijzen van de oorzaken van neurosen is zeer moeilijk. Wat wel vaststaat is, dat zij geen organische basis hebben. In tegenstelling tot een aantal psychosen, is het onwaarschijnlijk dat biochemische en/of fysiologische factoren een belangrijke rol spelen. Sommigen stellen dat neurosen zijn aangeleerd, en dus ook zijn af te leren. Voorbeeld: een vrouw loopt in een donkere straat, 's avonds laat en wordt door een vreemde man lastig gevallen. Ze schrikt hier zo erg van dat zij niet meer 's avonds alleen de straat op durft. De angst is gegeneraliseerd van die ene avond naar alle andere avonden en straten. Een ander voorbeeld: een man heeft geen zin om boodschappen voor zijn vrouw te doen. Dit kan hij echter niet zeggen. Daarom geeft hij voor zich niet lekker te voelen in een winkel vol huisvrouwen. Zijn vrouw zal nu de boodschappen zelf moeten doen. Een tweede keer reageert deze man net zo: zijn houding heeft effect gesorteerd. Hij heeft een stukje gedrag aangeleerd. Een stuk gedrag dat, indien door hem gewenst, best af te leren zal zijn. Men vraagt zich af of deze mensen nu werkelijk ziek zijn. Spelen zij geen komedie? Zijn het niet gewoon aanstellers? Neurotici (lijders aan een neurose) lijken vaak niet ziek. We kunnen niet geloven dat zo'n persoon iets mankeert. We kunnen niet begrijpen waarvoor hij bang kan zijn. Onderzoek heeft aangetoond dat het vóórkomen van neurosen in de bevolking nogal constant is. Dat er tegenwoordig meer neurotische patiënten worden behandeld dan vroeger, zegt niets over het vóórkomen ervan. Tegenwoordig bestaan er speciale klinieken voor neurotici. Dit zegt iets over de tegenwoordige gezondheidszorg, niets over de aantallen. De term neurose is hard op weg gemeengoed te worden. Hij wordt gebruikt als scheldwoord ('neuroot'). Ook wordt het begrip in de spreektaal gebruikt om de gevolgen van het wonen in een flat aan te duiden: 'flatneurose'.
Synoniem: Psychoneurose.
Zie ook: Geestesziekte/Klinische psychologie/Flatneurose.

Neurosenleer
De studie van neurosen en neurotische personen. De neurosenleer houdt zich o.m. bezig met diagnostiek en therapie hiervan.
Zie ook: Psychodiagnostiek/Psychotherapie.

Neuroticisme
Het neurotisch zijn. Zich op neurotische wijze gedragen.
Zie ook: Neurose.

Obsessie
Een irrationeel en dwangmatig idee omtrent iets of iemand. Dit leidt soms tot dwanghandelingen. Men is vrijwel geheel 'in de ban' van dit denkbeeld.

Paranosis
Het *directe* voordeel dat de patiënt heeft van zijn ziekte, zoals bijvoorbeeld afkeuring voor militaire dienst.
Synoniem: Primaire ziektewinst.
Zie ook: Primaire ziektewinst.

Pavor
Letterlijk (Latijn): angst, paniek.
Angst hebben, bang zijn.

Pavor diurnus
Pavor diurnus (Latijn) = angst overdag.
Een angst die kleine kinderen soms krijgen na een middagslaap. De angst gaat soms gepaard met hallucinaties. Een paniekreactie kan plaatsvinden.

Pavor nocturnus
Pavor nocturnus (Latijn) = nachtelijke angst.
Het 's nachts wakker schrikken, in paniek raken, opgewonden zijn, in het zweet baden, hallucinaties hebben. Wanneer men weer in slaap gevallen is, is dit 'nachtelijk avontuur' volledig vergeten.

Post-concentratiekampsyndroom
Post (Latijn) = na, achter.
Neurose die veroorzaakt is na het verblijf in een (Duits) concentratiekamp (tijdens de tweede wereldoorlog).
Synoniemen: Concentratiekampsyndroom/K.Z.-syndroom/Existentieel emotioneel stress-syndroom.
Zie ook: Concentratiekampsyndroom.

Primaire ziektewinst
Het *directe*, meetbare voordeel dat de patiënt heeft van zijn ziekte.

Als u een bepaald woord hier niet kunt vinden, raadpleeg dan het zoekregister (blz. 3 en verder).

Voorbeeld: door ziekte afgekeurd worden voor militaire dienst. Door ziekte wettelijk arbeidsongeschikt verklaard worden.
Synoniem: Paranosis.
Zie ook: Secundaire ziektewinst.

Psychalgie
Het ervaren van pijn zonder dat een lichamelijke oorzaak geconstateerd

Psychoneurose
Niet kwaadaardige, milde vorm van geestesziekte. Komt in een groot aantal variëteiten voor.
Synoniem: Neurose.
Zie ook: Neurose.

Repressie
Letterlijk: onderdrukking, verdringing. Onderdrukking van gevoelens.
Zie ook: Hysterie.

Schizoïde karakter
Schizoïde betekent: lijkend op schizofreen.
Synoniem: Schizoïde persoonlijkheid.
Zie ook: Schizoïde persoonlijkheid.

Schizoïde persoonlijkheid
Een persoon die qua persoonlijkheid *lijkt* op een schizofrene patiënt (lijder aan de geestesziekte schizofrenie). Deze persoonlijkheid kenmerkt zich door teruggetrokken gedrag, overgevoeligheid, verlegenheid en dromerijen en fantasieën.
Synoniem: Schizoïde karakter.
Zie ook: Schizofrenie.

Secundaire ziektewinst
Het meer *indirecte*, minder goed meetbare voordeel, profijt, dat de patiënt van zijn ziekte heeft. Voorbeeld: toegenomen belangstelling en liefde van anderen.
Synoniem: Epinosis.
Zie ook: Primaire ziektewinst.

Shell shock
Shell (Engels) = granaat. De shock ('schrik') die ontstaat door het inslaan van granaten etc. tijdens oorlog. Het is een verouderde term voor traumatische neurose.
Zie ook: Traumatische neurose.

Shock
Letterlijk (Engels): schok, 'schrik'. Term die in de psychologie een andere betekenis heeft dan in de spreektaal. Psychologie: de elektrische schok die aan een proefdier of patiënt wordt toegediend. Spreektaal: de toestand waarin iemand verkeert na een ernstig voorval (auto-ongeluk, dood van geliefde/ouder). Geneeskunde: geheel van fysiologische reacties in het menselijk

lichaam ten gevolge van een ernstig voorval. Deze reacties zijn o.m. daling van bloeddruk en lichaamstemperatuur. Voorts angst.
Zie ook: Shocktherapie.

Stress
Letterlijk (Engels): spanning, druk. Enigszins vage term, die tegenwoordig veel wordt gebruikt in de spreektaal. Onder druk staan. Onder hoogspanning werken. Deze druk kan zowel lichamelijke als geestelijke gevolgen hebben. (Voorbeelden: maagzweer, overwerkt zijn.) Stress leidt soms tot min of meer langdurig ziekteverzuim.

Surmenage
Surmener (Frans) = overladen.
Het overwerkt zijn, na hard werken en voortdurend onder druk geleefd te hebben. De spanning is te lang te groot geweest. Men knapt af. Herstel wordt bereikt door een periode van rust, ontspanning en goed slapen. Soms bieden geneesmiddelen (tranquilizers) hulp.
Zie ook: Tranquilizer.

Tic
Letterlijk (Frans): zenuwtrekking.
Een onvrijwillige 'trek', (meestal) in een deel van het gezicht. Deze kan veroorzaakt worden door psychologische of lichamelijke factoren.

Traumatische neurose
Trauma (Grieks) = wond, letsel.
Neurose die veroorzaakt is door een zeer pijnlijke gebeurtenis. Bijvoorbeeld lichamelijke pijn: beklemd gezeten hebben.
Zie ook: Neurose.

Zenuwachtigheid
Prikkelbaarheid, gejaagdheid, gespannenheid.
Synoniem: Nervositeit.
Zie ook: Nervositeit.

Ziektewinst
Het voordeel dat de patiënt heeft van zijn ziekte. Men onderscheidt primaire en secundaire ziektewinst.
Zie ook: Primaire ziektewinst/Secundaire ziektewinst.

Risicogebied. [illegible] Persoonlijkheid [illegible] Vormgeniter

Ischaemie [illegible]. Deze maakt [illegible] [illegible] en [illegible]
[illegible]

Stress
Lichamelijke of geestelijke spanning, druk [illegible] wordt gevoeld [illegible] Onder [illegible] Deze [illegible] hebben. [illegible] Stress [illegible]
[illegible]

[illegible]
[illegible]
[illegible] gebied [illegible]
[illegible]
[illegible]
Zie ook: [illegible]

Tic
[illegible]
Een onwillekeurige [illegible] Deze [illegible]
[illegible]

Traumatische neurose
Trauma (Grieks): wond [illegible]
[illegible]
[illegible]
Zie ook: Neurose.

Zenuwachtigheid
Prikkelbaarheid, gespannenheid, gejaagdheid.
[illegible]
Zie ook: Nervositeit.

Ziektewinst
Het voordeel dat de patiënt heeft van zijn ziekte. Men onderscheidt primaire en secundaire ziektewinst.
Zie ook: Primaire ziektewinst, Secundaire ziektewinst.

Acarofobie
Akarès (Grieks) = klein.
Ziekelijke angst voor insekten, om in aanraking te komen met insecten. Deze fobicus vreest namelijk ziekten te krijgen die door insecten worden voortgebracht. Ook wel ziekelijke angst voor zeer kleine voorwerpen.
Synoniem: Entomofobie.

Achluofobie
Achlus (Grieks) = nevel, duisternis.
Ziekelijke angst voor duisternis, het donker, de nacht.
Synoniemen: Nyctofobie/Scotofobie.

Acrofobie
Akros (Grieks) = top, hoogste punt.
Hoogtevrees. Angst om van grote hoogten naar beneden te kijken. Men wordt duizelig en vreest te pletter te vallen.
Synoniemen: Hoogtevrees/Hyposofobie.

Aerofobie
Aèr (Grieks) = lucht, gas.
Ziekelijke angst voor verse lucht. Men is bang besmet te worden door deze verse, frisse lucht (een weinig voorkomende fobie).

Afefobie
(H)afè (Grieks) = het aanraken.
Ziekelijke angst om aangeraakt te worden.
Synoniemen: Hafefobie/Haptefobie.
Zie ook: Hafefobie.

Agorafobie
Agora (Grieks) = markt.
De angst om zich op o.a. (grotere) pleinen te bevinden. Dit gaat vaak samen met agyiofobie, straatangst.
Synoniem: Pleinangst.
Zie ook: Agyiofobie.

Agyiofobie
Agyia (Grieks) = weg, straat.
Ziekelijke angst voor straten, om in straten te lopen. Deze onberedeneerbare angst komt betrekkelijk vaak voor. Door deze fobie is men niet in staat om bijvoorbeeld contacten met anderen te hebben, boodschappen te doen, naar het werk te gaan etc.
Synoniem: Straatangst.

Aichmofobie
Aichmè (Grieks) = speerpunt.
Ziekelijke angst voor messen en andere puntige voorwerpen. Men vreest toevallig neergestoken te worden of gewond te raken. (Een beetje angst is natuurlijk niet onplezierig, men neemt geen nodeloze risico's.)

Ailurofobie
Ailouros (Grieks) = kat.
Ziekelijke angst voor katten.
Synoniemen: Galeofobie/Gatofobie.

Algofobie
Algos (Grieks) = pijn.
Ziekelijke angst voor pijn, of de angst pijn te krijgen. Vrijwel niemand vindt het prettig pijn te krijgen.
Synoniem: Odynofobie.

Amathofobie
Amathos (Grieks) = zand.
Ziekelijke angst voor stof, om in contact te komen met stof, of met stof bedekte dingen.

Androfobie
Anèr (Grieks) = man.
Ziekelijke angst voor mannen, zoals die bij vrouwen voorkomt. Het tegengestelde is gynofobie of horror feminae: de ziekelijke, onberedeneerbare angst voor vrouwen. Oorzaken worden veelal in de jeugd gezocht.
Zie ook: Gynofobie.

Antrofobie
Anthroopos (Grieks) = mens.
Ziekelijke angst voor mensen. De antrofobicus zondert zich af. Hij is eenzaam. Hij vermijdt elk contact.

Arachneofobie
Arachnè (Grieks) = spin.
Ziekelijke angst voor spinnen. Deze angst is nogal verbreid, en niet zo ongewoon. Deze fobie komt voornamelijk bij vrouwen voor.

Astrafobie
Astrapè (Grieks) = bliksem.
Ziekelijke angst voor het weerlicht. Een relatief veel voorkomende fobie, die van niet ernstige aard is.
Synoniemen: Astrapofobie/Kerauofobie.

Astrapofobie
Ziekelijke angst voor weerlicht.
Synoniemen: Astrafobie/Kerauofobie.

Autofobie
Autos (Grieks) = zelf.
Ziekelijke angst om alleen te zijn. Men zoekt steeds contact met anderen. Kan bijvoorbeeld zijn oorzaak vinden in de jeugd: de fobicus werd vaak aan zijn lot overgelaten of verwaarloosd.
Synoniemen: Eremiofobie/Monofobie.

Bacillofobie
Bacil is een soort bacterie. Ziekelijke angst voor bacillen. Men is bang voor *ziekteverwekkende* bacillen.

Cardiofobie
Kardia (Grieks) = hart.
De cardiafobicus heeft angsten met betrekking tot zijn hart. Een fobie die wordt gekenmerkt door de aanwezigheid van hartklachten, die wel door de cardiofobicus worden waargenomen, maar niet door de medische specialisten.
Synoniem: Hartvrees.

Claustrofobie
Claustrum (Latijn) = grendel, afsluiting.
Ziekelijke angst opgesloten te worden of te zijn. Angst voor gesloten ruimten. Dus ook angst voor liften.
Synoniem: Clithrofobie.

Clithrofobie
Klèithron (Grieks) = sluiting, grendel.
Ziekelijke, onberedeneerbare, angst opgesloten te worden.
Synoniem: Claustrofobie.
Zie ook: Claustrofobie.

Coïtofobie
Coïtus = geslachtsdaad.
Ziekelijke angst voor geslachtsverkeer. Kan veroorzaakt zijn door angst voor mislukking van de coïtus.

Coprofobie
Kopros (Grieks) = drek, uitwerpselen.
Ziekelijke angst voor menselijke en/of dierlijke uitwerpselen. Men is o.m. bang voor ziekelijke besmetting of om 'vuil' te worden.

Cynofobie
Kuno- (Grieks) = honde-.
Ziekelijke angst voor honden. Zoals men fobisch kan zijn voor in principe *alle* andere dieren (slangen, spinnen, katten etc.).

Als u een bepaald woord hier niet kunt vinden, raadpleeg dan het zoekregister (blz. 3 en verder).

Cypridofobie
Kupris (Grieks) = bijnaam van Aphrodite, de godin van de liefde.
Ziekelijke angst voor geslachtsziekten, geslachtsziekten op te lopen.
Synoniem: Cyprifobie.

Cyprifobie
Synoniem: Cypriodofobie.
Zie ook: Cypridofobie.

Demofobie
Dèmos (Grieks) = volk.
Ziekelijke angst voor menigten, het zich bevinden in menigten. Men vreest bevangen te worden door een panische angst, wanneer men zich temidden van een menigte (onbekenden!) bevindt.
Synoniem: Ochlofobie.

Demonia
Daimoon (Grieks) = duivel, god, geest.
Ziekelijke angst voor demonen, geesten, spoken, duivels etc.
Synoniemen: Demonomanie/Entheomanie/Satanafobie.

Demonomanie
Daimoon (Grieks) = duivel.
Synoniemen: Demonia/Entheomanie/Satanafobie.
Zie ook: Demonia.

Dermatosiofobie
Derma (Grieks) = huid; nosos (Grieks) = ziekte.
Ziekelijke angst voor huidziekten, om een huidziekte te krijgen.

Dromofobie
Dromos (Grieks) = loop.
Ziekelijke angst straten over te steken (o.a. angst aangereden te worden).

Elektrofobie
Ziekelijke angst voor elektriciteit, om een schok te krijgen. Aangezien zo veel huishoudelijke apparaten op elektriciteit werken, werkt deze fobie belemmerend bij huishoudelijk werk.

Entheomanie
Entheos (Grieks) = vervuld van, bezield door een godheid.
Ziekelijke, onberedeneerbare angst voor demonen, duivel(s) etc.
Synoniemen: Demonia/Demonomanie/Satanafobie.
Zie ook: Demonia.

Entomofobie
Entomos (Grieks) = insekt.
Ziekelijke, onberedeneerbare angst voor insekten.
Synoniem: Acarofobie.
Zie ook: Acarofobie.

Eremiofobie
Erèmia (Grieks) = eenzaamheid, verlatenheid.
Ziekelijke, onberedeneerbare angst om alleen te zijn.
Synoniemen: Autofobie/Monofobie.
Zie ook: Autofobie.

Ereuthofobie
Ereuthein (Grieks) = blozen, rood worden.
Ziekelijke angst om te blozen. Komt vooral voor bij adolescenten en pubers.

Eurotofobie
Euroos (Grieks) = vochtigheid.
Ziekelijke angst voor vrouwelijke geslachtsdelen.

Examenvrees
Een objectief gezien niet gerechtvaardigde, ziekelijke vrees voor examens, proefwerken etc.

Faalangst
Ziekelijke, niet gerechtvaardigde, onberedeneerbare angst hebben om in (bepaalde) situaties te falen, zich niet waar kunnen maken. Faalangst heeft een sterke negatieve werking op de verlangde prestatie.
Synoniem: Kakorrhapiofobie.
Zie ook: Kakorrhapiofobie.

Farmacofobie
Farmakon (Grieks) = geneesmiddel.
Ziekelijke angst voor geneesmiddelen, om geneesmiddelen in te nemen. (Angst voor vergiftiging of ongewenste bijverschijnselen.)

Fobie
Fobos (Grieks) = vrees, angst.
Een fobie is een angstneurose, die is toegespitst op een bepaald object. Men zegt wel dat bij een fobie de angst zich heeft 'gehecht' aan een object. Een fobicus voelt niet een algemene angst, maar een angst voor bijvoorbeeld openbaar vervoer (trein, tram, bus) of hij kent angstige gevoelens voor winkels. Aangezien de fobicus wéét dat hij angsten ervaart als hij in de tram zal stappen of gaat winkelen, zal hij deze toestanden ten koste van alles vermijden. Het *vermijdingsgedrag* is een der belangrijkste kenmerken van de fobie. Men kent vele soorten fobieën. Om aan te geven waaraan de angst zich kan gaan hechten, noemen we enkele uiteenlopende fobieën:
a. claustrofobie: angst voor kleine, gesloten ruimten;
b. xenofobie: angst voor het vreemde;
c. agorafobie: angst voor straat en plein;
d. examenvrees: angst voor examens, proefwerken.
Fobieën komen erg veel voor: tweemaal zoveel bij vrouwen als bij mannen. Vele mensen zijn bang in het donker, 's nachts of in een donkere kelder, zelfs als het de kelder van hun eigen huis is en zij weten dat zij de enige zijn in huis. Ook de slangfobie (angst voor slangen) is wijd verbreid. Soms is de

fobische reactie van zodanige aard dat de fobie het leven dicteert. Stel nu dat een vrouw, moeder van twee kinderen, ernstige straatangst heeft (agorafobisch is). Zij vermijdt de straat. Zij kan géén boodschappen meer doen. Dat wordt verzorgd door echtgenoot en kinderen. Maar ook haar contacten met familie, vrienden en kennissen worden langzaam aan minder. Kortom: deze fobische vrouw komt nergens meer. Zij heeft zichzelf 'huisarrest' gegeven. Haar positie, haar status in het gezin is gedaald.
Het verschijnsel fobie is zeer complex. Sinds 1965 houden vele psychologen aan de Universiteit van Amsterdam zich bezig met het fobieënproject. In dit zeer langdurige project tracht men de fobieën van alle mogelijke zijden te benaderen (hoe is de waarneming van de fobicus, hoe is het I.Q. van de fobicus en dergelijke). Tegenwoordig past men veelal gedragstherapie toe om fobiepatiënten te genezen.
Zie ook: Neurose/Gedragstherapie.

Galeofobie
Galeè (Grieks) = kat (eig. wezel).
Ziekelijke, onberedeneerbare angst voor katten.
Synoniemen: Ailurofobie/Gatofobie.
Zie ook: Ailurofobie.

Gatofobie
Ziekelijke, onberedeneerbare angst voor katten.
Synoniemen: Ailurofobie/Galeofobie.
Zie ook: Ailurofobie.

Gefyrofobie
Gefura (Grieks) = brug, dam.
Ziekelijke angst voor bruggen, om over bruggen te lopen, rijden. (Angst voor instorting of over de reling te vallen.)

Grafofobie
Grafein (Grieks) = schrijven.
Ziekelijke angst om te schrijven. Kan te maken hebben met faalangst.
Synoniem: Schrijfangst.
Zie ook: Faalangst.

Gymnofobie
Gumnos (Grieks) = naakt.
Angst voor een ontkleed, naakt lichaam, angst hiermee in aanraking te komen.

Gynofobie
Gunè (Grieks) = vrouw.
Ziekelijke angst voor vrouwen, zoals deze bij mannen voorkomt. De fobische angst voor mannen (bij vrouwen) heet androfobie.
Synoniem: Horror feminae.
Zie ook: Androfobie.

Hadefobie
Hades = de onderwereld, de hel, het dodenrijk in de Griekse mythologie.
Ziekelijke angst voor de hel, om in de hel te komen.
Synoniem: Stygiofobie.

Hafefobie
Hafè (Grieks) = het aanraken.
Ziekelijke angst voor aanrakingen en strelingen.
Synoniemen: Afefobie/Haptefobie.

Haptefobie
Haptesthai (Grieks) = aanraken, vasthouden, in contact komen met.
Ziekelijke angst voor aanrakingen en strelingen.
Synoniemen: Hafefobie/Afefobie.
Zie ook: Hafefobie.

Heliofobie
Hèlios (Grieks) = zon.
Ziekelijke angst voor de zon, voor zonnestralen.

Hematofobie
Haima (Grieks) = bloed.
Ziekelijke angst voor bloed.
Synoniem: Hemofobie.

Hemofobie
Haima (Grieks) = bloed.
Synoniem: Hematofobie.
Zie ook: Hematofobie.

Homichlofobie
Homichlè (Grieks) = fijne regen, nevel.
Ziekelijke angst voor mist, om zich in de mist te bevinden.

Hoogtevrees
Ziekelijke angst om van grote hoogte naar beneden te kijken.
Synoniemen: Acrofobie/Hyposofobie.
Zie ook: Acrofobie.

Horror Feminae
Letterlijk (Latijn): afkeer, schrik van vrouwen. Fobische angst voor vrouwen.
Synoniem: Gynofobie.
Zie ook: Gynofobie.

Hydrofobie
Hudoor (Grieks) = water.
Ziekelijke angst voor water, met name grote wateroppervlakten (zee, meer, rivier).

Hygrofobie
Hugros (Grieks) = vochtig.
Ziekelijke angst voor vocht, vochtige plaatsen.

Hypengyofobie
Hupegguous (Grieks) = onder borgtocht, aansprakelijk, verantwoordelijk.
Ziekelijke angst voor verantwoordelijkheid, om verantwoordelijkheid te dragen, verantwoordelijk te zijn.

Hyposofobie
Hoogtevrees.
Synoniemen: Acrofobie/Hoogtevrees.
Zie ook: Acrofobie.

Ichthyofobie
Ichthys (Grieks) = vis.
Ziekelijke angst voor vissen, om in aanraking met vissen te komen.

Iofobie
Ios (Grieks) = vergift.
Ziekelijke angst voor vergiften, vergiftigd te worden.
Synoniem: Toxicofobie.

Kainofobie
Kainos (Grieks) = nieuw, vreemd.
Ziekelijke angst voor veranderingen, vernieuwingen, ook voor ongewone, ongebruikelijke dingen.
Synoniemen: Kainotofobie/Neofobie.

Kainotofobie
Kainos (Grieks) = nieuw, vreemd.
Synoniemen: Kainofobie/Neofobie.
Zie ook: Kainofobie.

Kakorrhapiofobie
Ziekelijke angst om te falen, geen succes te hebben.
Synoniem: Faalangst.

Kerauofobie
Keraunos (Grieks) = bliksem.
Ziekelijke angst voor het weerlicht.
Synoniemen: Astrofobie/Astrapofobie.
Zie ook: Astrofobie.

Kopofobie
Kopiaein (Grieks) = moe worden.
Ziekelijke angst voor vermoeidheid, om moe te worden.

Laliofobie
Lalein (Grieks) = praten, babbelen.

Ziekelijke angst om te spreken. Komt o.m. voor bij stotteraars.
Synoniem: Lalofobie.

Lalofobie
Spreekangst.
Synoniem: Laliofobie.
Zie ook: Laliofobie.

Lyssofobie
Lussa (Grieks) = razernij, hondsdolheid.
Ziekelijke angst psychotisch (krankzinnig) te worden. Ook vrees aan hondsdolheid te (gaan) lijden.
Synoniem: Maniafobie.
Zie ook: Psychose.

Maieusiofobie
Maieuma (Grieks) = verlossing, geborene.
Ziekelijke angst voor geboorten van kinderen (zowel inzake geboorte van eigen kind als bij anderen).

Maniafobie
Mania (Grieks) = razernij, waanzin.
Ziekelijke angst psychotisch te worden.
Synoniem: Lyssofobie.
Zie ook: Lyssofobie.

Mechanofobie
Mèchanè (Grieks) = middel, werktuig.
Ziekelijke angst voor machines. Het hebben van deze fobie is erg vervelend voor werkende mensen. De fobicus kan geen machines meer bedienen.

Meningitofobie
Meningitis = hersenvliesontsteking.
Ziekelijke angst om hersenletsel, hersenbeschadiging te krijgen.
Zie ook: Meningitis.

Monofobie
Monos (Grieks) = alleen, eenzaam.
Ziekelijke, onberedeneerbare angst om alleen te zijn.
Synoniemen: Autofobie/Eremiofobie.
Zie ook: Autofobie.

Als u een bepaald woord hier niet kunt vinden, raadpleeg dan het zoekregister (blz. 3 en verder).

Monopathofobie
Monos (Grieks) = alleen; pathos (Grieks) = ziekte.
Ziekelijke angst om één bepaalde ziekte te krijgen.

Musofobie
Mus (Grieks) = muis.
Ziekelijke angst voor muizen. Een van de vele fobieën voor dieren. Deze komen relatief vaak voor.

Mysofobie
Musaros (Grieks) = vuil, bezoedeld.
Ziekelijke angst voor vuil, om bevuild te raken. Gaat vaak samen met andere angsten (bijv. hondenharen op de kleding te krijgen).
Synoniemen: Rhypofobie/Rupofobie.

Nekrofobie
Necros (Grieks) = lijk.
Ziekelijke angst om lijken te zien of aan te raken.

Negrofobie
Niger (Latijn) = zwart, neger.
Ziekelijke angst voor negers. Deze angst (bij blanken) is meestal gebaseerd op stereotype denkbeelden. Deze fobie kan tot rassendiscriminatie leiden.
Zie ook: Stereotype.

Neofobie
Neos (Grieks) = nieuw.
Ziekelijke angst voor veranderingen, vernieuwingen.
Synoniemen: Kainofobie/Kainotofobie.
Zie ook: Kainofobie.

Nosofobie
Nosos (Grieks) = ziekte.
Ziekelijke angst voor ziekten, om een ziekte op te lopen. Deze fobie lijkt op hypochondrie, een ziekelijke gepreoccupeerdheid met het eigen lichaam.
Synoniem: Pathofobie.
Zie ook: Hypochondrie.

Nyctofobie
Nux (Grieks) = nacht.
Ziekelijke onberedeneerbare angst voor de duisternis.
Synoniemen: Achluofobie/Scotofobie.
Zie ook: Achluofobie.

Ochlofobie
Ochlos (Grieks) = grote menigte.
Ziekelijke, onberedeneerbare angst voor menigten, mensenmassa's.
Synoniem: Demofobie.
Zie ook: Demofobie.

Odynofobie
Odunè (Grieks) = pijn.
Ziekelijke, onberedeneerbare angst voor pijn.
Synoniem: Algofobie.
Zie ook: Algofobie.

Ofidiofobie
Ofis (Grieks) = slang.
Ziekelijke angst voor slangen. Een van de vele fobische angsten voor dieren. (Voor een stadsbewoner is dit geen vervelende fobie!)
Synoniem: Slangfobie.

Olfactofobie
Olfacere (Latijn) = ruiken.
Ziekelijke angst voor (onsmakelijke) geuren en luchtjes.
Synoniemen: Osmofobie/Osfresiofobie.

Ornitofobie
Ornis (Grieks) = vogels.
Ziekelijke angst voor vogels. Een van de vele fobische angsten voor dieren.

Osfresiofobie
Osfrèsis (Grieks) = het ruiken, reuk(orgaan).
Ziekelijke angst voor (onsmakelijke) geuren en luchtjes.
Synoniemen: Olfactofobie/Osmofobie.

Osmofobie
Osmè (Grieks) = geur.
Ziekelijke angst voor (onsmakelijke) geuren en luchtjes.
Synoniemen: Olfactofobie/Osfresiofobie.

Panfobie
Pas (Grieks) = geheel, ieder, alles, allerlei.
Ziekelijke angst voor *alles* (mensen, dieren, voorwerpen). Dit is een zeer ernstige fobie, die vanwege zijn veelomvattendheid moeilijk te genezen is.
Synoniemen: Panofobie/Pantofobie.

Panofobie
Ziekelijke, onberedeneerbare angst voor alles.
Synoniemen: Panfobie/Pantofobie.
Zie ook: Panfobie.

Pantofobie
Ziekelijke, onberedeneerbare angst voor alles.
Synoniemen: Panfobie/Panofobie.
Zie ook: Panfobie.

Parthenofobie
Parthenos (Grieks) = maagd.

Ziekelijke angst voor meisjes. Vergelijkbaar met androfobie (angst voor mannen), en gynofobie (angst voor vrouwen).
Zie ook: Androfobie/Gynofobie.

Pathofobie
Pathos (Grieks) = ziekte.
Ziekelijke, onberedeneerbare angst om ziek te worden. Angst voor ziekten.
Synoniem: Nosofobie.
Zie ook: Nosofobie.

Poinefobie
Poinè (Grieks) = boete, straf, wraak.
Ziekelijke angst voor straffen, om gestraft te worden. Vindt veelal zijn oorzaak in de straffen die men als kind kreeg.

Polyfobie
Polus (Grieks) = veel.
Fobie, die een verzameling is van vele fobieën. Een meervoudige fobie. Een ziekelijke angst voor vele dingen, personen, dieren. Is moeilijk te genezen.

Pyrofobie
Pur (Grieks) = vuur.
Ziekelijke angst voor vuur.

Rhypofobie
Rhupos (Grieks) = vuil.
Ziekelijke angst voor vuil.
Synoniemen: Mysofobie/Rupofobie.
Zie ook: Mysofobie.

Rupofobie
Rhupos (Grieks) = vuil.
Ziekelijke angst voor vuil.
Synoniemen: Mysofobie/Rhypofobie.
Zie ook: Mysofobie.

Satanafobie
Satan (Grieks) = duivel, satan.
Ziekelijke, onberedeneerbare angst voor de duivel, voor demonen etc.
Synoniemen: Demonia/Demonomanie/Entheomanie.
Zie ook: Demonia.

Schrijfangst
Ziekelijke, onberedeneerbare angst om te schrijven.
Synoniem: Grafofobie.
Zie ook: Grafofobie.

Scopofobie
Skopein (Grieks) = bekijken, beschouwen.
Ziekelijke angst om geobserveerd, bekeken, bespioneerd te worden.

Scotofobie
Skotos (Grieks) = duisternis.
Ziekelijke, onberedeneerbare angst voor duisternis.
Synoniemen: Achluofobie/Nyctofobie.
Zie ook: Achluofobie.

Slangfobie
Ziekelijke, onberedeneerbare angst voor slangen.
Synoniem: Ofidiofobie.
Zie ook: Ofidiofobie.

Spermatofobie
Sperma (Grieks) = zaad.
Ziekelijke angst voor sperma (zaad). (Kan o.m. gebaseerd zijn op de vrees zwanger te geraken.)

Straatangst
Ziekelijke, onberedeneerbare angst om op straat te zijn, te lopen.
Synoniem: Agyiofobie.
Zie ook: Agyiofobie.

Stygiofobie
Stux (Grieks) = rivier in de onderwereld (uit de Griekse mythologie).
Ziekelijke, onberedeneerbare angst voor de hel.
Synoniem: Hadefobie.
Zie ook: Hadefobie.

Tafefobie
Tafè (Grieks) = begrafenis, het begraven.
Ziekelijke angst levend begraven te worden.

Thalassofobie
Thalassa (Grieks) = zee.
Ziekelijke angst voor de zee, een zeereis.

Thanatafobie
Thanatos (Grieks) = dood.
Ziekelijke angst om te sterven, angst voor de dood. (Bij jonge mensen, maar ook bij ouderen, die bijvoorbeeld op hun sterfbed liggen.)

Thassofobie
Thassein (Grieks) = zitten, rusten.
Ziekelijke, onberedeneerbare angst voor niets doen, ledigheid. Deze personen moeten altijd iets om handen hebben.

Theofobie
Theos (Grieks) = god.
Ziekelijke angst voor God, gestraft te worden door God. Angst hebben voor 'Gods Toorn'.

Toxicofobie
Toxikon (Grieks) = vergift.
Ziekelijke, onberedeneerbare angst voor vergiften, of om vergiftigd te worden.
Synoniem: Iofobie.
Zie ook: Iofobie.

Traumatofobie
Trauma (Grieks) = letsel, wond.
Ziekelijke angst voor verwondingen/wonden.

Trichofobie
Thrix (Grieks) = haar.
Ziekelijke, onberedeneerbare angst voor haren, om in aanraking te komen met haren. Angst voor losse haren, menselijke en dierlijke.
Synoniem: Trichopathofobie.

Trichopathofobie
Ziekelijke angst voor haren, om in aanraking te komen met haren.
Synoniem: Trichofobie.
Zie ook: Trichofobie.

Urofobie
Ouron (Grieks) = urine.
Ziekelijke angst en afkeer van (de eigen) urine. Ook: angst om op vreemde plaatsen en ongewenste ogenblikken te moeten urineren.

Xenofobie
Xenos (Grieks) = vreemd.
Ziekelijke angst voor het vreemde, het onbekende. Ook: angst voor buitenlanders, buitenlandse voorwerpen, theorieën etc.

Zoöfobie
Zooön (Grieks) = dier.
Ziekelijke angst voor dieren.

Afasie
Letterlijk: geen spraak, niet kunnen spreken. Een hersenziekte waardoor iemand niet meer in staat is normale zinnen te maken. Woorden hebben geen betekenis meer. Lijders aan deze ziekte heten afatici. Men onderscheidt sensorische en motorische afasie. Sensorische afasie: de afaticus begrijpt de betekenis van geschreven, of gehoorde woorden niet (meer). Motorische afasie: de patiënt weet niet hoe hij woorden moet spreken. Afasie is soms aangeboren.
Zie ook: Hersenziekte.

Afaticus
Meervoud: afatici. Lijder aan afasie.
Zie ook: Afasie.

Agnosie
Agnosie = niet kennen, niet weten.
Een door hersenletsel opgelopen stoornis, waardoor men niet meer in staat is voorwerpen te herkennen. De zintuigen functioneren hierbij nog wel normaal. Deze stoornis kan in elk zintuiggebied plaatsvinden. Voorbeeld: wél een appel kunnen beschrijven, maar niet in staat zijn te zeggen: 'dit is een appel'.

Agrafie
Agrafie = niet schrijven.
Niet kunnen schrijven, veroorzaakt door hersenletsel. Spieren zijn wél intact.

Agrammatisme
Grammaticaal niet correct spreken. Dit berust op een hersenbeschadiging of psychologische stoornissen. Agrammatisme komt bij o.m. zwakzinnigen voor.

Alexie
Niet kunnen lezen. Deze stoornis wordt veroorzaakt door hersenbeschadiging. De patiënt die hieraan lijdt kan wél normaal schrijven en spreken.
Synoniemen: Woordblindheid/Leesblindheid.

Balbuties
Balbutire (Latijn) = stotteren.
Geneeskundige term voor stotteren.
Synoniem: Stotteren.
Zie ook: Stotteren.

Als u een bepaald woord hier niet kunt vinden, raadpleeg dan het zoekregister (blz. 3 en verder).

Coprolalie
Kopros (Grieks) = drek, ontlasting.
Het dwangmatig, onbeheerst gebruik van schuttingwoorden. Het spreken met vuile woorden. Dit komt in ziekelijke vorm voor, maar kan ook meer normaal zijn. Om bijvoorbeeld voortdurend de aandacht te trekken.

Dysfrasie
Frasis (Grieks) = het spreken, de taal.
Het hebben van schrijf- of spreekproblemen, welke een psychologische achtergrond hebben. Er zijn geen lichamelijke afwijkingen of stoornissen aanwezig.

Dysgrafie
Grafein (Grieks) = schrijven.
Niet kunnen (leren) schrijven als gevolg van een hersenletsel.

Dysgrammatisme
Lichte vorm van agrammatisme (door hersenbeschadiging of psychologische stoornissen grammaticaal incorrect spreken).
Zie ook: Agrammatisme.

Dyslalie
Spraakstoornis die het gevolg is van gebreken of verwondingen aan delen van het spraaksysteem (voorbeeld: tong). (Er is geen hersenletsel.)

Dyslexie
Legein (Grieks) = lezen, spreken, noemen.
Een leesstoornis. Men begrijpt niet wat men leest (stil of hardop).

Dyslogie
1. Spraakstoornis, die soms voorkomt bij zwakzinnigheid.
2. Spraakstoornis, of spraakproblemen, welke verband houden met een psychische afwijking.

Echofrasie
Synoniem: Echolalie.
Zie ook: Echolalie.

Echolalie
Letterlijk: weerklank van de spraak.
1. Het letterlijk herhalen van woorden, zoals dat bij kleine kinderen voorkomt.
2. Het letterlijk herhalen van woorden en zinnen, zoals dat bij zwakzinnigen en sommige vormen van schizofrenie voorkomt.
Synoniem: Echofrasie.
Zie ook: Zwakzinnigheid/Schizofrenie.

Glossolalie
Gloossa (Grieks) = tong; lalein (Grieks) = praten, babbelen.
Eigenlijk: tongtaal, spreken zonder het verstand te gebruiken.

Onverstaanbare taal, die gebruikt wordt door sommige geesteszieken, bij personen onder hypnose en ook wel bij religieuze vervoering.

Glossosynthese
Het verzinnen van nonsenswoorden. Komt voor bij ernstige vormen van geesteszieken.

Hyperlogie
Buitensporige spraakzaamheid (zoals deze o.m. voorkomt bij sommige vormen van psychose).
Zie ook: Psychose.

Hypofrasie
Zeer trage of afwezigheid van spraak (zoals dit voorkomt bij personen die lijden aan een depressie).
Zie ook: Depressie.

Hypologie
Abnormaal geringe spraakzaamheid. Wordt veroorzaakt door psychologische of neurologische factoren.

Leesblindheid
Synoniem: Dyslexie.
Zie ook: Dyslexie.

Logopedie
Een multidisciplinair studiegebied, waarbinnen men zich bezighoudt met bestudering en behandeling van spraakstoornissen.

Motorische afasie
Hersenziekte waardoor iemand woorden niet (meer) kan uitspreken.
Zie ook: Afasie.

Mutisme
1. Niet kunnen spreken, ten gevolge van aangeboren doofheid of gebreken aan de spraakorganen.
2. Niet kunnen of willen spreken, ten gevolge van neurotische stoornissen.
Zie ook: Neurose.

Neofasie
De neiging die bij sommige vormen van schizofrenie voorkomt om een 'eigen' taal te spreken, met nieuwe, eigen woorden en nieuwe taalregels. Wanneer dit het schrijfgedrag betreft spreekt men van neografie.
Zie ook: Schizofrenie.

Neografie
Letterlijk: nieuw schrift, schrijven.
Zie ook: Neofasie.

Neolalie
Een neiging om met vele nieuwe of zelfgemaakte woorden te spreken. Dit kan een persoonlijkheidstrek zijn of een ziekelijke afwijking.

Oligofasie
Letterlijk: weinig spreken.
Synoniemen: Oligolagnie/Oligolalie.
Zie ook: Oligolagnie.

Oligolagnie
Oligos (Grieks) = weinig.
Gering gebruik en kennis van woorden. Het hebben van een kleine woordenschat.
Synoniemen: Oligofasie/Oligolalie.

Oligolalie
Letterlijk: weinig spreken.
Synoniemen: Oligolagnie/Oligofasie.

Parafasie
Letterlijk: bijspraak. Het chronisch gebruik van incorrecte en niet-toepasselijke woorden in de spraak.

Paragrafie
Letterlijk: bijschrift. Een schrijfgebrek, waardoor men woorden in zinnen weglaat of verkeerde of onbedoelde woorden gebruikt. Oorzaak is een ziekte van het zenuwstelsel.

Paralalie
Stoornis in de spraak, waardoor men niet in staat is bepaalde klanken voort te brengen.

Paralexie
Niet in staat zijn woorden correct te lezen.

Sensorische afasie
Hersenziekte waardoor iemand de betekenis van woorden niet (meer) begrijpt.
Zie ook: Afasie.

Stotteren
Een spraakstoornis, die meestal van psychologische aard is. Bepaalde lettergrepen kunnen niet uitgesproken worden of worden juist onvrijwillig herhaald. Het stotteren is soms af te leren. Er zijn hiervoor verschillende technieken ontwikkeld. (Medische term voor stotteren is balbuties.)
Synoniem: Balbuties.

Tachyfemie
Letterlijk: snelle spraak.
Synoniemen: Tachylalie/Tachyfrasie.
Zie ook: Tachylalie.

Tachyfrasie
Letterlijk: snel spreken.
Synoniemen: Tachylalie/Tachyfemie.
Zie ook: Tachylalie.

Tachylalie
Tachus (Grieks) = snel.
Letterlijk: snel spreken. Zeer snelle spraak; versnelde spraak t.a.v. het normale spreektempo.
Synoniemen: Tachyfemie/Tachyfrasie.

Woordblindheid
Synoniem: Alexie
Zie ook: Alexie.

Arbeidstherapie
Vorm van therapie (= geneesmethode) die men bij psychiatrische patiënten toepast. Men houdt de patiënten bezig met allerlei, meestal zeer eenvoudige, karweitjes. De genezende waarde hiervan wordt door sommigen gering geacht. Men houdt in ieder geval de patiënt actief bezig, zodat deze het werken niet verleert.

Assertive training
Assertive (Engels) = stellig, aanmatigend.
Vorm van gedragstherapie, die door klinisch psychologen wordt gebruikt. Men leert aan verlegen of angstige patiënten hoe zij in verschillende situaties op moeten komen voor hun eigen rechten. Voorbeeld: men leert de angstige persoon (bijtende, ironische) opmerkingen te maken tegen iemand die in een winkel vol wachtenden voordringt. Voorheen zou de angstige persoon dit niet gedurfd hebben.
Zie ook: Gedragstherapie/Klinische psychologie.

Autogene training
Autogeen = afkomstig van het zelf.
Een aan yoga verwante serie oefeningen, die beogen lichamelijke ontspanning te brengen. Hierdoor kan ook geestelijke ontspanning worden bereikt. De methode is bekend gemaakt door de Duitser J. H. Schultz.
Zie ook: Yoga.

Aversietherapie
Aversie betekent afkeer. Een vorm van gedragstherapie waarbij het ongewenste, neurotische gedrag van de geesteszieke patiënt of de persoon wordt gestraft. (Bijvoorbeeld met elektrische schokken.) Voorbeeld: iemand die van het roken af wil komen, krijgt steeds als hij de sigaret naar zijn mond brengt een pijnlijke, maar niet gevaarlijke elektrische schok. Men kan ook zichzelf deze schok toedienen.
Zie ook: Neurose/Gedragstherapie.

Chemotherapie
Geneeswijze waarbij gebruik wordt gemaakt van chemische preparaten, dat wil zeggen pillen en injecties, die de persoon krijgt toegediend. Wanneer een psychiater zijn patiënten medicijnen toedient, spreekt men van chemotherapie.
Zie ook: Psychiatrie.

Als u een bepaald woord hier niet kunt vinden, raadpleeg dan het zoekregister (blz. 3 en verder).

Client centered therapy
Een door de Amerikaanse psycholoog Rogers ontwikkelde vorm van psychotherapie, waarbij de cliënt (= patiënt) centraal staat in de behandeling.
Synoniemen: Rogeriaanse therapie/Non-directieve therapie.
Zie ook: Non-directieve therapie/Rogers.

Counseling
To counsel (Engels) = adviseren, raadgeven.
Een psychologische techniek die toegepast wordt in psychotherapie en in de beroepskeuzepsychologie. De techniek is ontworpen door de bekende Amerikaanse psycholoog Rogers. Het betekent ongeveer: hulp geven, adviseren. Counseling was aanvankelijk (en is nog steeds) een geneeswijze voor personen met levensproblemen en voor neurotici. Het counselen kenmerkt zich door de openheid van de psycholoog jegens de cliënt/patiënt. De psycholoog gaat ervan uit dat de hulpbehoevende *zelf* het best kan uitmaken wat hij moet doen. De taak van de psycholoog: hij geeft zijn cliënt/patiënt richting, hij bakent het terrein voor hem af. Het is dus een methode die uitgaat van 'democratische' principes.
Zie ook: Beroepskeuzepsychologie/Rogers.

Elektrische schok
Bij dierexperimenten in de psychologie maakt men gebruik van lichte elektrische schokken. Doel hiervan is dieren (soms mensen!) bepaald gedrag af te leren. Het is een soort straf (die overigens niet schadelijk of gevaarlijk is).

Elektroconvulsieve shock therapie
Convulsio (Latijn) = kramp, stuiptrekking.
Door middel van elektrische schokken stuiptrekkingen in (delen van) het lichaam veroorzaken. Deze methodiek is enigszins verouderd.
Synoniemen: Shocktherapie/Elektroshock therapie.
Zie ook: Shocktherapie/Elektroshock therapie.

Elektroshock therapie
Enigszins verouderde techniek (onderdeel van een psychotherapie). Voor deze behandeling sluit de psychiater enige elektroden op de schedel van de patiënt aan. Via deze elektroden wordt elektrische stroom naar de hersenen gebracht, via een soort transformator. De hersenen worden op deze manier hevig geschokt en raken van deze hevige schokken nogal in de war. Dit zou de genezing ten goede komen. Deze methode wordt niet zo vaak meer toegepast. De meeste toepassingen vindt men bij zéér depressieve personen. De werking is niet bekend. De resultaten zijn van korte duur.
Synoniem: Shock therapie.
Zie ook: Depressie.

Ergotherapie
Ergon (Grieks) = werk.
Synoniem: Arbeidstherapie.
Zie ook: Arbeidstherapie.

Existentiële therapie
Existentie = leven, bestaan.
Een vorm van psychotherapie die gebaseerd is op de existentiële filosofie. Uitgangspunt is dat de patiënt zijn eigen waarden in het leven moet kiezen. De therapeut helpt hem hierbij.

Flooding
To flood (Engels): overstromen. Bedoeld wordt het proefdier of de patiënt met angstige stimuli te overstelpen.
Synoniem: Implosive therapy.
Zie ook: Implosive therapy.

Gedragstherapie
Een relatief nieuwe vorm van psychotherapie. Het is een overkoepelende naam voor een aantal soorten psychotherapie, die alle theoretisch gefundeerd zijn op de leerpsychologie. Deze geneeswijze gaat ervan uit dat neurotisch gedrag is *aan*geleerd. Daarom kan het ook weer worden *af*geleerd. Het afleren gebeurt gewoonlijk stukje bij beetje, stap voor stap. Gedragstherapie wordt voornamelijk door klinisch psychologen beoefend (zelden door psychiaters).
Zie ook: Neurose/Leerpsychologie/Klinische psychologie.

Gestalttherapie
Vorm van psychotherapie die theoretisch is geënt op de Gestaltpsychologie. De therapeut gaat hierbij uit van het *gehele* probleem(gebied) van de cliënt. Daartoe wordt eerst nagegaan hoe de cliënt zijn omgeving waarneemt.
Zie ook: Gestaltpsychologie.

Gezinstherapie
Een vorm van psychotherapie waarbij men niet alleen de geesteszieke persoon behandelt, maar ook de rest van het gezin. Het is een vorm van groepstherapie. De term gezinstherapie heeft meer betrekking op het *aantal* personen in kwestie, dan op het *soort* psychotherapie dat toegepast wordt.
Zie ook: Groepstherapie.

Groepstherapie
Een vorm van psychotherapie waarbij men geesteszieke personen in groepjes behandelt, en niet individueel zoals gebruikelijk is. Verschillende *soorten* psychotherapie kunnen in groepsverband worden toegepast.
Zie ook: Gezinstherapie.

Implosive therapy
Implosive (Engels) betekent ongeveer ontploffing binnenin. Vorm van gedragstherapie waarbij de gedragstherapeut de patiënt meteen in een situatie brengt die hem zeer veel angst oplevert. De patiënt wordt a.h.w. midden in de voor hem problematische situatie gebracht. Het is een harde aanpak. De behandeling gaat eigenlijk onder het motto: 'zachte heelmeesters maken stinkende wonden'.
Synoniem: Flooding.
Zie ook: Gedragstherapie.

Modelling
To model (Engels): vormen, modelleren. Een vorm van gedragstherapie, waarbij de patiënt toekijkt hoe de gedragstherapeut een toenemend intiem contact heeft met het door de patiënt gevreesde object. De gedragstherapeut laat a.h.w. zien dat er niets gebeurt met de patiënt als hij het ziekelijk gevreesde object aanraakt. Angst wordt geleidelijk overwonnen, nadat het gedrag van de gedragstherapeut gadegeslagen is en nagedaan is. De therapeut staat model (is voorbeeld) voor het gedrag dat de patiënt aangeleerd wordt.
Synoniem: Observational learning.
Zie ook: Gedragstherapie.

Muziektherapie
Vorm van psychotherapie waarbij men veel gebruik maakt van (allerlei soorten) muziek. Uitgangspunt is dat muziek therapeutische werking op diverse soorten geesteszieke patiënten kan hebben. De effectiviteit wordt door sommigen in twijfel getrokken.

Narcoanalyse
Narkoodès (Grieks) = verdoofd, verdovend.
Vorm van psychotherapie. Men brengt de patiënt in een slaperige toestand, met behulp van barbituraten. Doel is de patiënt te benevelen en hem vragen te stellen, die hij meer naar waarheid zou beantwoorden dan zonder de verdoving. (De methode is dan ook toegepast tijdens de tweede wereldoorlog als 'verhoortechniek'.)
Synoniem: Narcotherapie.
Zie ook: Barbituraat.

Narcosynthese
Synthese = samenvatting.
Het voor de therapie gebruik maken van hetgeen de patiënt in een narcoanalyse naar voren heeft gebracht.
Zie ook: Narcoanalyse.

Narcotherapie
Synoniem: Narcoanalyse.
Zie ook: Narcoanalyse.

Non-directieve therapie
Een door klinisch psychologen toegepaste vorm van psychotherapie. Deze geneeswijze wordt geschikt geacht voor lichtere vormen van geestesziekte, waarbij de therapeut (= genezer) ervan uitgaat dat de persoon zelf het best weet wat er met hem aan de hand is. Met een beetje hulp van de therapeut moet de persoon zichzelf leren genezen.
Synoniemen: Rogeriaanse therapie/Client Centered Therapy.
Zie ook: Klinische psychologie/Geestesziekte.

Ontspanningstherapie
Een vorm van psychotherapie waarbij de psychotherapeut uitsluitend of hoofdzakelijk aan zijn patiënt laat zien hoe deze zich kan ontspannen. De patiënt leert zijn spierspanning te reduceren. Hierdoor neemt ook de

psychologische spanning af. (Dit neemt men althans aan.)
Synoniem: Relaxatietherapie.

Pithiatisme
Peithein (Grieks) = overreden; iasis (Grieks) = genezing, geneeswijze.
Het gebruik van overredingskracht van de therapeut, om een neurose te genezen.
Zie ook: Neurose.

Psychoanalyse
Een school binnen de psychologie, en een vorm van psychotherapie. De therapie is opgezet door Sigmund Freud.
Zie ook: Psychoanalyse/Freud/Scholen in de psychologie.

Psychotherapie
1. Geneeswijze zoals die door psychologen en psychiaters wordt toegepast op de geesteszieke persoon.
2. Het op wetenschappelijk verantwoorde wijze behandelen, door een deskundige die daarvoor is opgeleid, van patiënten in die zin dat zij hulp behoeven voor psychische moeilijkheden, conflicten of stoornissen, door middel van het op methodische wijze vestigen van structuren en hanteren van een relatie, ten einde die psychische moeilijkheden, conflicten of stoornissen op te heffen of te verminderen (Nederlandse Vereniging voor Psychotherapie).
Zie ook: Geestesziekte.

Relaxatiestoel
Relaxatie = ontspanning.
Stoel die speciaal vervaardigd is om er zo ontspannen mogelijk in te zitten. Deze stoel wordt gebruikt in de psychotherapie. Ontspanning is een der basisvoorwaarden voor een goede psychotherapie. Het kan ook het uiteindelijk doel van een therapie zijn (bij gespannen, nerveuze patiënten). De relaxatiestoel is de opvolger van de traditionele, stereotypische sofa van de psychiater.

Relaxatietherapie
Psychotherapie waarvan het (eind)doel is de patiënt ontspanning bij te brengen zodat deze vrij van spanning kan leven.
Synoniem: Ontspanningstherapie.
Zie ook: Ontspanningstherapie.

Rogeriaanse therapie
Door de Amerikaanse psycholoog Carl Rogers ontwikkelde vorm van psychotherapie. Uitgangspunt is dat de patiënt zelf het best weet wat er met hem aan de hand is. De psychotherapeut is slechts begeleider.
Synoniemen: Non-directieve therapie/Client centered therapy.
Zie ook: Non-directieve therapie/Rogers.

Schokapparatuur
Apparaten (meer of minder ingewikkeld) die elektrische schokken

voortbrengen, ten einde ongewenste reacties af te leren. De apparaten werken op batterijen (draagbaar) of op elektrische stroom (met transformator!). Men gebruikt ze hoofdzakelijk in de gedragstherapie. Met name in de aversietherapie. Voorbeeld: om het roken van sigaretten af te leren laat men het apparaat iedere keer dat de roker inhaleert een schok op de huid geven.
Synoniem: Shocker.
Zie ook: Gedragstherapie/Aversietherapie.

S.D.
1. Afkorting van systematische desensitisatie.
2. Afkorting van standaarddeviatie.

Zie ook: Systematische desensitisatie/Standaardafwijking.

Sessie
Letterlijk: zitting.
1. Bijeenkomst van een groep mensen.
2. Bijeenkomst van één (of meer) therapeuten met één of meer patiënten (cliënten).

Zie ook: Zitting.

Shocker
Apparaat dat lichte, ongevaarlijke, elektrische schokken geeft als hulpmiddel in een psychotherapie. Shockers zijn vaak draagbaar (portable shocker).
Synoniem: Schokapparatuur.
Zie ook: Schokapparatuur.

Shock therapie
Vorm van psychotherapie waarbij het toedienen van elektrische schokken centraal staat, vanwege de heilzame werking die men hiervan verwacht. Deze methode is enigszins verouderd.
Synoniem: Elektroshock therapie.
Zie ook: Elektroshock therapie.

Slaapkuur
Vorm of deel van een psychotherapie. Men laat de geesteszieke patiënt langere tijd achtereen (soms twee weken) slapen. Men neemt aan dat lange tijd achtereen slapen genezend is. De resultaten van deze therapie zijn in het algemeen nogal teleurstellend.
Zie ook: Slapen.

Somatotherapie
Sooma (Grieks) = lichaam.
Een vorm van psychotherapie waarbij men technieken toepast die min of meer rechtstreeks invloed hebben op het lichaam van de patiënt.
Voorbeelden: chirurgie, elektrische schokken, maar ook sommige geneesmiddelen.

Supervisor
Letterlijk (Engels): opzichter. Iemand die toezicht houdt op handelingen van anderen. Voorbeeld: de persoon die zich niet zelf met psychotherapie bezighoudt, maar de handelingen van een therapeut in training controleert Hij zorgt voor een kwaliteitswaarborg.

Systematische desensitisatie
Desensitisatie betekent ongevoelig maken.
Een vorm van gedragstherapie. Deze geneeswijze behelst het stukje bij beetje, stap voor stap afbreken van neurotische gewoonten.
Zie ook: Gedragstherapie/Neurose.

Therapeut
Iemand die een ander (al dan niet met bepaalde technieken) tracht te genezen. De therapeut heeft meestal een speciale opleiding gehad. Sommige psychologen (niet alle!) kunnen zich therapeut noemen.

Therapeutische gemeenschap
De samenlevingsvorm van een aantal patiënten, die meestal dezelfde klachten of ziekten hebben. Het genezingsproces zou bevorderd worden doordat men vrijelijk over de eigen problemen kan praten. De inbreng van een arts of psycholoog is dan ook gering. Dit soort gemeenschappen komt o.m. voor bij alcoholici en aan drugs verslaafden.

Therapie
Therapeia (Grieks) = genezing, behandeling, verpleging, dienst.
Het begrip therapie is een sleutelwoord in de geneeskunde. Via de psychiatrie is het in de (klinische) psychologie gekomen. Elke psychologische methode die pretendeert zieke, onaangepaste mensen of personen met problemen te kunnen genezen, behandelen, wordt therapie genoemd. Meestal gebruikt men de verzamelnaam psychotherapie voor het therapeutisch werk van psychologen.
Zie ook: Psychotherapie.

Therapieplan
De tevoren beschreven opzet van een te houden psychotherapie. Het is een 'blauwdruk' over hoe de behandeling moet verlopen, met indelingen in fasen, therapietechnieken, duur van het geheel e.d.

Transactionele analyse
Een vorm van Psychoanalyse waarbij de nadruk ligt op de relaties van de persoon (patiënt) met anderen en de communicatie tussen hen.
Kernbegrippen zijn 'kind', 'ouders' en 'volwassene'. (Elke persoonlijkheid zou deze componenten hebben.) De persoon zou met deze begrippen moeite hebben. De oorzaken van de problemen worden opgespoord. Hierna dienen zij in harmonie in de persoon aanwezig te zijn.
Zie ook: Psychoanalyse.

Als u een bepaald woord hier niet kunt vinden, raadpleeg dan het zoekregister (blz. 3 en verder).

Yavis
Acroniem van *y*oung, *a*ttractive, *v*erbally fluent, *i*ntelligent, *s*uccesful. (Jong, aantrekkelijk, vlot spreken, intelligent, succesvol.)
Personen met *deze kenmerken* worden graag behandeld door psychotherapeuten. Zij zijn namelijk relatief snel te genezen. Deze personen hebben een gunstige prognose. Psychotherapeuten kunnen veelal zelf goed overweg met deze mensen, aangezien therapeut en patiënt ongeveer dezelfde soort opvoeding gehad hebben, elkaar begrijpen, en de problemen onderkennen. Het zijn de meestal goed geneesbare gevallen.

Zitting
De bijeenkomst van psychotherapeut en patiënt in het kader van de behandeling van de patiënt. Een gehele psychotherapie kan bijvoorbeeld uit 40 zittingen bestaan.
Synoniem: Sessie.

Aanpassingsorgaan
Volgens de ego-psychologen (psychoanalytici) is het ego een aanpassingsorgaan. Het ego past zich zowel aan de strevingen van het id aan, als aan de eisen van de buitenwereld.
Zie ook: Ego-psychologen/Ego/Id.

Abreaction
Een techniek in de praktijk van de psychoanalytische psychotherapie. De emoties van de patiënt worden verlicht of verdwijnen, doordat de psychoanalyticus de patiënt de ervaring/de gebeurtenis die deze spanning veroorzaakte laat herleven. De spanning wordt tegenover de psychoanalyticus afgereageerd, ontladen. Dit is soms een heftige gebeurtenis.
Synoniemen: Catharsis/Afreageren.

Adaptief gezichtspunt
Eén van de zes gezichtspunten van waaruit men de Psychoanalyse en de mens kan bestuderen. Met adaptief wordt bedoeld: de aanpassing van het individu aan de wereld.

Affectverdringing
Affect = aandoening van het gemoed, innigheid van gevoel.
Een der afweermechanismen. Bepaalde gevoelens niet in zich laten opkomen.
Synoniem: Verdringing van het affect.
Zie ook: Verdringing van het affect.

Afreageren
Een psychoanalytische techniek, waarbij de psychoanalyticus de patiënt bepaalde situaties opnieuw laat beleven. De patiënt reageert de spanning af op de analyticus.
Synoniemen: Abreaction/Catharsis.

Afweermechanismen
Onvrijwillige (onbewuste) maatregelen die een individu neemt om zichzelf te beschermen tegen pijnlijke gevoelens die verbonden zijn aan een nogal onaangename situatie. Voorbeeld: een onaangename liefdesaffaire 'vergeten'. De herinnering proberen uit te wissen.

Anaal
De anus betreffende. Anaal is een term die vooral in samenstellingen veel in de psychoanalyse gebruikt wordt.
Zie ook: Anale type/Anale fase.

Anale fase
Anus (Latijn) = aars.
Het is een van de fasen in de ontwikkeling van het kind. In deze fase leert

het kind zijn eigen uitwerpselen kennen. De anus is een belangrijk orgaan. Uitwerpselen zijn belangrijk voor het kind in deze fase: het zijn 'prestaties'. Zie ook: Ontwikkeling.

Anale type
Een der typen uit de typologie van Freud. Het type wordt gekenmerkt door agressiviteit, netheid, en zuinigheid.
Zie ook: Typologie van Freud.

Analysand
Degene die door een psychoanalyticus, wordt geanalyseerd. (Dit is meestal een patiënt.)

Analytische psychologie
Naam van de psychologie van Jung, na diens vertrek uit de psychoanalytische school.
Synoniem: Complexe psychologie.
Zie ook: Jung.

Archetypen
Een van Jung afkomstige term. Archetypen zijn universele symbolen in het collectieve onbewuste. Aangeboren ideeën. De symbolen moeder en vader zijn archetypen.
Zie ook: Jung/Collectieve onbewuste.

Autonome fase
Autonomia (Grieks) = (staatkundige) onafhankelijkheid.
Zesde fase van een door de ego-psychologen ontworpen indeling in levensfasen. Men wordt tolerant en ziet zijn eigen acties in samenhang met die van anderen. Men erkent dat anderen eigen meningen en gezichtspunten hebben.
Zie ook: Ego-psychologen.

Bewust
Term die vooral in de spreektaal veel wordt gebruikt. Men bedoelt ermee: besef hebben van, weet hebben van iets. De term is afkomstig uit de psychoanalyse. Het deel van de indeling van de persoonlijkheid waar rationele processen voor kunnen komen. Het tegengestelde is onbewust.
Zie ook: Bewustzijn.

Bewustzijn
Een moeilijk te omschrijven en vaag begrip in de psychologie. Het is een der kernbegrippen uit de psychoanalyse. Een 'orgaan' dat innerlijke mentale (geestelijke) gebeurtenissen waarneemt: het bewustzijn heeft een integrerende functie. Tegengestelde: onbewuste, mentale (geestelijke) processen waarvan men zich niet bewust is. In niet-psychoanalytische zin verstaat men hieronder: een toestand van de hersenen van een organisme dat in wakende staat is en dat reageert op zijn omgeving. (Vergelijk: bewusteloos, er is geen reactie op de omgeving.)

Castratiecomplex
Castrare (Latijn) = ontmannen, snijden.
Het kleine jongetje is bang dat hij door zijn vader wordt gecastreerd. Dit ten gevolge van zijn 'wensen om geslachtsomgang met zijn moeder te hebben'. Volgens de psychoanalytische theorie hebben ook vrouwen een castratiecomplex: zij zijn immers al 'gecastreerd'. Zie ook penisnijd.

Catharsis
Een psychoanalytische techniek, waarbij de psychoanalyticus de patiënt bepaalde situaties opnieuw laat beleven. De patiënt reageert de spanning af op de analyticus.
Synoniemen: Abreaction/Afreageren.
Zie ook: Abreaction.

Censuur
Het onbewuste geestelijke proces, waarbij prikkels, ideeën etc. worden geselecteerd en daarna verworpen of geaccepteerd.

Collectieve onbewuste
Een term afkomstig van Jung. Volgens Jung is het een voor iedereen identiek, onpersoonlijk psychisch systeem dat in alle mensen voorkomt en erfelijk is.
Zie ook: Archetypen/Jung.

Compensatie
Een der afweermechanismen uit de psychoanalyse. Men gedraagt zich anders (tegengesteld) dan men in werkelijkheid is.
Synoniemen: Reactievorming/Reactieformatie/Overdekking door het tegendeel.
Zie ook: Reactievorming.

Complex
Door Jung opgeworpen term. Aantal met elkaar verbonden denkbeelden die nogal emotioneel geladen zijn. Een complex wordt helemaal of ten dele onderdrukt, aangezien het meestal een onprettig geheel is.
Zie ook: Jung.

Complexe psychologie
De psychologie van Jung. (Het begrip complex is door Jung opgeworpen.)
Synoniem: Analytische psychologie.
Zie ook: Analytische psychologie/Jung/Complex.

Conformistische fase
Een term uit de psychoanalyse. Vierde fase van een door de Ego-psychologen ontworpen indeling in levensfasen. Het kind begint zich regels eigen te maken. Het past zich aan zijn omgeving aan, is gevoelig voor zijn plaats (status).
Zie ook: Psychoanalyse/Ego-psychologen/Status.

Dagdroom
Ideeën, beelden en fantasieën die bij een wakende persoon voorkomen. De persoon laat zijn gedachten de vrije loop.
Zie ook: Dromen.

Dagrest
Sleutelbegrip uit de psychoanalytische droomtheorie. De overblijfselen van voorvallen die overdag zijn gebeurd en die invloed hebben op de (inhoud van de) droom.

Defensiemechanismen
Onvrijwillige (onbewuste) maatregelen die een persoon neemt om zichzelf te beschermen tegen pijnlijke gevoelens.
Zie ook: Afweermechanismen.

Dieptepsychologie
Een vage verzamelnaam voor allerlei stromingen in de psychologie die gedrag willen verklaren met behulp van het begrip onbewust. Men 'graaft diep' in de persoonlijkheid om het gedrag te verklaren. Psychoanalyse, en o.m. de richtingen van Jung en Adler rekent men tot de dieptepsychologie.
Zie ook: Jung/Adler.

Doodsinstincten
Destructieve, vernietigende instincten.
Synoniem: Thanatos.
Zie ook: Thanatos.

Drie instanties
Het omvat:
- het ego ('verstand', 'bezonnenheid'),
- het super-ego ('het geweten'),
- het id ('levenskrachten', 'driften').

Zie ook: Ego/Super-ego/Id.

Drift
Belangrijk begrip in de psychoanalyse. Een primitieve drijfveer die tot doel heeft een evenwichtstoestand te bereiken. (Voorbeeld: dorst heeft tot doel de waterhuishouding op peil te brengen, via drinken.) De psychoanalyse onderscheidt thanatos (doodsinstinct) en eros (levensinstinct).
Zie ook: Motivatie/Thanatos/Eros.

Dromen
Een niet altijd even samenhangende stroom van ideeën, beelden en fantasieën bij een slapende persoon (natuurlijke slaap of kunstmatig opgewekte slaap).
Zie ook: Rapid eye movement/Slapen.

Droomanalyse
Het ontrafelen van dromen. Vervolgens worden de dromen geïnterpreteerd. Doel is dromen te verklaren en in te passen in een ziektebeeld. De

droomanalyse wordt gebruikt als diagnose bij de analyse.
Zie ook: Dromen.

Droominterpretatie
Het interpreteren van dromen, nadat deze geanalyseerd zijn.
Zie ook: Droomanalyse.

Dwangtype
Een persoonlijkheidstype uit het (rijke) werk van Freud. Dit type zou principieel en conservatief zijn.
Zie ook: Typologie van Freud.

Dynamisch gezichtspunt
Een van de zes gezichtspunten van waaruit men de Psychoanalyse en de mens kan bestuderen. Met dynamisch bedoelt men de krachten die in de persoonlijkheid aanwezig zijn en die op de structuur invloed uitoefenen.

Economisch gezichtspunt
Een van de zes gezichtspunten van waaruit men de psychoanalyse en de mens kan bestuderen. Met economisch bedoelt men de sterkte van de driften en hun afweer.
Zie ook: Drift/Afweermechanismen.

Ego
Letterlijk (Latijn): ik. Het is naast het id en het super-ego een van de drie instanties van de persoonlijkheid. Het ego is voor een groot deel de innerlijke representatie van de uitwendige wereld. Zijn taak is het beteugelen van de (woeste) instincten van het id.
Zie ook: Id/Super-ego.

Ego-dystoon
Denkbeelden, wensen, gedrag niet in overeenstemming met het beeld dat de persoon van zichzelf heeft. Het past niet bij de persoon. Het is wezensvreemd. Voorbeeld: denken een grote Don Juan te zijn, terwijl men zelden succes heeft. Het tegengestelde is ego-systoon.
Zie ook: Ego-systoon.

Ego-psychologen
Psychologen en medici die nauw verwant waren en zijn aan de psychoanalyse. Zij stelden een indeling in levensfasen voor, die nogal afwijkt van die van Freud.

Ego-systoon
Denkbeelden, wensen, gedrag in overeenstemming met het beeld dat

Als u een bepaald woord hier niet kunt vinden, raadpleeg dan het zoekregister (blz. 3 en verder).

de persoon van zichzelf heeft. Het past bij de persoon, het is niet vreemd. Voorbeeld: een beroemd persoon willen zijn (als aankomend acteur). Het tegengestelde is ego-dystoon.
Zie ook: Ego-dystoon.

Elektracomplex
Het is de enigszins verouderde tegenhanger van het Oedipuscomplex. Het elektracomplex geldt voor meisjes en houdt in dat het jonge meisje geslachtsomgang wenst te hebben met haar vader.
Zie ook: Oedipuscomplex.

Eros
Eros (Grieks) = God van de liefde.
Het is een samenvatting van de levensinstincten: het zijn constructieve instincten.
Synoniem: Levensinstinct.
Zie ook: Thanatos/Instinct.

Erotische type
Een van de typen uit het (rijke) werk van Freud. Deze persoonlijkheid wordt gekenmerkt door gericht te zijn op het geven en ontvangen van liefde.
Zie ook: Typologie van Freud.

Fallische fase
Phallos (Grieks) = mannelijk geslachtsorgaan.
Het is een van de fasen uit de ontwikkeling van het kind. In deze fase toont het kind belangstelling voor zijn eigen geslachtsdeel.
Zie ook: Ontwikkeling.

Fallische type
Een van de typen uit het (rijke) werk van Freud. Dit persoonlijkheidstype zou nogal emotioneel zijn en een sterk wisselend humeur hebben.
Zie ook: Typologie van Freud.

Fehlleistung
Letterlijk (Duits): wanprestatie. Vergissing, fout die men maakt met spreken of schrijven. Volgens psychoanalytische theorie ligt er 'iets' aan deze fout ten grondslag (een wens bijvoorbeeld).
Synoniemen: Lapsus/Slip of the tongue/Freudiaanse fout.
Zie ook: Lapsus.

Fixatie
Letterlijk: bestendiging, vaststelling, vastzetting. Met fixatie bedoelt men dat de persoon in één van de ontwikkelingsfasen (volgens de psychoanalyse) is blijven steken (anale fixatie, orale fixatie). Dit houdt in, dat aan de andere fasen minder aandacht is geschonken.
Zie ook: Anale fase/Orale fase.

Freudiaanse fout
Vergissing, fout die men maakt met spreken of schrijven. Volgens

psychoanalytische theorie ligt er 'iets' aan deze fout ten grondslag (een wens bijvoorbeeld).
Synoniemen: Lapsus/Slip of the tongue/Fehlleistung.
Zie ook: Lapsus.

Geboortetrauma
Trauma (Grieks) = wond, kwetsuur.
In de psychoanalyse: emotionele schok.
1. De angst die het kind ervaart bij het geboren worden volgens psychoanalytici. Het kind zou dan ook terug willen naar de veilige en warme geborgenheid van de moeder.
2. Lichamelijke verwonding van het kind bij de geboorte.

Geïntegreerde fase
Zevende fase van een door de ego-psychologen ontworpen indeling in levensfasen. Slechts weinig mensen bereiken dit hoogste niveau van ontwikkeling. In deze fase komt men tot volledige ontplooiing van alle talenten en capaciteiten.
Zie ook: Ego-psychologen/Zelfactualisatie.

Genetisch gezichtspunt
Genetica = erfelijkheidsleer.
Een van de zes gezichtspunten van waaruit men de psychoanalyse en de mens kan bestuderen. Met genetisch bedoelt men hier de ontwikkeling van het individu (kind) vanaf de geboorte.

Geslachtsdrift
Een nogal vaag begrip dat het seksueel gedrag zou kunnen verklaren. Mens en dier zouden door voornamelijk interne processen aangezet worden tot seksuele activiteiten. (Voor de mens zou de omgeving ook zeer belangrijk zijn.) Geslachtsdrift zou op instinctieve gronden berusten.
Synoniem: Seksuele drift.
Zie ook: Seksuele drift/Instinct.

Id
Letterlijk (Latijn): het. Het id behoort met het ego en het super-ego tot de drie instanties van de persoonlijkheid. Het id is een zeer vaag begrip dat staat voor de ongedifferentieerde energie in de persoonlijkheid.
Zie ook: Ego/Super-ego/Persoonlijkheid.

Ideaal-ego
Het is een deel van het super-ego. Het moet worden voorgesteld als het ideaalbeeld dat het kind voor zichzelf, van zichzelf schept.
Zie ook: Super-ego.

Impulsfase
Tweede fase van een door de ego-psychologen ontworpen indeling in levensfasen. In deze fase volgt het kind min of meer zijn eigen wil.
Zie ook: Ego-psychologen.

Individuele psychologie
Naam van de psychologische school van Adler, na diens vertrek uit de psychoanalytische school.
Zie ook: Adler.

Introjectie
Letterlijk: naar binnen werpen. Het kind neemt het super-ego van zijn ouders in zich op. Hij identificeert zich met de denkbeelden, waarden en normen van zijn ouders. Hij maakt zich deze eigen.
Zie ook: Super-ego.

Lapsus
Lapsus (Latijn) = het uitglijden, misstap, val.
Vergissing of fout die men maakt met spreken, schrijven of met de herinnering. Men noemt dit resp. lapsus lingae, lapsus calami, lapsus memoriae. Het gevolg kan zijn dat men het tegengestelde zegt van wat men wil zeggen. Volgens de psychoanalyse maakt men deze fouten (meestal) niet per ongeluk, maar geeft de fout aan wat men bedoelt, wenst, vreest.
Synoniemen: Freudiaanse fout/Slip of the tongue/Fehlleistung.

Lapsus calami
Calamus (Latijn) = rieten schrijfpen.
Schrijffout.
Zie ook: Lapsus.

Lapsus lingae
Lingua (Latijn) taal, spraak, tong.
Spreekfout.
Zie ook: Lapsus.

Lapsus memoriae
Memoria (Latijn) = geheugen, herinnering.
Fout in de herinnering.
Zie ook: Lapsus.

Latente fase
Een van de fasen van de ontwikkeling van het kind. Deze fase houdt een stilstand in de ontwikkeling van het kind in. Het is de periode waarin het kind de wereld om zich leert kennen, de wereld die steeds groter wordt.

Levensinstinct
Constructieve instincten, i.t.t. de doodsinstincten.
Synoniem: Eros.
Zie ook: Eros/Thanatos/Instinct.

Libido
Libido (Latijn) = lust, begeerte.
Belangrijk begrip in de psychoanalyse. Wordt op verschillende manieren gebruikt. Het betekent geslachtsdrift, seksuele energie. Volgens de psychoanalyse dient de libido tot instandhouding van de soort. Combinatie van levens- en doodsinstinct.

Loochening
Een der afweermechanismen. Men ontkent het bestaan van bepaalde feiten, gevoelens omdat men er angst voor heeft.
Zie ook: Afweermechanismen.

Lustprincipe
Dit principe houdt in, dat de mens naar bevrediging zoekt om een toestand van ontspanning te bereiken.

Metapsychologie
Letterlijk: opper-psychologie. Een door de psychoanalyse gehanteerde term. De metapsychologie had tot doel er alle begrippen en theorieën uit de psychoanalyse in onder te brengen. Metapsychologie zou een soort superpsychologie (een model, een abstractie) moeten zijn.

Minderwaardigheidscomplex
Term afkomstig uit de theorieën van Adler. Al dan niet bewuste gevoelens van onzekerheid en onbeduidendheid hebben.
Zie ook: Adler.

Narcistische type
Een van de typen uit het werk van Freud. Dit type zou onafhankelijk en actief zijn. (Narcissus is de mythologische jongeling die verliefd werd op zijn eigen spiegelbeeld in een bron. Hij veranderde in een narcis).
Zie ook: Typologie van Freud.

Oedipuscomplex
Het is het geheel van (verdrongen) wensen van het kind, betreffende de geslachtsomgang met de ouder van het andere geslacht. Het geldt met name voor het jongetje.
Zie ook: Elektracomplex.

Oerscène
De herinnering aan het bijwonen van geslachtsverkeer tussen de ouders. Deze herinnering kan zowel berusten op het aanschouwen, fantasie of een mengeling van beide. De oerscène zou nare gevolgen kunnen hebben voor het kind, als volwassen persoon.

Ongedaan maken
Een der afweermechanismen. De persoon probeert vroeger gedrag alsnog ongedaan te maken, door bijvoorbeeld nu het tegengestelde gedrag te vertonen.
Zie ook: Afweermechanismen.

Opportunistische fase
Derde fase van een door de ego-psychologen ontworpen indeling in levensfasen. In deze fase volgt het kind regels, maar gebruikt ze in zijn eigen voordeel.
Zie ook: Ego-psychologen.

Orale fase
Een van de fasen in de ontwikkeling van het kind. Het is de periode waarin de zuigeling contact heeft met de moederborst. De mond is het belangrijke orgaan. Dit betekent voor het kind liefde, veiligheid, bescherming en behoeftenbevrediging.

Orale fixatie
In de orale fase (een ontwikkelingsfase volgens de psychoanalyse) zijn blijven 'steken'. De persoon heeft dan relatief weinig aandacht geschonken aan andere fasen. Volgens de psychoanalytische theorie zouden snoepers oraal gefixeerd zijn.
Zie ook: Oraal type.

Orale type
Een van de typen uit het (rijke) werk van Freud. Iemand die oraal gefixeerd is, d.w.z. in de orale fase is blijven 'steken'. Een volwassen oraal type zou dol zijn op snoepen, zuigen, bijten, e.d. Dit persoonlijkheidstype zou nogal kinderlijk, passief en afhankelijk van anderen zijn.
Zie ook: Typologie van Freud/Orale fixatie.

Overdekking door het tegendeel
Een der afweermechanismen. Men gedraagt zich anders (tegengesteld) dan men in werkelijkheid is.
Synoniemen: Reactievorming/Reactieformatie/Compensatie.
Zie ook: Reactievorming.

Overdracht
Methode in de psychoanalytische therapie. De analyticus krijgt alle gevoelens van de patiënt op zich geladen.
Synoniem: Transferentie.
Zie ook: Transferentie.

Panseksualisme
De algemene leer volgens welke al het menselijk gedrag verklaard wordt uit seksuele drijfveren. (De psychoanalyse hing deze leer ten dele aan.)

Penisnijd
Een uit de psychoanalyse stammend, nogal theoretisch begrip. Kleine meisjes zijn jaloers op kleine jongens omdat die iets hebben wat meisjes niet hebben: een penis. Volgens Freud is penisnijd universeel voor vrouwen en het is de oorzaak van hun castratiecomplex.
Zie ook: Castratiecomplex/Freud.

Presociale (en symbiotische) fase
Eerste fase van een door de ego-psychologen ontworpen indeling in levensfasen. Het pasgeboren kind maakt hierin wel onderscheid tussen zichzelf en zijn moeder, maar niet tussen zijn moeder en de rest van de wereld.
Zie ook: Ego-psychologen.

Primitivisatie
Terugkeren naar (primitief) gedrag uit een vroegere fase van de ontwikkeling.
Synoniemen: Retrogressie/Regressie.
Zie ook: Retrogressie.

Projectie
Een van de afweermechanismen. Een proces waarbij wensen, impulsen, aspecten van het ik worden beschouwd als zijnde gelokaliseerd in een of ander object buiten het ik.
Zie ook: Afweermechanismen.

Psychoanalyse
Een oorspronkelijk Duits-Oostenrijkse school binnen de psychologie/medische wetenschap. De school bestond aanvankelijk uit artsen. Stichter en leider was Freud (1856–1930). Primair doel was geesteszieken te genezen. Later trachtten de leden van de school al het menselijk gedrag te verklaren. De theorieën van de school leggen de nadruk op seksuele en onbewuste verschijnselen. De invloed van de school is nog heden ten dage vrij groot.
Zie ook: Freud.

Psychoanalytische psychologie
Een stroming binnen de psychologie, waarbij men het menselijke gedrag bestudeert aan de hand van principes en denkbeelden uit de psychoanalyse.

Rapport
1. Relatie tussen de psychoanalyticus (psychotherapeut) en diens patiënt.
2. Relatie tussen de hypnotiseur en de gehypnotiseerde.

Zie ook: Hypnose.

Rationalisatie
Ratio (Latijn) = rede, berekening, het denken, beweeggrond.
Het rechtvaardigen van eigen gedrag of denkbeelden met acceptabele redenen in plaats van werkelijke redenen. Voorbeeld: iemand koopt een auto, omdat hij deze erg mooi vindt en om indruk te maken op anderen. De auto is wel wat duur... Achteraf zegt hij: het is een goede investering geweest.

Reactieformatie
Een der afweermechanismen.
Synoniemen: Reactievorming/Overdekking door het tegendeel/Compensatie.
Zie ook: Reactievorming.

Reactievorming
Een van de afweermechanismen volgens de psychoanalyse. Men gedraagt zich anders (tegengesteld) dan men in werkelijkheid is. Voorbeeld: iemand die in wezen angstig en verlegen is, vertoont zich naar buiten als een

Als u een bepaald woord hier niet kunt vinden, raadpleeg dan het zoekregister (blz. 3 en verder).

branieschopper, of als een Don Juan.
Synoniemen: Overdekking door het tegendeel/Reactieformatie/Compensatie.
Zie ook: Afweermechanismen.

Regressie
Letterlijk: teruggang. Eén der afweermechanismen. De persoon valt terug op vroeger, primitiever gedrag. Voorbeeld: een kind dat al praatte, valt terug op brabbelen (na een bepaalde voor dat kind onaangename gebeurtenis). Hierdoor krijgt het kind (weer) aandacht van de moeder.
Synoniemen: Primitivisatie/Retrogressie.
Zie ook: Afweermechanismen.

Retrogressie
Retro (Latijn) = achteruit, terug.
Het terugkeren naar gedrag uit een vroeger stadium van de ontwikkeling. Dit is het gevolg van een frustratie (bedrogen worden in een verwachting; iets waarnaar men streeft, slaagt niet).
Synoniemen: Regressie/Primitivisatie.

Sadistische anale fase
Fase in de seksuele ontwikkeling van het kind, volgens de psychoanalyse. Het jonge kind 2 à 3 jaar, heeft belangstelling voor zijn eigen uitwerpselen. De ouders ook. Zij zien hun kind graag zindelijk worden! In deze anale fase is het kind nogal eens agressief. Sadisme heeft betrekking op de 'agressie' die het kind jegens de ouders toont.
Zie ook: Anale fase.

Schuld
Centraal begrip in de psychoanalyse. Vooral als het gaat om neurotische schuldgevoelens. Deze schuldgevoelens zouden ontstaan als gevolg van een conflict tussen het super-ego en de seksuele en agressieve wensen van het kind. Schuld, die niet verwerkt is, kan aanleiding geven tot neurosen.
Zie ook: Neurose.

Seksuele drift
Seksuele activiteiten zouden op instinctief gedrag berusten.
Synoniem: Geslachtsdrift.
Zie ook: Drift.

Slip of the tongue
Slip (Engels) = uitglijding, misstap, vergissing.
Een slip of the tongue is een verspreking.
Synoniemen: Lapsus lingae/Freudiaanse fout/Fehlleistung.
Zie ook: Lapsus.

Structureel gezichtspunt
Een van de zes gezichtspunten van waaruit men de psychoanalyse en de mens kan bestuderen. Met structureel bedoelt men de structuur van de persoonlijkheid, zoals die is opgebouwd uit ego, super-ego en id.
Zie ook: Persoonlijkheid/Ego/Super-ego/Id.

Super-ego
Letterlijk (Latijn): boven-ik. Het is een van de drie instanties van de persoonlijkheid (naast het ego en het id). Het super-ego is het geweten van de persoon.
Zie ook: Ego/Id.

Thanatos
Het is de samenvattende term voor de doodsinstincten. Het zijn de instincten in de mens die destructief zijn, doodbrengend.
Synoniem: Doodsinstincten.
Zie ook: Eros/Instinct.

Topisch gezichtspunt
Een van de zes gezichtspunten van waaruit men de psychoanalyse en de mens kan bestuderen. Met topisch bedoelt men: de plaats, de ligging betreffende. Men bestudeert vanuit het topisch gezichtspunt bewuste en onbewuste processen.
Zie ook: Bewustzijn.

Transferentie
Letterlijk: overbrenging, overdracht.
Methode die men in de psychoanalytische therapie gebruikt. De psychoanalyticus krijgt alle gevoelens van de patiënt op zich geladen. De patiënt reageert op de therapeut alsof deze een (gehate) ouder, of een (geliefde) beminde is.
Synoniem: Overdracht.

Typologie van Freud
Freud onderkende een aantal soorten persoonlijkheid, die ontstaan zouden zijn door een fixatie op een bepaalde levensfase.
1. het orale type;
2. het anale type;
3. het fallische type.

Het orale type heeft 'passieve en afhankelijke attituden ten opzichte van anderen'. Voorts is hij nogal kinderlijk. Het anale type daarentegen wordt gekenmerkt door agressiviteit, netheid en zuinigheid. Dit type wordt wel geïdentificeerd met homoseksualiteit. Het fallische type ten slotte zou nogal emotioneel zijn en een sterk wisselend humeur hebben. Voorts:
4. het erotische type (op liefde geven en ontvangen gericht);
5. het narcistische type (onafhankelijk, actief);
6. het dwangtype (principieel, conservatief).

Zie ook: Typologie/Freud/Fixatie.

Typologie van Jung
Jung onderscheidde in zijn typologie twee typen:
- introverte type (= naar binnengericht);
- extraverte type (= naar buiten gericht).

Zie ook: Jung/Typologie/Introversie/Extraversie.

Verdringing
Eén van de afweermechanismen. Het 'vergeten' van vroegere onaangename

gebeurtenissen. Voorbeeld: een ongelukkige liefde 'vergeten'.
Zie ook: Afweermechanismen.

Verdringing van het affect
Affect = gevoel.
Eén der afweermechanismen, volgens de psychoanalyse. Bepaalde gevoelens laat men niet in zichzelf opkomen, omdat men er bang voor is. Voorbeeld: bang zijn verliefd te worden, zich niet laten emotioneren.
Synoniem: Affectverdringing.
Zie ook: Afweermechanismen.

Verplaatsing
Afweermechanisme waarbij men niet reageert (bijvoorbeeld) op de bron van de problemen maar op iemand anders.
Synoniem: Verschuiving.
Zie ook: Verschuiving.

Verschuiving
Eén van de afweermechanismen. Men reageert niet op de persoon op wie men zou moeten reageren, maar op een ander. Men wordt bijvoorbeeld woedend op een ondergeschikte en niet op degene met wie men ruzie had (de baas). Veel mannen reageren problemen op hun werk thuis af, op hun vrouw.
Synoniem: Verplaatsing.
Zie ook: Afweermechanismen.

Voorbewust
Een vage psychoanalytische term. Een gebied dat ligt tussen het bewuste en het onbewuste. Voorbewust zijn herinneringen die weer tot bewustzijn kunnen komen. Dit in tegenstelling tot het onbewuste.
Zie ook: Bewustzijn.

Vrije associatie
De patiënt noemt het eerste woord dat hem te binnen schiet, als associatie met een woord dat door de psychotherapeut (genezer) wordt gezegd. Voorbeeld: huis–dak; tafel–stoel; mes–moord. Doel is meestal een stukje geschiedenis van de patiënt bloot te leggen.
Zie ook: Psychotherapie/Associatie.

Weense Psychoanalytische Groep
De eerste discipelen van Freud. Zij kwamen bijeen na de eerste publikaties van Freud. De leden waren allen artsen: Adler, Jung, Abraham. De groep viel in 1911 uiteen. Sommigen verlieten de groep om hun eigen 'school' te beginnen.
Zie ook: Freud/Jung/Adler.

Zelfbewuste fase
Vijfde fase van een door de ego-psychologen ontworpen indeling in levensfasen. Het kind richt zich op zichzelf. De eigen regels worden belangrijker dan die van de groep.
Zie ook: Ego-psychologen.

De namen en woorden in dit handwoordenboek zijn ingedeeld in de vijf *basisgebieden* die men in de psychologie onderscheidt:

basisgebied 1 is methodenleer
basisgebied 2 is functieleer
basisgebied 3 is persoonlijkheidsleer
basisgebied 4 is ontwikkelingsleer
basisgebied 5 is gedragsleer

Dit is

basisgebied 4

Ontwikkelingsleer

Elk basisgebied is onderverdeeld in een per basisgebied verschillend aantal *secties*. In *dit* basisgebied komen de volgende secties voor:

Binnen elk van de secties zijn de namen en begrippen steeds alfabetisch opgenomen.

ADVIES VOOR DE GEBRUIKER

Raadpleeg steeds eerst het zoekregister (blz. 3 en verder). Daar vindt u een complete lijst, alfabetisch gerangschikt, van alle begrippen die in dit woordenboek voorkomen.

In het zoekregister vindt u achter elk begrip de bladzijde waar u dat begrip kunt vinden.

Beets, N., 1915–
Was van 1962 tot en met 1975 hoogleraar aan de Rijks Universiteit van Leiden. Zijn leeropdracht was: behandelingsmethoden in de jeugdjaren. Studeerde geneeskunde in Leiden en Batavia (Djakarta) en psychologie in Utrecht, onder meer bij Buytendijk en Langeveld, die beiden invloed op hem hebben uitgeoefend. Dit geldt eveneens voor Freud, Nietzsche en Beerling. Behaalde in 1954 de doctorsgraad met zijn: De Jongen in de Puerale Periode (antropologische psychologie). Hij was aanhanger van de fenomenologische psychologie en hield zich bezig met o.m. wijsgerige antropologie, adolescentie en psychotherapie bij de adolescent.
Hij publiceerde onder meer: Volwassen Worden (1960); Jeugd en Welvaart (1968); Persoonsvorming in de Adolescentie (1974); Verstandhouding en Onderscheid. Een Onderzoek naar de Verhouding van Medisch en Pedagogisch Denken (1975).

Binet, Alfred, 1857–1911
Binet was directeur van het Psychofysiologisch Instituut van de Parijse Universiteit, de Sorbonne. Zijn studiegebieden waren vooral kinderpsychologie en testleer. Hij verrichtte baanbrekend werk door als eerste een intelligentietest te ontwerpen (samen met Simon). Voorts was hij de stichter van het eerste psychologisch laboratorium in Frankrijk. Hij was ook hoofdredacteur en oprichter van het eerste psychologieblad in Frankrijk: l'Année Psychologique.
Zie ook: Fysiologische psychologie/Testleer/Intelligentietest/Laboratorium.

Bladergroen, W.J., 1908–
Studeerde van 1934 tot 1940 wijsbegeerte, psychologie en pedagogiek aan de toenmalige Gemeentelijke Universiteit van Amsterdam. Wegens een ernstig auto-ongeluk, met een langdurige nasleep, heeft zij nimmer haar proefschrift kunnen voltooien. In 1949 werd zij aan de R.U. te Groningen tot lector benoemd in de opvoedkunde van het afwijkende kind. In 1967 werd zij hier hoogleraar in de orthopedagogiek. Is beïnvloed door o.m. Révész, Ph. Kohnstamm, Piaget, Bergson en Klages. Houdt zich bezig met ontwikkelingspsychologie, functieleer, orthopedagogiek en orthodidactiek. Is oprichtster van LOM-scholen in het Amsterdamse Psychologisch-Pedagogisch Instituut. Vanwege haar verdiensten op het gebied van kinderen met leer- en opvoedingsmoeilijkheden ontving zij een aantal (wetenschappelijke) onderscheidingen in binnen- en buitenland. Heeft een groot aantal publikaties op het gebied van kinderen met leer- en opvoedingsmoeilijkheden op haar naam staan.

Als u een bepaald woord hier niet kunt vinden, raadpleeg dan het zoekregister (blz. 3 en verder).

Broek, P. van den, 1924–
Studeerde geneeskunde en psychologie te Leiden (1945–1950). Promoveerde in 1949 (Leiden) op: Critische en Statistische Onderzoekingen betreffende de Behn-Rohrschachtest. Werd in 1966 benoemd tot lector en in 1973 tot hoogleraar te Leiden. Leeropdracht: schoolpsychologie en schoolpedagogiek. Voelt zich beïnvloed door de Psychoanalyse en de Gestaltpsychologie en verder door de onderzoekers Piaget en Vernon. Behoort niet tot een bepaalde school of richting in de psychologie. Publiceerde o.a. over schoolpsychologie (1965). Artikelen in o.a. Nederlands Tijdschrift voor de Psychologie en in Pedagogisch Forum.

Chorus, A.M., 1909–
Na een lectoraat (1945) werd hij in 1947 hoogleraar in de psychologie aan de Rijks Universiteit van Leiden. Studeerde filosofie in Rolduc (in de buurt van Kerkrade), psychologie (bij Rutten in Nijmegen) en psychopathologie (bij Rümke in Utrecht) van 1929–1937. In 1940 promoveerde hij aan de Nijmeegse universiteit op: Het Tempo van Ongedurige Kinderen. Behalve door bovengenoemde wetenschappers voelt Prof. Chorus zich beïnvloed door Gordon Allport en Habermas. Houdt zich bezig met ontwikkelings-psychologische onderwerpen, met name zwakzinnigheid en persoonlijkheidsleer. Hij is oprichter van de Rijkspsychologische Dienst (RPD), directeur van het Psychologisch Instituut van de Leidse Universiteit en voorzitter van de Vakgroep Persoonlijkheidspsychologie aldaar.
Hij schreef o.m.: De Nederlander, Uiterlijk en Innerlijk (1965); Vormen van Zelfkennis (1966); De Nieuwe Mens (1969); Psychologie van Zuigeling en Kleuter (tiende druk in 1970); De Vrouw, haar Kwaliteiten en Kansen (1975). Voorts een aantal tijdschriftartikelen, w.o. Natuurwetenschappelijke en Gewone Psychologie (1973).

Claparède, Edouard, 1873–1940
Veelzijdig Zwitsers psycholoog. Hield zich bezig met organisatorische zaken op het gebied van de psychologie, maar deed ook veel werk op theoretisch gebied. Zo was hij oprichter van de Internationale organisatie van toegepaste psychologie, en van een psychologievakblad (Archives de Psychologie, 1901). Men rekent hem tot de aanhangers van het Functionalisme. Hij verrichtte o.m. onderzoek op het gebied van de dierpsychologie. Voorts was hij actief op het terrein van de onderwijspsychologie en de pedagogie.
Zie ook: Functionalisme.

Dewey, John, 1859–1952
Amerikaans psycholoog en filosoof. Een van de 'oprichters' van het Functionalisme. Dewey's The Reflex Arc Concept in Psychology vormde de eerste aanzet voor deze school. Dewey schuwde ook het praktisch psychologisch werk niet. Hij hield zich grotendeels bezig met onderwijspsychologische zaken en opvoedingstechnieken.
Zie ook: Functionalisme.

Eikeboom R., 1922–
Studeerde klassieke talen, psychologie en pedagogiek. (Doctoraal examen

pedagogiek in 1960, doctoraal examen klassieke talen in 1950; kandidaats examen psychologie in 1955.) Studeerde psychologie aan de Rijks Universiteit van Utrecht bij o.m. Langeveld en in Amsterdam bij Van Parreren. Zijn promotie in 1967 aan deze universiteit luidde: Het Beginonderwijs in het Latijn. Is sinds 1972 hoogleraar aan de V.U. te Amsterdam (didactiek). Hij houdt zich o.m. bezig met didactiek van het Latijn en Grieks, algemene leerprocessen, leerprocessen van schoolvakken van de basisschool en voortgezet onderwijs. Hij weet zich in zijn denken beïnvloed door de werken van Van Parreren en Russische psychologen (w.o. Galperin en Vygotski). Hij is dan ook aanhanger van de cognitivistische richting in de leerpsychologie.
Behalve bovengenoemde dissertatie verschenen van zijn hand o.m.: Rationales Lateinlernen (1967) en een aantal artikelen in Lampas (tijdschrift van Nederlandse classici).

Knoers, A.M.P., 1922–
Studeerde MO Nederlands (Tilburg, 1940–1943) en psychologie (Nijmegen, 1948–1955), o.a. bij F.J.J. Buytendijk. Promoveerde in 1966 (Nijmegen) op: De verveling in de puberteit. Houdt zich bezig met ontwikkelings-psychologie, leerpsychologie, onderwijspsychologie en onderwijskunde. Was aanvankelijk beïnvloed door het werk van Buytendijk, later ook door dat van Bruner, Piaget en Gagné. Behoort niet tot een bepaalde school of richting, voelt zich verwant met de cognitieve psychologie. Werd in 1970 benoemd tot hoogleraar te Nijmegen (lector vanaf 1965). Leeropdracht: pedagogiek, algemene didactiek en puberteitspsychologie. Publiceerde over leren, onderwijs en onderwijskunde. Is voorzitter van de Stichting voor de Leerplanontwikkeling.

Kohnstamm, G.A., 1937–
(Kleinzoon van de bekende Prof. Dr. Ph.A. Kohnstamm.) Na zijn psychologiestudie aan de Universiteit van Amsterdam (1955–1963), onder Van Parreren, Duijker, De Groot en Vuyk, behaalde hij zijn doctorsgraad (1967) aan de Utrechtse universiteit (Piaget's Analysis of Class Inclusion: Right or Wrong?). Is geïnteresseerd in de ontwikkeling van het jonge kind, compensatieprogramma's en educatieve televisie voor kinderen. Hij werd in 1968 benoemd tot lector in de ontwikkelingspsychologie aan de Rijks Universiteit van Utrecht. In 1973 volgde zijn benoeming tot hoogleraar te Leiden met dezelfde leeropdracht. Hij is redacteur van het Nederlands Tijdschrift voor de Psychologie, voorzitter van de Werkgroep Psychologie van het Jonge Kind, bestuurslid van het Psychologisch-Pedagogisch Instituut Amsterdam en lid van diverse werkgroepen van de O.E.C.D./C.E.R.I. en van de Raad van Europa.
Hij is auteur of mede-auteur van diverse wetenschappelijke publikaties, waaronder: Taalontwikkeling en Milieu (1968); Preschool Education in the Netherlands (1975); Het Project Proefcrèche '70 (1976); Ontwikkelingspsychologie van Nu (1975). Voorts een aantal artikelen in het Nederlands Tijdschrift voor de Psychologie en in congresbundels.

Kok, J.F.W., 1929–
Studeerde van 1956–1962 orthopedagogiek en ontwikkelingspsychologie in

Nijmegen. Het onderwerp van zijn promotie was: Structopathische Kinderen (Nijmegen, 1970). Studeerde onder meer onder Prof. Calon en weet zich beïnvloed door Carl Rogers. Is geïnteresseerd in orthopedagogische en psychotherapeutische behandeling van kinderen met hersenstoornissen en kinderen met neurotische ontwikkelingen. De leeropdracht van Prof. Kok luidt: De psychologie, de pedagogiek en de didactiek van het gehandicapte kind. Hij bekleedt dit professoraat sinds 1972 aan de Universiteit in Utrecht.
Boekwerken: Structopathic Children; Parts 1 en 2 (1972, vert. van zijn dissertatie); Tussen Techniek en Theorie (1972); Opvoeding en Hulpverlening in Behandelingstehuizen (1973); Curriculum Schoolrijpheid, deel I (samen met Dumont, J.J., 1970). Tijdschriftartikelen: Orthopedagogische Behandelingstypen (1971); Therapeutisch Klimaat in het Orthopedagogisch Behandelingstehuis (1971).

Langeveld, M.J., 1905–
Studeerde in Amsterdam, Hamburg en Leipzig van 1925–1931: Nederlands, Geschiedenis en Pedagogiek (bij Kohnstamm), verder Psychologie (bij Stern), filosofie en pedagogiek. Promoveerde in 1934 te Amsterdam op: Taal en Denken, een theoretische en didactische bijdrage tot het voortgezet onderwijs in de moedertaal. Hield zich bezig met: klinische pedagogiek en therapie, methodologie der pedagogiek, ontwikkelingspsychologie en antropologie. Is in zijn werk beïnvloed door Ph. Kohnstamm, Husserl, Theodor Litt en L.W. Stern. Behoorde tot de richting der 'antropologische psychologie'. Werd in 1939 benoemd tot hoogleraar aan de Rijks Universiteit te Utrecht. Leeropdracht: pedagogiek, algemene didactiek, ontwikkelingspsychologie. Publiceerde ca. 30 boeken en 850 tijdschriftartikelen! Heeft zich beziggehouden met grote internationale projecten (in diverse landen en werelddelen) op het gebied van de pedagogiek en pedagogisch-psychologisch terrein. Veel van zijn werk is in het Duits en het Japans vertaald.

Meel, J.M. van, 1931–
Als hoogleraar ontwikkelingspsychologie verbonden aan de Katholieke Hogeschool van Tilburg. Hij studeerde van 1949 tot 1956 psychologie aan de Leidse Universiteit. In 1968 promoveerde hij te Leiden op het proefschrift: Bedreigd Denken. Hij houdt zich bezig met de cognitieve ontwikkeling van het kind. Voelt zich beïnvloed door o.m. Piaget, Bruner en Witkin. Is lid van de redactieraad van het Nederlands Tijdschrift voor de Psychologie en redactielid van de serie Psychologen over het Kind, waarvoor hij diverse bijdragen leverde.

Mönks, F.J., 1932–
Studeerde aan de Universiteit van Münster (West-Duitsland), waar hij in 1960 het kandidaatsexamen behaalde. Verder in Bonn (West-Duitsland), waar hij in 1961 het doctoraalexamen deed. Studeerde bij o.a. H. Thomae. Promoveerde (1966, Bonn) op: Ueber zukunftbezogene Zeitperspektive bei Jugendlichen – Empirische Untersuchungen. Werd in 1971 benoemd tot hoogleraar in Nijmegen (K.U.) met als leeropdracht: ontwikkelings-psychologie. Houdt zich bezig met: persoonlijkheidsontwikkeling bij

jeugdigen en adolescenten, cognitieve factoren bij de persoonlijkheids- en de sociale ontwikkeling in de kinderjaren, morele ontwikkeling en socialisatieprocessen. Publiceerde over opvoeding en ontwikkelingspsychologie zowel in boekvorm als in tijdschriften. Is lid van het Berufsverband Deutscher Psychologen (BDP), Deutsche Gesellschaft für Psychologie (DGfP), Society for Research in Child Development (SRCD) en de International Society for the Study of Behavioral Development (Member of the Executive Committee). Is verder adviseur (projectleider) voor verschillende projecten, w.o. opleiding psychologen in Indonesië en Peru.

Piaget, Jean, 1896–
Beroemd Zwitsers kinderpsycholoog. Heeft baanbrekend werk verricht op het terrein van de kinder- en jeugdpsychologie. Veel van zijn experimenten zijn tot stand gekomen naar aanleiding van observaties van zijn eigen kinderen. Hij was geïnteresseerd in de ontwikkeling van het denken van kinderen. De ontwikkeling van kinderen heeft hij in fasen ingedeeld.
Zie ook: Conceptuele intelligentie/Sensori-motorische intelligentie.

Stegeren, W.F. van, 1926–
Studeerde klinische psychologie aan de Vrije Universiteit van Amsterdam (1946–1953) en 'social group work' aan de University of Pennsylvania in Philadelphia (1962–1963). In 1957 promoveerde zij aan de V.U. op: De Betekenis van het Klinisch-Psychologisch Onderzoek voor een Nadere Analyse van de zogenaamde Genuine Epilepsie. Is sinds 1970 hoogleraar aan de V.U. (sociale pedagogiek en andragologie). Heeft gestudeerd bij Waterink en Van der Horst. Zij heeft veel invloed ondergaan van Ten Have, Habermas, Smalley en Phillips. Hield zich aanvankelijk bezig met methoden van groepswerk, is geïnteresseerd in algemene andragologie. Vanwege haar 'verandering' van wetenschap vervult zij geen officiële functies meer binnen de psychologie. (Wél is zij lid van het Nederlands Instituut van Psychologen, NIP.) Een aantal artikelen van haar hand zijn verschenen in het Tijdschrift voor Agologie. Voorts boeken over andragologie, training in intermenselijke verhoudingen en groepswerk.

Terman, Lewis Madison, 1877–1956
Amerikaans psycholoog, die zich voornamelijk bezighield met onderwijspsychologie en constructie van tests. Hij heeft naam gemaakt door de intelligentietest van Binet aan te passen voor de Verenigde Staten. Hierdoor werd het begrip I.Q. populair. Hij heeft voorts een belangrijk deel van zijn leven besteed aan het onderzoeken van buitengewoon begaafde kinderen. Hij heeft de ontwikkeling van een dergelijke groep kinderen nauwgezet gevolgd vanaf hun geboorte.

Thorndike, Edward L., 1874–1949
Was student bij James en Cattell. Later werd hij zelf hoogleraar aan de Columbia Universiteit in New York. Thorndike was een zeer veelzijdig psycholoog. Hij hield zich onder meer bezig met onderwijspsychologie, leren, testleer en psycholinguïstiek. Hij was een der eersten die dieren naar het psychologisch laboratorium bracht (voor onderzoek). Van zijn theorieën zijn de wetten van het leren (law of effect) zeer bekend geworden en

gebleven. Thorndike's denken was verwant aan zowel het Functionalisme als het Behaviorisme. Een overzicht van zijn denken en werken wordt gegeven in Woodworth, R.S., Contemporary Schools of Psychology (1960).
Van zijn hand verschenen: Animal Intelligence (1911); Educational Psychology (1913); The Measurement of Intelligence (1926); Human Nature and the Social Order (1940).
Zie ook: James/Cattell/Testleer/Psycholinguïstiek/Functionalisme/Behaviorisme.

Vliegenthart, W., 1904–
Begon zijn loopbaan bij het lager onderwijs. Na zijn studie psychologie aan de Utrechtse Universiteit (1947–1950), onder Buytendijk en Langeveld, promoveerde hij aan deze universiteit op een onderwerp uit de ontwikkelingspsychologie: Op gespannen Voet, 1958. Werd in 1961 bijzonder hoogleraar in Utrecht. In 1965 werd dit omgezet in een gewoon hoogleraarschap. Emeritaat: 1971. Vanwege zijn officiële leeropdracht: psychologie, pedagogiek en didactiek van het gehandicapte kind, heeft hij zich beziggehouden met theorieën van de orthopedagogiek, en advisering aan ouders van gehandicapte kinderen. Naast het professoraat vervulde hij nog enige officiële functies op het gebied van de psychologie: decaan van de subfaculteit opvoedkunde in Utrecht, wetenschappelijk adviseur van het Seminarium voor Orthopedagogiek, etc. Hij voelt zich beïnvloed door Langeveld en Bleidick. De laatste voor wat betreft het orthopedagogisch denken. Hij rekent zich tot de fenomenologische richting in de psychologie en pedagogiek.
Enige publikaties: Algemene Orthopedagogiek (1970); Anders zijn en mee gaan doen (1970).

Wechsler, David, 1896–
Bekend Amerikaans psycholoog. Hield zich bezig met het onderzoek naar de menselijke capaciteiten, met name intelligentie. Hij ontwikkelde een aantal intelligentietests, die alle zijn naam dragen. Het betreft individuele tests voor verschillende leeftijdsgroepen. Deze tests worden in een groot aantal landen (w.o. Nederland) gebruikt.
Zie ook: Intelligentietest.

Werff, J.J. van der, 1925–
Studeerde in Groningen o.a. psychologie, (doctoraal 1958) bij Brugmans, Snijders en Kouwer. Promoveerde in 1966 (Groningen) op: Zelfbeeld en Zelfideaal. Is beïnvloed door het werk van Heymans en Kouwer. Houdt zich bezig met persoonlijkheidsontwikkeling. Werd benoemd tot hoogleraar in 1974 en 1975 resp. te Utrecht en Groningen. Leeropdracht: ontwikkelingspsychologie. Publiceerde over zelfbeeld, psychologische afstand tussen personen; verder o.a. in het Nederlands Tijdschrift voor de Psychologie en in Pedagogische Studieën.

Army Alpha Intelligence Test
Intelligentietest bestemd voor de selectie van militairen (Engels-sprekenden).
Synoniem: Army Alpha Test.
Zie ook: Army Alpha Test.

Army Alpha Test
Verbale groepsintelligentietest, zoals deze in de Verenigde Staten ontworpen werd om snel rekruten (voor de eerste wereldoorlog) te testen. Deze test werd gebruikt voor geletterden en Engels-sprekenden. De Army Beta Test was bestemd voor analfabeten en nieuwe immigranten die de Engelse taal niet machtig waren. De Army tests vormden een eerste aanzet voor de verdere ontwikkeling van het gebruik van intelligentietests.
Synoniem: Army Alpha Intelligence Test.
Zie ook: Test.

Army Beta Intelligence Test
Intelligentietest bestemd voor de selectie van militairen (analfabeten, niet Engels-sprekenden).
Synoniem: Army Beta Test.
Zie ook: Army Beta Test.

Army Beta Test
Intelligentietest.
Synoniem: Army Beta Intelligence Test.
Zie ook: Army Alpha Test.

Army Tests
Algemene term, die alle tests omvat die gebruikt werden om militairen te selecteren.
Zie ook: Army Alpha Test.

Beroepskeuzetest
Verzamelnaam voor een aantal psychologische tests, zoals die door beroepskeuzepsychologen worden gebruikt.
Zie ook: Test/Beroepskeuzepsychologie.

Binet-Simon test
Een der eerste psychologische tests (omstreeks 1904). Ontworpen door de Fransen Binet en Simon. De test mat intelligentie van schoolkinderen.
Zie ook: Binet/Intelligentietest.

Als u een bepaald woord hier niet kunt vinden, raadpleeg dan het zoekregister (blz. 3 en verder).

Biografische analyse
Wordt toegepast voor historiometrisch onderzoek. Een (primitieve) methode om genialiteit te onderzoeken. De psycholoog verzamelt al het geschreven materiaal van en over één genie. Vooral autobiografieën kunnen hierbij een belangrijke rol spelen. Uit het verzamelde materiaal concludeert de psycholoog of hij al dan niet met een genie te doen heeft.
Zie ook: Genialiteit/Historiometrie.

Centraal Instituut voor Toetsontwikkeling
Een in Arnhem gevestigde en door de overheid gefinancierde stichting. Doel is de ontwikkeling van school- en studietoetsen voor het onderwijs. Het C.I.T.O. werkt zonder winst-oogmerk.
Zie ook: Studietoets.

C.I.T.O.
Afkorting van Centraal Instituut voor Toetsontwikkeling.
Zie ook: Centraal Instituut voor Toetsontwikkeling.

Co-twin control
Twin (Engels) = tweeling.
Een methode om de invloed van erfelijkheids- en omgevingsfactoren bij de vorming van de persoonlijkheid te meten. Men onderzoekt eeneiïge (identieke) tweelingen die gescheiden leven.
Zie ook: Persoonlijkheid.

Creativiteitstest
Psychologische test die tot doel heeft na te gaan welke creatieve begaafdheden een persoon bezit. Deze tests worden meestal gebruikt door beroepskeuzepsychologen.
Zie ook: Creativiteit/Test/Beroepskeuzepsychologie.

Cross-sectional onderzoek
Cross section (Engels) = dwarsdoorsnede.
Type onderzoek in de ontwikkelingsleer. Hierbij wordt een aantal leeftijdsgroepen (10-jarigen, 15-jarigen, 20-jarigen, etc.) onderzocht. Het doel is de prestaties per leeftijdsgroep te middelen, zodat men de ontwikkeling van de mens kan volgen. Er ontstaat een lijn in een grafiek; we kunnen de ontwikkeling volgen.
Zie ook: Ontwikkeling/Longitudinaal onderzoek.

Familiebiografie
Een onderzoekmethode naar de erfelijkheid van de vorming van de persoonlijkheid. Deze methode wordt gekenmerkt door het beschrijven van families. Er wordt geen experimenteel onderzoek verricht.
Zie ook: Persoonlijkheid.

G.A.L.O.
Afkorting van Groninger Afsluitingsonderzoek Lager Onderwijs. Een groepsintelligentietest die wordt afgenomen aan kinderen die de lagere school verlaten.
Zie ook: Groninger Afsluitingsonderzoek Lager Onderwijs.

G.I.T.
Afkorting van Groninger Intelligentie Test (ontwikkeld aan de Universiteit van Groningen).
Zie ook: Groninger Intelligentietest.

Groepsintelligentietest
Intelligentietest die tot doel heeft een groep personen tegelijkertijd op intelligentie te testen. Deze methode spaart tijd, ten opzichte van de individuele intelligentietest.
Zie ook: Intelligentietest/Groepstest.

Groninger Afsluitingsonderzoek Lager Onderwijs
Een groepsintelligentietest die wordt afgenomen aan kinderen die de lagere school verlaten.
Zie ook: Groepsintelligentietest/Test.

Groninger Intelligentietest
Een aan de Rijks Universiteit van Groningen ontwikkelde, bekende en veelgebruikte Nederlandse individuele intelligentietest.
Zie ook: Individuele intelligentietest.

Historiometrie
Een vorm van onderzoek die men gebruikt bij het schatten van het I.Q. van overleden personen. Dit gebeurt door het bestuderen van de geschriften van deze (geniale) personen.
Zie ook: I.Q./Genialiteit/Biografische analyse.

Individuele intelligentietest
Intelligentietest die individueel wordt afgenomen, in tegenstelling tot een groepsintelligentietest.
Zie ook: Intelligentietest/Groepsintelligentietest.

Intelligentietest
Een psychologische test die intelligentie meet. Zo'n test bestaat uit vragen, opgaven en taken. De eerste intelligentietest is ontworpen door de Franse psycholoog Binet (omstreeks 1904). Bijna elke intelligentietest bestaat uit een aantal onderdelen. Dit houdt verband met de achterliggende theorie die zegt welke aspecten er aan intelligentie worden onderscheiden. Men kent onder andere: verbale vaardigheid, cijfervaardigheid, geheugen, redeneren.
Zie ook: Binet/Intelligentie/Test.

Intelligentie-ontwikkelingstest
Psychologische test die de ontwikkeling van de intelligentie bij kinderen meet.
Zie ook: Intelligentietest.

Interessetest
Een type test dat interesse van een persoon meet. Het gaat meestal om interesse in verband met beroepen en beroepskeuze.
Zie ook: Test/Beroepskeuzepsychologie/S.V.I.B.

Longitudinaal onderzoek
Een bepaald type onderzoek in de ontwikkelingsleer. Het betekent eigenlijk 'onderzoek in de lengte'. In het longitudinale onderzoek wordt één persoon of een groep personen verscheidene jaren gevolgd voor onderzoekdoeleinden. Op deze wijze kan men het proces van het ouder worden bestuderen.
Zie ook: Ontwikkelingsleer/Cross-Sectional onderzoek.

Merrill-Palmer schaal
Een Amerikaanse intelligentietest voor jonge kinderen, ontworpen door de psychologen Merrill en Palmer. De test is gestandaardiseerd voor kinderen van 2–5 jaar.
Zie ook: Intelligentietest.

P.M.A.-test
Afkorting van Primary Mental Abilities Test.
Zie ook: Primary Mental Abilities Test.

Primary Mental Abilities Test
Een door de Amerikaan Thurstone ontwikkelde intelligentietest. Hij was ervan overtuigd dat intelligentie is opgebouwd uit een aantal elementen. Zijn test beoogt deze elementen (capaciteiten) te meten. De test meet de abilities (capaciteiten) voor o.m.: woordenrijkdom, rekenen, geheugen.
Zie ook: Intelligentie/Thurstone.

Schoolpsychologische test
Psychologische test die gebruikt wordt in de onderwijspsychologie.
Zie ook: Onderwijspsychologie/Test.

Schoolrijpheidstest
Een onderwijspsychologische test die tot doel heeft na te gaan welke leerlingen wél en welke niet schoolrijp zijn.
Zie ook: Schoolrijpheid.

Schoolvorderingentest
Psychologische test die door onderwijspsychologen gebruikt wordt. Zij dient om de schoolvorderingen (prestaties) te meten.

Stanford-Binet test
Intelligentietest. Dit is de Amerikaanse aanpassing van de oorspronkelijke intelligentietest van de Fransman Binet. (Stanford is de Amerikaanse universiteit waar de test is aangepast.)
Zie ook: Binet/Intelligentietest.

Studietoets
Een objectief meetinstrument (in de vorm van een examen, proefwerk of test) dat tot doel heeft door onderwijs verworven kennis en/of vaardigheid te meten. Voorbeeld: een studietoets die de kennis van de Engelse taal meet bij leerlingen die de middelbare school verlaten.

Terman-Merrill test
Bekende intelligentie-ontwikkelingstest.
Zie ook: Intelligentie-ontwikkelingstest.

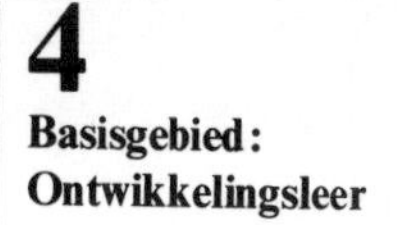

Agogie(k)
Agein (Grieks) = leiden, begeleiden.
Praktijkgebied binnen de opvoedkunde. Men houdt zich hier bezig met het begeleiden en het opvoeden van *kinderen, volwassenen en ouderen*. Er zijn drie subgebieden binnen de agogie(k): pedagogie(k), andragogie(k), gerontagogie(k). Agogie(k) is een overkoepelende term. Sommigen maken een onderscheid tussen agogie en agogie*k*. Eerstgenoemde omvat de werkwijze, methode van het opvoeden, terwijl laatstgenoemde de methodiek, systematiek omvat.
Zie ook: Pedagogie(k)/Andragogie(k)/Gerontagogie(k).

Agologie
Agein (Grieks) = leiden, begeleiden; logos (Grieks) = leer, wetenschap.
De *wetenschap* die het begeleiden en opvoeden van *kinderen, volwassenen* en *ouderen* bestudeert. Het is als het ware de *wetenschap*, waaronder de volgende drie *praktijkgebieden* te rangordenen zijn: de pedagogie(k), de andragogie(k), de gerontagogie(k). Binnen de agologie bestudeert men theorieën over de opvoeding. Het is een duidelijk abstract, algemeen, overkoepelend werkterrein.
Zie ook: Opvoedkunde/Pedagogie(k)/Andragogie(k)/Gerontagogie(k).

Andragogie(k)
Anèr (Grieks) = volwassen man; agein (Grieks) = leiden, begeleiden.
Praktijkgebied binnen de opvoedkunde, waar men zich bezighoudt met het opvoeden van *volwassen personen*. Het omvat o.m. buurtwerk, het begeleiden van veranderingen op het werk etc.
Zie ook: Opvoedkunde/Agogie(k).

Andragologie
Wetenschap binnen de opvoedkunde, die zich bezighoudt met de opvoeding van *volwassen personen*.
Zie ook: Opvoedkunde.

Beroepskeuzepsychologie
De tak van de psychologie die zich bezighoudt met voornamelijk praktisch werk: het onderzoeken van en adviseren over iemands capaciteiten in verband met schoolkeuze en beroepskeuze. Dit hangt veelal nauw samen met personeelsselectie.
Zie ook: Personeelsselectie/Psychologisch rapport.

Als u een bepaald woord hier niet kunt vinden, raadpleeg dan het zoekregister (blz. 3 en verder).

Certificatie Commissie van Beroepskeuze Adviseurs
Een door de overheid erkende commissie die certificaten uitgeeft aan (o.a.) beroepskeuzepsychologen, die minimaal twee jaar als beroepskeuzeadviseur werkzaam zijn geweest. Ook niet-psychologen kunnen in aanmerking komen voor dit certificaat. Het certificaat dient als een soort garantie van deskundigheid.
Zie ook: Beroepskeuzepsychologie.

Gerontagogie(k)
Geroon (Grieks) = oude man; agein (Grieks) = leiden, begeleiden.
Een *praktijkgebied* binnen de opvoedkunde. Het is een van de drie subgebieden van de agogie(k). Men houdt zich bezig met het begeleiden, 'opvoeden' van *ouderen, bejaarde personen*. Bijvoorbeeld: men leert oudere personen hoe zij hun tijd kunnen besteden. Dit is belangrijk voor gepensioneerden, die vaak moeite hebben met de vele 'vrije tijd'. Volgens sommigen omvat de gerontagogie de *werk*wijze, de methode van opvoeden, terwijl de gerontagogie*k* de *systematiek* van het geheel van werkwijzen omvat.
Zie ook: Opvoedkunde/Agogie(k).

Gerontagologie
Geroon (Grieks) = oude man; logos (Grieks) = leer, wetenschap.
De *wetenschap*, de studie van het begeleiden, het opvoeden van *oudere personen*.
Synoniem: Gerontologie.
Zie ook: Opvoedkunde/Andragologie.

Ontwikkelingsleer
Een van de vijf basisgebieden van de psychologie. De studie van het gedrag van de mens, van geboorte tot dood, vanuit het gezichtspunt van de ontwikkeling.
Zie ook: Ontwikkeling.

Orthopedagogie(k)
Orthos (Grieks) = recht; pais (Grieks) = kind; agein (Grieks) = leiden, begeleiden.
Een onderdeel van de opvoedkunde. Houdt zich bezig met het begeleiden, opvoeden van *afwijkende, niet normale kinderen*. Dit zijn lichamelijk en/of geestelijk gehandicapte of moeilijk opvoedbare kinderen. Ook kinderen die in aanraking zijn geweest met de justitie. Sommigen maken een onderscheid tussen orthopedagogie en orthopedagogie*k*. Het eerste betreft de methode, het feitelijke opvoedkundige *werk*, terwijl het tweede de *systematiek*, het geheel van deze methoden (op een 'hoger' plan) omvat.
Synoniem: Speciale pedagogie(k).
Zie ook: Opvoedkunde/Pedagogie(k).

Pedagogie(k)
Pais (Grieks) = kind; agein (Grieks) = leiden, begeleiden.
Een deelgebied (*praktijkgebied*) van de opvoedkunde. Een van de drie subgebieden van de agogie(k). Het omvat het opvoeden van *normale, niet*

afwijkende kinderen. Normaal betreft hier de norm van de pedagoog. Dit behoeft niet altijd overeen te komen met de norm van de maatschappij of van de ouders van het kind. Sommigen maken een onderscheid tussen pedagogie en pedagogie*k*. Eerstgenoemde term verwijst naar het feitelijke *werk*, de methode. De laatstgenoemde naar de *systematiek*, het geheel van methoden en werkwijzen (op een 'hoger', meer abstract niveau). Pedagogen zijn o.m. werkzaam bij scholen en Medisch Opvoedkundige Bureaus (M.O.B.'s).
Zie ook: Opvoedkunde/M.O.B.

Pedagogisme
Alles (willen) herleiden, terugbrengen tot de opvoeding. De opvoeding centraal stellen. Zo kan men bijvoorbeeld ziekten of onaangepast gedrag verklaren door fouten in de opvoeding.
Zie ook: Psychologisme.

Psychotechniek
Een verouderde term voor psychologisch onderzoek, inzake beroeps- en schoolkeuze en personeelsselectie. Het heeft met name betrekking op het gebruik van psychologische tests.
Zie ook: Test.

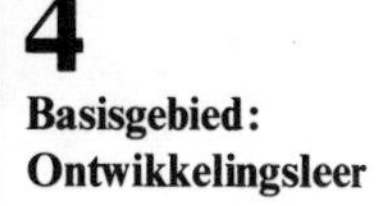
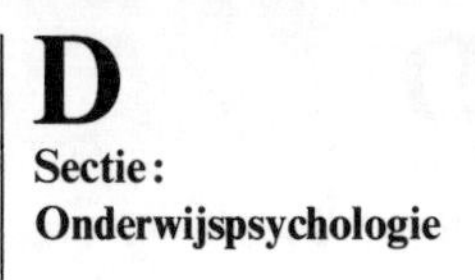

Aanpassingsjaar
Een schooljaar dat de overgang vormt tussen twee verschillende onderwijssystemen. Doel van dit jaar is leerlingen doelgericht voorbereiden op het volgende onderwijsniveau.

Absenteïsme
Schoolverzuim dat niet systematisch is. Dit kan verschillende oorzaken hebben:
- schoolangst;
- negatieve houding jegens de school;
- negatieve houding van ouders, vrienden, e.d. jegens de school;
- gebrek aan intelligentie, capaciteiten.

Anti-autoritaire opvoeding
De denkwijze, volgens welke kinderen op democratische wijze moeten worden opgevoed. Men brengt de kinderen kritisch denken, zelfstandigheid en omgang met andere kinderen bij. Anti-autoritaire opvoeding stamt uit de ideeën van de links radicale Westduitse studenten uit het midden der jaren zestig.
Zie ook: Opvoeding.

Associatie
Letterlijk: samenvoeging, bijeenvoeging, verband. Een vaag en veel gebruikt begrip in diverse takken van de psychologie en de filosofie. Een relatie of verband tussen twee psychologische verschijnselen (door ervaring of door leren).

Autodidact
Iemand die zichzelf onderwijst, of onderwezen heeft, zonder hulp van een leraar.

Daltonschool
Type school dat stamt uit de Verenigde Staten. (Stadje Dalton in Massachusetts.) In dit systeem ligt het accent op het individuele onderwijs, niet op het klassikale. Het systeem berust op een eigen ideologie en heeft eigen leermiddelen.

Didactiek
De theorie en de praktijk van kennisoverdracht (lesgeven, onderwijzen).

Didaxologie
Het multidisciplinaire wetenschappelijke onderzoek naar de didactiek. Dat wil zeggen onderzoek naar methoden van lesgeven, indeling van klassen etc.
Zie ook: Didactiek.

Educatieve psychologie
Letterlijk: opvoedingspsychologie.
Synoniemen: Onderwijspsychologie/Pedagogische psychologie/Schoolpsychologie.
Zie ook: Onderwijspsychologie.

Law of effect
Een van de twee wetten van het leren van Thorndike (de ander is de law of exercise). Hoe vaker een bepaalde reactie (op een prikkel) tot behoeftebevrediging of succes heeft geleid, des te groter de kans dat voortaan op dezelfde wijze gereageerd wordt op zo'n prikkel.
Zie ook: Leren/Law of exercise/Thorndike.

Law of exercise
Exercise (Engels) = oefening.
Een van de twee wetten van het leren van Thorndike. (De ander is de law of effect.) Door veel te oefenen, zal men snel en goed kunnen leren.
Zie ook: Leren/Law of effect/Thorndike.

Leermachine
Een apparaat waarmee men zelfstandig (individueel) kan leren. In het apparaat is een instructieband aanwezig. Deze verstrekt de te leren stof, stapje voor stapje. De student bepaalt zelf het tempo waarin de band moet lopen. De ontwikkeling van deze elektronische machine staat eigenlijk nog in de kinderschoenen.

Leerproces
Een proces waarbij blijvende veranderingen in een organisme ontstaan ten gevolge van ondervinding. Het verwerven van nieuwe (andere) gedragsvormen en -mogelijkheden. Het verwerven van responsmogelijkheden door oefening.
Zie ook: Leren.

Leerpsychologie
Het deel van de psychologie dat zich bezighoudt met het bestuderen van het leren van mens en dier.
Zie ook: Leren.

Leren
Een proces met min of meer duurzame resultaten, waardoor nieuwe gedragspotenties van de persoon ontstaan of reeds aanwezige zich wijzigen (Van Parreren, 1971). Leren is een zeer veel gebruikt begrip in de psychologie. Het is meer omvattend dan wat men er in het dagelijks leven onder verstaat.

Memoriseren
Uit het hoofd leren. Van buiten leren. Een van de meest onderzochte vormen van leren. Het is relatief gemakkelijk te meten en is belangrijk in het onderwijs. Voorbeeld: de tafels van vermenigvuldiging.
Zie ook: Leren.

Mnemotechniek
Mnèmè (Grieks) = herinnering.
De kunst of de techniek om dingen beter te kunnen onthouden. Bij voorbeeld door het gebruik van ezelsbruggetjes.

Montessorischool
School opgezet volgens de principes van Maria Montessori, een Italiaanse pedagoge. Het schoolsysteem wordt gekenmerkt door een grote mate van individuele vrijheid. Voorts maakt men gebruik van speciale leermiddelen. In Nederland zijn er kleuterscholen, en scholen voor lager- en middelbaar onderwijs, waar het Montessorisysteem wordt toegepast.

Onderwijs
Alle vormen van overdracht van kennis, informatie en techniek. Onderwijs houdt de aanwezigheid in van iemand die de kennis overbrengt aan anderen, die deze ontvangen.

Onderwijskunde
De wetenschappelijke bestudering van het onderwijs en problemen bij het onderwijs. Onderwijskunde is een multidisciplinair werkterrein. Een van de belangrijkste doelstellingen is het verbeteren van het onderwijs zodat docent en leerling/student er voordeel van hebben.

Onderwijspsychologie
Een tak van de ontwikkelingsleer die zich bezighoudt met het kind op school en de aanpassing van de onderwijssituatie aan het kind en omgekeerd.
Synoniemen: Schoolpsychologie/Pedagogische psychologie/Educatieve psychologie.
Zie ook: Ontwikkelingsleer.

Opvoeding
Het geheel van technieken om kinderen zich op bepaalde gewenste manieren te laten ontwikkelen. Onderdelen van de opvoeding zijn het verwerven van kennis en inzicht, normen en waarden. Het kind dient zich te ontwikkelen tot een aangepast gezond volwassen individu. Aangepast betreft de normen en waarden van de opvoeders. *Zij* maken uit wat goed of slecht is voor het kind.

Opvoedkunde
Tak van wetenschap die verwant is aan de ontwikkelingsleer. Zij houdt zich bezig met de theorie en praktijk van de opvoeding, opvoedingsmethoden, opvoedingsdoelstellingen en resultaten van opvoeding.
Zie ook: Ontwikkelingsleer/Pedagogie(k)/Agogie(k).

Als u een bepaald woord hier niet kunt vinden, raadpleeg dan het zoekregister (blz. 3 en verder).

Overleren
Méér leren dan nodig is om een bepaalde hoeveelheid leerstof te kennen, te beheersen. Het criterium, de standaard, is reeds voorbijgestreefd.
Zie ook: Leren.

Pedagogie(k)
Een deelgebied van de opvoedkunde. Het betreft de opvoedkunde van (normale) kinderen.
Zie ook: Opvoedkunde/Agogie(k).

Pedagogische psychologie
Tak van de psychologie die zich bezighoudt met alle facetten van het onderwijs.
Synoniemen: Onderwijspsychologie/Schoolpsychologie/Educatieve psychologie.
Zie ook: Onderwijspsychologie.

Reproduceren
Het weergeven van hetgeen men (in een leerexperiment) heeft geleerd. Reproduktie is een bewijs dat iets geleerd is.
Zie ook: Leren.

Schooladviesdienst
Een meestal gemeentelijke instelling die tot taak heeft adviezen te geven aan instanties en personen, waardoor de school haar taak als instituut optimaal kan vervullen. Bij zo'n dienst zijn diverse specialisten werkzaam. O.m. psychologen, pedagogen, sociologen, artsen. Men houdt zich bezig met (voorbeelden): leerstoornissen bij schoolkinderen, sociale processen op school, onderwijssystemen.
Synoniem: Schoolbegeleidingsdienst.

Schoolbegeleidingsdienst
Synoniem: Schooladviesdienst.
Zie ook: Schooladviesdienst.

Schoolpsychologie
Enigszins verouderde naam voor de meer omvattende term onderwijspsychologie.
Synoniemen: Onderwijspsychologie/Pedagogische psychologie/Educatieve psychologie.
Zie ook: Onderwijspsychologie.

Schoolrijpheid
Periode waarin het kind het meest kan profiteren van het geboden onderwijs in de eerste klasse van het lager- of middelbaar onderwijs. Een niet schoolrijp kind heeft aanpassingsproblemen. Het is bijvoorbeeld te speels, kan zich niet concentreren e.d.

Toegepaste onderwijskunde
Een multidisciplinair terrein dat zich bezighoudt met praktisch werk op

het gebied van het onderwijs. Bevindingen uit de onderwijskunde zijn direct toepasbaar. Dit gebied vertoont grote overeenkomst met dat van de onderwijspsychologie.
Zie ook: Onderwijskunde/Onderwijspsychologie.

Transfer
Letterlijk (Engels): overdracht. Het in de ene situatie geleerde toepassen in een andere situatie. Bijvoorbeeld op school geleerde Engelse woordjes gebruiken om een Engelse krant te lezen. Ook: wanneer een handeling geleerd is hoeft men een soortgelijke handeling niet vanaf het eerste begin te leren. Er is 'leerwinst'. Voorbeeld: wanneer men één vreemde taal geleerd heeft, heeft men minder moeite met het leren van een tweede vreemde taal (natuurlijk wél sterk afhankelijk van de verschillen tussen deze talen).
Synoniem: Tranfer of training.

Transfer of training
Letterlijk (Engels): overdracht van oefening. Meer gebruikelijk is de verkorting transfer.
Synoniem: Transfer.
Zie ook: Transfer.

Trial and error
Letterlijk (Engels): poging en fout (misser). Leren door 'gissen en missen', door vallen en opstaan. Je leert van de fouten die je maakt. Al proberend leert men. Voorbeeld: na vele misstappen leert de koorddanser de juiste bewegingen maken, zodat hij zijn evenwicht *leert* bewaren.
Zie ook: Leren/Thorndike.

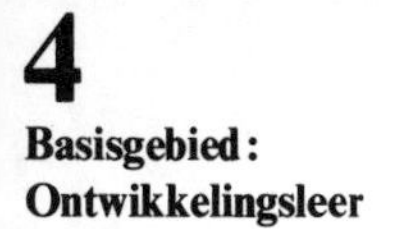

4

Basisgebied:
Ontwikkelingsleer

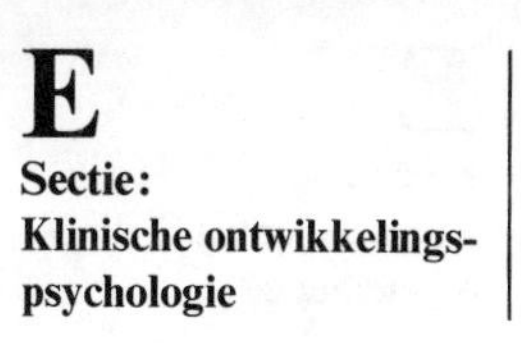

E

Sectie:
Klinische ontwikkelings-psychologie

Aangeboren afwijking
Elke afwijking die vóór of tijdens de geboorte is ontstaan. Een aangeboren afwijking is dus niet erfelijk. Een aangeboren afwijking ontstaat bij het jonge kind doordat de moeder tijdens de zwangerschap een ernstige ziekte had, of door fouten bij de verlossing/geboorte, het blootstaan aan röntgenstralen etc.
Synoniem: Congenitale afwijking.

Anaclitische depressie
Neerslachtigheid, zoals die voorkomt bij hospitalisme.
Zie ook: Hospitalisme.

Bedwateren
Onvrijwillige urinelozing.
Synoniem: Enuresis.
Zie ook: Enuresis.

Congenitale afwijking
Synoniem: Aangeboren afwijking.
Zie ook: Aangeboren afwijking.

Cretinisme
Lichamelijke en geestelijke achterstand in de ontwikkeling, veroorzaakt door de gebrekkige werking van de schildklier.
Enige kenmerken: Dwerggroei/Imbeciliteit/Doofstomheid.

Dementia presenilis
Ziekelijke vermindering van een aantal geestelijke vermogens, waaronder intelligentie.
Synoniem: Pre-seniele dementie.
Zie ook: Pre-seniele dementie.

Deprivatie
Letterlijk: ontbering, tekortkoming. Veelal gebruikt betreffende kinderen die liefde, aandacht, mogelijkheden, vorming etc. te kort komen.
Zie ook: Sensorische deprivatie.

Duimzuigen
Een handeling die voor baby's normaal is. Bij het opgroeien verdwijnt deze automatische handeling. Duimzuigen zou het kind bepaalde (seksuele) genoegens schenken. Het kan ook gezien worden als een voortzetting van het borst-/fleszuigen.

Encopresis
Kopros (Grieks) = drek, ontlasting.
De (meestal nachtelijke) niet vrijwillige ontlasting. Dit komt vooral bij kinderen voor. Dit wordt veroorzaakt door psychologische factoren. Er zijn géén organische gebreken of beschadigingen.

Enuresis
Ourein (Grieks) = urineren.
Bedwateren. Onvrijwillige urinelozing bij wat oudere kinderen die zindelijk zijn. Komt ook bij volwassenen voor.
Enuresis nocturna = nachtelijk onvrijwillig urineren.
Enuresis diurna = overdag onvrijwillige urinelozing.

Enuresis diurna
Onvrijwillige urinelozing overdag.
Zie ook: Enuresis.

Enuresis nocturna
Nachtelijk onvrijwillig bedwateren.
Zie ook: Enuresis.

Hospitalisme
Een complex van stoornissen dat zich voordoet bij de langdurige ziekenhuisverzorging van kleine kinderen. De scheiding van de moeder leidt tot het achterlopen van de geestelijke en lichamelijke ontwikkeling ten opzichte van leeftijdgenoten. Andere verschijnselen hierbij zijn angst voor vreemden, terugtrekking, neerslachtigheid, apathie en ontvankelijkheid voor ziekten. Een langdurige scheiding heeft soms de dood van het kind tot gevolg.
Zie ook: Anaclitische depressie.

Hyperprotectie
Hyper = buitensporig; protectie = bescherming.
De overmatige bescherming die sommige moeders hun kind(eren) geven. Dit kan onplezierige consequenties hebben wanneer het kind eenmaal volwassen is.
Synoniem: Overprotectie.

Incontinentie
1. Niet zindelijk zijn van jonge kinderen.
2. Tijdelijk niet zindelijk zijn i.v.m. een ziekte.

Infantiele neurose
Neurose zoals deze bij kinderen voorkomt.
Zie ook: Neurose.

Involutiedepressie
Een depressie (= neerslachtigheid) die bij oudere personen voorkomt wanneer zij bemerken dat hun spierkracht en potentie ten gevolge van het ouder worden achteruit zijn gegaan.
Zie ook: Depressie.

Kinderanalyse
De naam voor een psychoanalytische therapie, die bij kinderen wordt toegepast. Er wordt veel gebruik gemaakt van 'spelletjes' om achter de problemen van de kleine patiënt te komen.
Zie ook: Psychoanalyse.

Kinderpsychotherapie
Psychotherapie die men bij kinderen toepast.
Zie ook: Psychotherapie.

Klinische gerontologie
Specialisme binnen de gerontologie dat gericht is op de zieke- of problematische oudere persoon.
Synoniemen: Medische gerontologie/Geriatrie.
Zie ook: Gerontologie/Geriatrie.

Leerstoornis
Probleem dat zich voordoet bij het leren. Oorzaken voor dit probleem kunnen zijn: gebrek aan intelligentie, slecht onderwijs, stoornis aan ogen of oren, persoonlijke omstandigheden (ruzie, overlijden ouder etc.). Al deze factoren belemmeren het leren.
Zie ook: Leren.

L.O.M.-school
L.O.M.: afkorting van leer- en opvoedingsmoeilijkheden. Bijzondere lagere school voor kinderen met leerproblemen en voor moeilijk opvoedbare kinderen.

Magisch denken
Een vorm van nogal primitief denken, die bij kinderen, volwassen en ook geesteszieken voorkomt. Men heeft bijgelovige gedachten en niet logische denkbeelden. Voorbeeld: 'Als ik driemaal op één dag oversteek op een zebrapad, zal ik de derde keer doodgereden worden'.
Zie ook: Denken.

Medische gerontologie
Gerontologie wat betreft zieke en problematische oudere personen.
Synoniemen: Klinische gerontologie/Geriatrie.
Zie ook: Geriatrie/Gerontologie.

Medisch Opvoedkundig Bureau
Instelling die hulp verleent aan kinderen met leerproblemen en/of opvoedingsproblemen ('moeilijk opvoedbare kinderen'). Artsen, psychologen en anderen verwijzen de ouders en de kinderen naar deze instelling. Afkorting: M.O.B. De M.O.B.'s worden gesubsidieerd door

Als u een bepaald woord hier niet kunt vinden, raadpleeg dan het zoekregister (blz. 3 en verder).

hogere en lagere overheden. Ouders leveren een bijdrage naar draagkracht. Psychologen, artsen, psychiaters, maatschappelijk werkers en anderen vormen een onderzoeks- en behandelingsteam.

M.O.B.
Afkorting van: Medisch Opvoedkundig Bureau.
Zie ook: Medisch Opvoedkundig Bureau.

Nachtmerrie
Angstaanjagende droom. Voorbeeld: men wordt achterna gezeten door monsters en kwaadwillende personen. Nachtmerries komen vaker voor bij kinderen dan bij volwassenen.
Zie ook: Dromen.

Orthopedagogie(k)
Houdt zich bezig met de opvoedkunde bij afwijkende kinderen. Lichamelijk en geestelijk gehandicapte kinderen, moeilijk opvoedbare kinderen en dergelijke.
Synoniem: Speciale pedagogie(k).
Zie ook: Opvoedkunde/Pedagogie(k).

Ouderdomspsychose
Psychose zoals deze zich bij oudere personen voordoet.
Synoniemen: Seniele psychose/Seniele dementie.
Zie ook: Seniele psychose.

Overprotectie
Protectie = bescherming.
Overmatige zorgzaamheid en bezorgdheid van de moeder voor haar kind(eren). Het kind groeit hierdoor op in een zeer beschermde omgeving. Dit kan eventueel gevolgen hebben voor de vorming van de persoonlijkheid.
Synoniem: Hyperprotectie.

Pediatrie
Een medisch specialisme, waarbinnen men zich bezighoudt met theorie en praktijk van kinderziekten.

Presbyofrenie
Seniele dementie, waarbij geheugenstoornissen een vooraanstaande plaats innemen. Seniele dementie is een ouderdomsziekte.
Zie ook: Seniele dementie.

Preseniele dementie
Dementie (d.w.z. achteruitgang van een aantal menselijke functies, waaronder intelligentie) die bij jongere personen voorkomt. Gewoonlijk komt dementie bij oudere personen voor.
Synoniem: Dementia presenilis.
Zie ook: Dementie.

Puerperaalpsychose
Psychose die uitsluitend voorkomt bij kraamvrouwen: vrouwen in de eerste weken na de bevalling. Deze psychose kwam vroeger vaak voor, tegenwoordig nog slechts in geringe mate.
Zie ook: Psychose.

Seniele dementie
Ziekelijke vermindering van een aantal geestelijke vermogens bij oudere personen.
Synoniemen: Seniele psychose/Ouderdomspsychose.
Zie ook: Seniele psychose.

Seniele psychose
Seniel = afgeleefd, afgetakeld.
Psychose die voorkomt bij oudere personen. Kenmerken: vermindering van de intelligentie, vermogen tot oordeelsvorming is achteruitgegaan, geheugen is slecht geworden. Oorzaak is o.m. het afsterven van hersencellen.
Synoniemen: Ouderdomspsychose/Seniele dementie.
Zie ook: Psychose.

Seniliteit
Een enigszins vage term, die betrekking heeft op ziekten van de oudere persoon. Het ouderdomsproces lijdt tot verzwakking en achteruitgang van lichamelijke en psychologische processen. De oudere persoon wordt 'bevattelijk' voor lichamelijke ziekten en geestesziekten.

Speciale pedagogie(k)
Speciaal betekent hier: ziekelijk, afwijkend.
Synoniem: Orthopedagogie(k).
Zie ook: Orthopedagogie(k).

Speltherapie
Therapie = geneeswijze.
Vorm van psychotherapie, zowel bij volwassenen als bij kinderen. Door middel van spelletjes probeert men de persoon zijn gevoelens kenbaar te laten maken.

Wilde kinderen
Kinderen die in de natuur zijn opgegroeid, zonder ouders en zonder andere mensen. Zij zijn (waarschijnlijk) opgevoed door dieren. Er is een aantal van deze gevallen bekend. Deze kinderen kunnen niet spreken of rechtop lopen. Het is niet eenvoudig *menselijke mensen* van hen te maken. Het verschijnsel wilde kinderen toont aan hoe belangrijk de aanwezigheid van anderen is voor de ontwikkeling van het kind.

Ziekte van Pick
Geneeskundige aanduiding voor preseniele dementie.
Synoniem: Preseniele dementie.
Zie ook: Preseniele dementie.

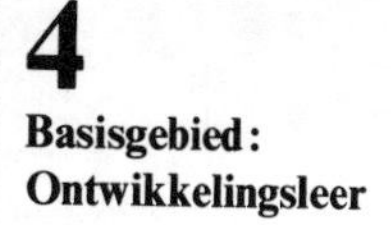

Acceleratie
Letterlijk: versnelling. Versnelde lichamelijke en psychologische ontwikkeling van de jeugd van deze eeuw (met name na de tweede wereldoorlog), in vergelijking met vroegere generaties.

Accommodatie
Het vermogen zich aan te passen aan een andere of nieuwe situatie. De term is afkomstig van de bekende Zwitserse kinderpsycholoog Piaget.
Zie ook: Piaget.

Adolescentie
Laatste fase in de ontwikkeling van het kind. Van 18/19 jaar tot 21 jaar.
Synoniem: Late adolescence.
Zie ook: Puberteit.

Adoptie
Het door de wet geregelde opnemen van kinderen in gezinnen die (meestal) geen familiebanden hebben met deze kinderen. Adoptie komt tot stand na uitspraak van de rechter.

Constructiespel
Elk spel waarin het kind tot iets constructiefs komt, dat wil zeggen iets (op)bouwt, iets samenstelt, maakt, fabriceert (bijvoorbeeld een huisje van blokjes).
Zie ook: Spel.

Coöperatief spel
Het spelen van kinderen, waarbij het spel wordt geleid door spelregels zoals bij verstoppertje. Dit is de minst primitieve vorm van spel.
Synoniem: Georganiseerd spel.
Zie ook: Spel.

Disequilibrium
Toestand van onevenwichtigheid.
Zie ook: Equilibrium.

Effectief vocabulair
Vocabulaire = woordenschat, woordenlijst.
Capaciteit van het jonge kind om woorden te spreken of te begrijpen.

Egocentrisch taalgebruik
Van Piaget afkomstige term. Het kind spreekt om het (zelf)spreken en niet om te communiceren met anderen. Het tegengestelde is sociocentrisch taalgebruik.
Zie ook: Piaget/Sociocentrisch taalgebruik.

Equilibrium/disequilibrium
Termen uit de ontwikkelingspsychologie van Piaget. Volgens hem ontwikkelt het kind zich door het zoeken naar evenwicht (equilibrium). Het kind wil steeds van de toestand van onevenwicht (disequilibrium) zien af te komen.
Zie ook: Piaget.

Familie Kallikak
Fictieve naam voor een wel bestaande Amerikaanse familie. De familie had twee takken. De ene bracht qua intelligentie superieure personen voort. De andere zwakbegaafden. Zij hadden één gemeenschappelijk stamvader. Hij was getrouwd met een begaafde vrouw en onderhield (seksuele) contacten met een zwakzinnig meisje. Niet door erfelijke factoren, zoals aanvankelijk werd gedacht, waren beide takken zo anders. De omgeving waarin de kinderen opgroeiden was compleet anders. Dit familiedrama toont het belang van omgevingsfactoren aan (rijk gezin met mogelijkheden voor kinderen, versus a-sociaal gezin, zonder mogelijkheden).

Geassocieerd spel
Het met elkaar spelen (kinderen) en gebruik maken van elkaars speelgoed.
Zie ook: Spel.

Generatieconflict
Term uit de spreektaal, niet uit de wetenschappelijke psychologie. Kinderen hebben andere waarden en normen dan hun ouders. Beide groepen zien de wereld en hun omgeving anders. Dit leidt nogal eens tot botsingen. De verschillende normen en waarden zijn onder meer zichtbaar in kleding, kapsel, vrijetijdsbesteding etc. Ouders ergeren zich niet alleen hieraan, maar ook aan (politieke) ideeën en meningen van jongeren. Dit leidt tot conflicten.

Georganiseerd spel
Synoniem: Coöperatief spel.
Zie ook: Coöperatief spel.

Groeiproces
Het ontwikkelingsproces van het organisme als een functie van tijd/leeftijd. Hoe ouder men wordt des te meer men rijpt, tot op zekere hoogte.
Synoniem: Rijpingsproces/Maturatie.

Identificatie
Een proces van imitatie, waardoor het kind zijn (mannelijke of vrouwelijke) rol leert kennen. Het kind maakt zich deze rol eigen.
Zie ook: Imitatie.

Imitatie
Een essentieel onderdeel van het identificatieproces bij het jonge kind. Imitatie is het nadoen van allerlei handelingen. Bij identificatie doet het kind voor hem belangrijke personen na. (Ouders, tantes, leiders, etc.).
Zie ook: Observational learning/Identificatie.

Infantiel
Heeft in de psychologie betrekking op het kinderlijke van een jong kind en niet van een ouder kind of volwassene (zoals in de spreektaal).

Jeugd
Vaag omschreven begrip. Eerste langdurige fase in de ontwikkeling van de mens. De fase begint bij de geboorte en eindigt bij het begin van de volwassenheid (ca. 18 tot 20 jaar, tenminste in onze cultuur. In andere culturen duurt de jeugd korter).

Kansarm
Arm aan kansen. Wordt vaak gebruikt voor kinderen die in een weinig welvarende of stimulerende omgeving opgroeien. Het kind heeft weinig kansen in de maatschappij en dat is een (blijvende) handicap.

Kinder- en jeugdpsychologie
Een psychologisch specialisme dat zich bezighoudt met de bestudering van kinderen en jeugdigen vanuit ontwikkelingspsychologisch gezichtspunt.
Zie ook: Ontwikkelingsleer.

K.- en J.-psychologie
Afkorting van kinder- en jeugdpsychologie.
Zie ook: Kinder- en jeugdpsychologie.

Late adolescence
Veel gebruikt Engels synoniem voor adolescentie.
Zie ook: Adolescentie.

Maturatie
Synoniemen: Groeiproces/Rijping.
Zie ook: Groeiproces.

Nature-nurture controverse
Een strijd die wordt gevoerd op het gebied van de psychologie (en de politiek). Het gaat erom welke van de twee factoren: nature (Engels: erfelijkheid) of nurture (Engels: opvoeding) het belangrijkste is in de ontwikkeling van de mens. Is de mens erfelijk bepaald of door zijn opvoeding gevormd? Of door beide? (M.a.w. heeft onderwijs zin voor iedereen, of alleen voor de van nature begaafden?)
Zie ook: Ontwikkeling.

Ontwikkelen
Het groeien, rijpen, tot bloei komen, vervallen en sterven van een organisme, in al zijn facetten.

Als u een bepaald woord hier niet kunt vinden, raadpleeg dan het zoekregister (blz. 3 en verder).

Ontwikkeling
1. Groei van een organisme.
2. Rijping van een organisme.
3. De voortdurende groei van een organisme, van voor de geboorte, via de geboorte tot aan de dood.

Ontwikkelingsquotiënt
De vastgestelde mate van ontwikkeling van een klein kind of baby, gedeeld door zijn werkelijke leeftijd. De mate van ontwikkeling wordt bepaald door het afnemen van een of meer tests. Het aldus verkregen cijfer kan men vergelijken met dat van andere kinderen. Zo kan men vaststellen of het desbetreffende kind voor- of achterloopt ten aanzien van leeftijdgenoten. Dit quotiënt is vergelijkbaar met het intelligentiequotiënt (I.Q.).
Zie ook: Intelligentiequotiënt.

Orthogenese
Orthos (Grieks) = recht, normaal; genesis (Grieks) = ontstaan.
Een leer die stelt dat de evolutie een bepaalde richting heeft. In de ontwikkelingsleer wordt zij toegepast in de theorie van de organische lamp.
Zie ook: Ontwikkelingsleer/Theorie van de organische lamp.

Parallel spel
Het volkomen naast elkaar spelen (van kinderen). Zij betrekken elkaar niet in hun spel. Vooral bij jonge kinderen (2, 3 jaar).
Zie ook: Spel.

Pedologie
De wetenschappelijke (multidisciplinaire) studie van de ontwikkeling van het kind.

Peer group
Letterlijk (Engels): groep van gelijken. Een in de ontwikkelingsleer veel gebruikte Engelse term voor de groep van leeftijdgenoten (van het kind).

Pre-adolescence
Veel gebruikt Engelstalig synoniem voor prepuberteit.
Synoniem: Prepuberteit.
Zie ook: Prepuberteit.

Prematuriteit
Letterlijk: voortijdigheid. Te vroege geboorte, d.w.z. vóór de complete volgroeiing van de vrucht.

Prenatale fase
Prenataal = vóór de geboorte.
Een fase vóór de eigenlijke ontwikkeling van het kind. Het is een groeifase in het leven van het nog ongeboren kind. Deze fase is van belang voor het latere gedrag van het kind. (Dramatisch) voorbeeld: vitaminegebrek van zwangere vrouw kan leiden tot hersenletsel.
Zie ook: Ontwikkelingsleer.

Prenataliteit
De tijd voor de geboorte (van een kind, dier). Dit is de tijd waarin de vrucht zich ontwikkelt.

Prepuberteit
Fase in de ontwikkeling van het kind, die aan de puberteit voorafgaat. De prepuberteit duurt van 10–13/15 jaar.
Synoniem: Pre-adolescence.
Zie ook: Puberteit.

Proximodistale ontwikkeling
Proximus (Latijn): zeer dichtbij; distantia (Latijn): afstand.
Een tendentie in de biologische ontwikkeling van het kind. Eerst kan het kind bewegingen met centrale lichaamsdelen uitvoeren (bovenarm, bovenbeen), later pas bewegingen met perifere lichaamsdelen (onderarm, onderbeen). (Eerst dichtbij, dan veraf.)

Puberteit
Pubescere (Latijn): volwassen worden.
Een van de laatste fasen in de ontwikkeling van het kind. Zij duurt voor meisjes van 13 tot 17–18 jaar en voor jongens van 15–19 jaar. Het is een van de fasen van de ontwikkeling van het kind in de Psychoanalyse. In deze fase ontwikkelt het kind zich in seksueel opzicht. (De eerste menstruatie vindt plaats bij meisjes.) Aan het einde van deze periode is het kind volwassen geworden.
Synoniem: Adolescence.
Zie ook: Psychoanalyse/Adolescentie.

Pueriliteit
Puerilis (Latijn) = kinderlijk, kinderachtig.
Het kinderlijke gedrag dat bij sommige neurotische patiënten voorkomt. Men gedraagt zich zoals toen men jong was.
Zie ook: Neurose.

Receptief spel
Receptief = ontvankelijk.
Spel waarbij het kind informatie in zich opneemt, ontvangt. Voorbeelden: televisiekijken, marionettenspel, quiz.

Rijping
Synoniemen: Groeiproces/Maturatie.
Zie ook: Groeiproces.

Rijpingsproces
Ontwikkeling van een organisme.
Zie ook: Groeiproces.

Sex-typing
Het leren van de rol van de eigen sekse. Voorbeeld: Een jongen wordt geleerd wat de rol van de man in deze maatschappij is en hoe hij zich als man dient te gedragen.

Sociocentrisch taalgebruik
Van Piaget afkomstige term. Het kind spreekt om met anderen te communiceren. Ook het tegengestelde komt voor: egocentrisch taalgebruik.
Zie ook: Piaget/Egocentrisch taalgebruik.

Solitair spel
Het alleen spelen van het kind. Het let niet op anderen. Dit geldt vooral voor het heel jonge kind.
Zie ook: Spel.

Spel
Lichamelijke of geestelijk activiteit, die hoofdzakelijk vermaak tot doel heeft. Het spel vindt ook toepassing als methode in het onderwijs ('spelenderwijs' leren) en in de psychotherapie (speltherapie).
Zie ook: Psychotherapie/Speltherapie.

Spiegeltheorie
Een overkoepelende theorie in de ontwikkelingsleer die beweert dat de mens een soort spiegel is. Als hij wordt geboren is hij niets, een onbeschreven blad. Hij verkrijgt zijn kennis en kundigheden door het aanleren van allerlei zaken.
Zie ook: Ontwikkelingsleer.

'Sturm und Drang' periode
Letterlijk (Duits): storm en drang. Fase in de ontwikkeling van het kind volgens de spreektaal. Deze 'inofficiële fase' ligt in de puberteit. Het is de 'moeilijke tijd', waarin het kind op zoek is naar zichzelf en de wereld en voortdurend onder druk staat.

Symbiotische fase
Zie ook: Presociale (en symbiotische) fase.

Tabula Rasa
Letterlijk (Latijn): geschuurde plank, d.w.z. onbeschreven blad. Volgens bepaalde stromingen in de vroegere filosofie zouden de hersenen van een kind volkomen 'wit' zijn. Het wordt 'gekleurd' door alle (zintuiglijke) indrukken die het kind opdoet. De omgeving vormt het kind. M.a.w. het kind heeft bij zijn geboorte niets meegekregen.

Theorie van de organische lamp
Een overkoepelende theorie, die stelt, dat de mens lijkt op een 'organische lamp'. Om te branden heeft de lamp brandstof nodig, die aan de omgeving wordt onttrokken. Volgens deze theorie is de mens zelf (actief) bezig zichzelf te vormen (iemand te worden) door aan de omgeving allerlei zaken, fysiek zowel als psychisch, te onttrekken. De mens heeft de capaciteit tot zelfontwikkeling. Hij is actief met de omgeving bezig in een interactieproces.

Time out

Letterlijk (Engels): tijdelijke onderbreking in de sport, vooral in de athletiek. Tijd waarin het gedrag van het kind wordt onderbroken door verandering van de situatie. Voorbeeld: het huilende kind wordt naar een andere kamer gebracht, om daar te kalmeren. Hij mag terugkomen wanneer hij niet meer huilt.

Zindelijkheidstraining

Kleine kinderen langs al dan niet systematische weg zindelijk maken. Normale (niet zieke) kinderen worden binnen een bepaald tijdbestek zindelijk. Verschillende technieken en 'foefjes' kunnen dit natuurlijke proces versnellen.

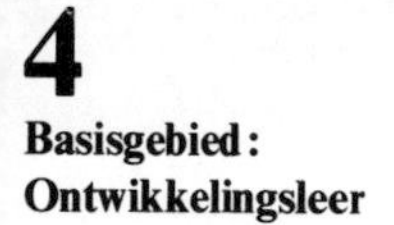

Adult education
Letterlijk (Engels): onderwijs aan volwassen personen. Dit kan de vorm hebben van het leren van specifieke vaardigheden (omscholing) of algemene kennis (éducation permanente).
Zie ook: Éducation permanente.

Dementie
Een chronische vermindering van de intellectuele capaciteiten.

Éducation Permanente
Letterlijk (Frans): doorgaande, continue vorming. Voortdurende opleiding en vorming van volwassen personen. Na de formele scholing (HAVO, universiteit etc.) heeft de mens nog steeds scholing nodig omdat we nu eenmaal in een snelveranderende maatschappij leven. De éducation permanente wordt o.m. gegeven in de vorm van Teleaccursussen (bijscholing van huisartsen), volksuniversiteit, postdoctorale opleidingen voor afgestudeerden aan universiteiten en hogescholen, etc.
Zie ook: Adult education.

Leestempo
De snelheid, waarmee men gewoonlijk leest. Er zijn snelle en langzame lezers. Snel lezen betekent *niet* slecht lezen.

Virilisme
Vir (Latijn) = man.
Het verschijnen van secundaire (mannelijke) geslachtskenmerken bij de vrouw. De vrouw krijgt een zwaardere stem, baard e.d. Dit wordt veroorzaakt door hormonale afwijkingen of door het gebruik van hormoonpreparaten.
Zie ook: Hormoon.

Viriliteit
De capaciteiten, eigenschappen en kenmerken hebben van een rijpe, volwassen man.

Volwassene
Persoon die in biologische zin gerijpt, volgroeid is (die tot wasdom gekomen is). Wat vage term, die in veel betekenissen wordt gebruikt in de spreektaal.

Als u een bepaald woord hier niet kunt vinden, raadpleeg dan het zoekregister (blz. 3 en verder).

Activiteitstheorie
Deze theorie stelt dat oudere mensen, op kleine biologische verschillen na, hetzelfde zijn als mensen op middelbare leeftijd. Wil de oudere persoon gelukkig blijven, dan moet hij ervoor zorgen niet geïsoleerd te raken. Hij moet zich aanpassen. Zijn pensionering moet hij benutten om allerlei dingen te gaan doen. Hij moet vervangers zien te vinden voor gestorven vrienden. Kortom, hij moet zich actief opstellen.

Biologische gerontologie
Subgebied van de gerontologie, waarbij men zich bezighoudt met biologische aspecten van de oudere mens. Voorbeeld: hoe verloopt het verouderingsproces in lichamelijk opzicht?
Zie ook: Gerontologie.

Climacterium
Klimax (Grieks) = valreep.
Synoniem: Menopauze.
Zie ook: Menopauze.

Disengagement theorie
Disengagement (Engels) = niet-betrokkenheid.
Deze theorie stelt dat de maatschappij zich van de oudere persoon vervreemdt, maar ook dat de oudere persoon zich van de maatschappij vervreemdt. Door niet meer bij de maatschappij betrokken te zijn, komt de oudere persoon op zichzelf te staan. Hij krijgt steeds meer tijd om over zichzelf na te denken. Hierdoor raakt de oudere persoon nog minder bij de wereld betrokken.

Euthanasie
Thanatos = dood (Grieks); eu (Grieks) = goed.
Door de (ongeneeslijk zieke) patiënt gewilde niet-natuurlijke dood (door middel van verdovende middelen bijvoorbeeld); sterven zonder lijden. Ook een arts kan besluiten tot euthanasie bijvoorbeeld wanneer iemand zelf de beslissing niet meer kan nemen.

Geriatrie
Gèras (Grieks) = ouderdom; iatrikè (Grieks) = geneeskunde.
Een medisch specialisme dat zich bezighoudt met de studie van ouderdom*ziekten.* Het is de medische tegenhanger van de gerontologie.
Zie ook: Gerontologie.

Gerontologie
Een tak van de ontwikkelingspsychologie die zich bezighoudt met het gedrag van de oudere mens. Gerontologie is de psychologische tegenhanger van het medisch specialisme geriatrie.
Synoniemen: Psychogerontologie/Gerontopsychologie.
Zie ook: Geriatrie.

Gerontopsychologie
Geroon (Grieks) = oude man.
Synoniemen: Gerontologie/Psychogerontologie.
Geroon (Grieks) = oude man.

I.A.G.
Afkorting van International Association for Gerontology.
Zie ook: International Association for Gerontology.

International Association for Gerontology
Internationaal genootschap voor beoefenaars van de gerontologie. Het genootschap is na de tweede wereldoorlog opgericht. Nationale verenigingen voor de gerontologie zijn hierbij aangesloten.
Zie ook: Gerontologie.

Psychogerontologie
Een niet door iedereen erkend synoniem van gerontologie.
Synoniemen: Gerontologie/Gerontopsychologie.
Zie ook: Gerontologie.

Sociaal-geneeskundige gerontologie
Een vorm van gerontologie zoals deze door sociaal-geneeskundigen wordt bedreven. (Dit zijn gespecialiseerde artsen.)
Zie ook: Gerontologie/Geriatrie.

Sociale gerontologie
Sub-gebied binnen de gerontologie, waarbij men het gedrag van de oudere mens in de sociale situatie (met andere mensen) bestudeert.
Synoniem: Sociogerontologie.
Zie ook: Gerontologie.

Sociogerontologie
Synoniem: Sociale gerontologie.
Zie ook: Sociale gerontologie.

Aanleg
Geschiktheid om bepaalde prestaties te volbrengen. Het is een vaag begrip uit de spreektaal. Dank zij aanleg is de ene persoon beter in staat een taak uit te voeren dan een andere persoon met dezelfde opleiding.
Synoniemen: Capaciteit/Talent.

Begaafdheidspsychologie
Een onderdeel van de differentiële psychologie, waar men zich bezighoudt met studie en onderzoek van de begaafde, getalenteerde, geniale mens.
Zie ook: Genialiteit/Differentiële psychologie.

Brainstorming
Brainstorm (Engels): een plotselinge (geniale) inval. Methode om ideeën in een groep te genereren. Meestal gaat het erom dat groepsleden met zoveel mogelijk ideeën komen. Naderhand wordt nagegaan welke bruikbaar zijn en welke niet. Een brainstorming zitting duurt meestal maar kort (minder dan één uur). De groep bestaat uit een gering aantal personen (hooguit tien).
Zie ook: Creativiteit.

Capaciteit
Synoniemen: Aanleg/Talent.
Zie ook: Aanleg.

Creatief denken
Een vorm van probleemoplossen, waarbij zowel de oplossing als de middelen onvolledig of niet gegeven zijn. Voorbeelden: verzin een aantrekkelijke manier om de vrije tijd te besteden, bedenk een nieuw transportmiddel. Men onderscheidt de volgende stadia bij het creatieve denken:
1. Voorbereidende fase: men probeert zich in te leven in de situatie en de voorhanden zijnde materialen.
2. Incubatiefase: dit is de fase waarin het probleem wordt gedefinieerd. De eerste delen van het uiteindelijke produkt kunnen al verschijnen. In deze fase wordt er 'gebroed'.
3. Illuminatiefase: dit is de oplossingsfase. In deze fase komt soms als een donderslag bij heldere hemel de oplossing. Deze fase kan héél kort duren (één seconde) en doet zich vaak voor als de persoon bezig is met iets héél anders.
4. Verificatiefase: alle behaalde resultaten worden nu volledig uitgewerkt, bijgewerkt, herzien, vervolmaakt en er wordt geverifieerd of de oplossing 'past', of het uitgevonden object of systeem werkelijk werkt.
Zie ook: Denken/Probleem oplossen.

Creativiteit
Een scheppend proces, dat in verschillende stadia tot rijping komt en dat een

nieuw 'produkt' (kunstvoorwerp, machine) oplevert dat bruikbaar is in zijn sociale omgeving.

Fasentheorie van de creativiteit
Theorie die stelt dat creativiteit in een aantal fasen verloopt. Het gevormde idee komt langzaam tot rijping. Tenslotte, in de laatste fase komt er een 'produkt' uit.
Zie ook: Creativiteit.

Genialiteit
Een vaag en veelomvattend begrip. Een getalenteerdheid op (meestal) het intellectuele vlak. Het hebben van een zeer hoog I.Q.
Zie ook: I.Q./Genie.

Genie
Een persoon met een zeer hoge intelligentie. Meestal verstaat men hieronder een I.Q. van 180 of meer. (Afhankelijk van de definitie en de intelligentietest.)
Zie ook: Genialiteit/I.Q./Intelligentietest.

Hypernormaal
Bovennormaal, begaafd.
Een hypernormale persoon is iemand die een uitblinker is op bepaalde gebieden (sport, intelligentie, schilderen).

Illuminatiefase
Derde fase in het creatieve denkproces.
Zie ook: Creatief denken.

Incubatiefase
Tweede fase in het creatieve denkproces.
Zie ook: Creatief denken.

Predispositie
1. Aanleg, vatbaarheid, voedingsbodem (voor bijvoorbeeld bepaalde ziekten).
2. Erfelijke eigenschap, waardoor men bepaalde kenmerken gaat ontwikkelen of reeds heeft ontwikkeld.

Talent
Synoniemen: Aanleg/Capaciteit.
Zie ook: Aanleg.

Toevalstheorie van de creativiteit
Theorie die stelt dat creativiteit een toevalsproces is. Creatieve uitingen komen langs toevallige weg tot stand.
Zie ook: Creativiteit.

Verificatiefase
Verificatie = controle, onderzoeken of iets waar, juist is.
Vierde en laatste fase in het creatieve denkproces.
Zie ook: Creatief denken.

Voorbereidende fase
Eerste fase in het creatieve denkproces.
Zie ook: Creatief denken.

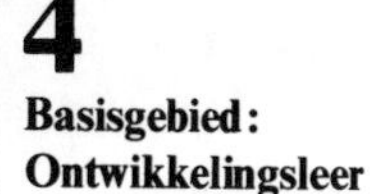

Borderline intelligence
Letterlijk (Engels): grenslijn-intelligentie. Personen die als zodanig worden geclassificeerd, hebben een I.Q. tussen de 70–90 (gemiddeld is 100). Zij kunnen meestal de lagere school niet afmaken. Borderline intelligence grenst aan zwakzinnigheid aan de ene kant en gemiddelde intelligentie aan de andere kant.
Zie ook: Zwakzinnigheid/I.Q.

Chronologische leeftijd
De werkelijke leeftijd van een persoon (kind) in tegenstelling tot mentale leeftijd, die hoger of lager kan zijn. De term wordt gebruikt bij het testen van intelligentie bij kinderen.
Zie ook: Intelligentiequotiënt.

C.L.
Afkorting van chronologische leeftijd (= de werkelijke leeftijd van het kind).
Zie ook: Intelligentiequotiënt.

Conceptuele intelligentie
Een van Piaget afkomstige term. Het is de intelligentie die verband houdt met het begrijpen van concepten (= begrippen). Het is de intelligentie zoals een volwassen persoon die heeft, in tegenstelling tot de sensorimotorische intelligentie van zeer jonge kinderen.
Zie ook: Piaget/Sensorimotorische intelligentie.

Factortheorie van de intelligentie
Een door de Engelse psycholoog Spearman ontwikkelde theorie die stelt, dat intelligentie bestaat uit een aantal verschillende onderdelen (factoren genaamd) en niet één geheel vormt, zoals anderen beweren. Onderdelen zijn: rekenen, woordenschat, geheugen etc.
Zie ook: Spearman.

Intelligentie
1. Datgene wat de (of een bepaalde) intelligentietest meet;
2. het vermogen om problemen op te lossen;
3. het vermogen om cognitieve systemen te formuleren en toe te passen.
Zie ook: Intelligentietest/Cognitie.

Als u een bepaald woord hier niet kunt vinden, raadpleeg dan het zoekregister (blz. 3 en verder).

Intelligentiequotiënt
Het verhoudingsgetal dat iemands intelligentie weergeeft.

$$\text{In formule: I.Q.} = 100 \times \frac{\text{ML (= mentale leeftijd)}}{\text{CL (= chronologische leeftijd)}}$$

De breuk wordt met honderd vermenigvuldigd. Met andere woorden: men vergelijkt bij de geteste persoon de verhouding tussen zijn echte leeftijd (CL) en zijn geestelijke leeftijd (ML). Mentale leeftijd is het getal (de score) van de behaalde testprestaties. Bij het bepalen van het I.Q. vergelijkt men altijd met leeftijdgenoten. Het gemiddelde I.Q. van de bevolking is op 100 gesteld (per definitie).
Synoniem: I.Q.
Zie ook: Intelligentietest.

Mentale leeftijd
Het getal (de score) van de behaalde testprestaties. Dit begrip wordt gebruikt bij het bepalen van het intelligentiequotiënt.
Zie ook: Intelligentiequotiënt.

M.L.
Afkorting van mentale leeftijd.
Zie ook: Intelligentiequotiënt.

Sensorimotorische intelligentie(fase)
Een term afkomstig uit de ontwikkelingstheorie van Piaget. Het kind in deze fase (eerste twee levensjaren) gebruikt alleen zijn zintuigen en spieren.
Zie ook: Piaget/Conceptuele intelligentie.

Sociale intelligentie
Een niet zo helder omschreven begrip. Het wordt geacht een soort intelligentie te zijn; dit wordt veelal betwist. Men verstaat eronder: snel contacten leggen met anderen, goed met anderen kunnen opschieten en dergelijke.

De namen en woorden in dit handwoordenboek zijn ingedeeld in de vijf *basisgebieden* die men in de psychologie onderscheidt:

basisgebied 1 is methodenleer
basisgebied 2 is functieleer
basisgebied 3 is persoonlijkheidsleer
basisgebied 4 is ontwikkelingsleer
basisgebied 5 is gedragsleer

Dit is

basisgebied 5
Gedragsleer

Elk basisgebied is onderverdeeld in een per basisgebied verschillend aantal *secties*. In *dit* basisgebied komen de volgende secties voor:

Binnen elk van de secties zijn de namen en begrippen steeds alfabetisch opgenomen.

ADVIES VOOR DE GEBRUIKER

Raadpleeg steeds eerst het zoekregister (blz. 3 en verder). Daar vindt u een complete lijst, alfabetisch gerangschikt, van alle begrippen die in dit woordenboek voorkomen.

In het zoekregister vindt u achter elk begrip de bladzijde waar u dat begrip kunt vinden.

Boekestijn, C., 1925–
Studeerde indologie (1948–1950) en sociale wetenschappen (1950–1957) te Leiden. Promoveerde in 1961 aan de Vrije Universiteit te Amsterdam op: Binding aan een streek. Houdt zich bezig met migratie, sociale determinanten van het zelfconcept, groepscohesie en waarden, discriminatie en opvattingen over andere groepen en sociale psychologie van het openbaar bestuur. Voelt zich beïnvloed door het werk van F. Heider, M. Sherif en D. Katz. Is voorzitter van de vakgroep sociale psychologie aan de V.U., waar hij in 1967 werd benoemd tot hoogleraar. Leeropdracht: sociale psychologie. Publiceerde over sociale relatie en zelfconcept, groepscohesie en opvattingen over andere groepen.

Cohen, G.B., 1932–
Studeerde sociologie met sociale psychologie als specialisatie te Utrecht (1952–1958). Werkte na zijn doctoraal examen bij het Centraal Bureau voor de Statistiek (o.a. aan een onderzoek naar de vrijetijdsbesteding in Nederland). Promoveerde in 1968 (Groningen): The task-tuned organization of groups. Behoort tot de richting van de Humanistische Psychologie (zonder echter zijn experimentele achtergrond te vergeten). Werd in 1970 benoemd tot hoogleraar in Groningen (leeropdracht: experimentele sociale psychologie) en in 1972 tot lector te Nijmegen (sociale psychologie). Onderwerpen van studie en onderzoek: problem solving en organisatiepsychologie (Groningen) en groepsbegeleiding, trainingen en groepspsychotherapie (Nijmegen). Publiceerde over: kibboetsiem, vrijetijdsbesteding, frustratie in hiërarchische organisaties, communicatienetwerken en groepseffectiviteit, trainingsopleiding, sensitivitytraining en groeitraining.

Defares, P.B., 1929–
Studeerde aan de Universiteit van Amsterdam, deed in 1958 doctoraalexamen (sociale psychologie) en aan de R.U. Groningen (doctoraalexamen psychologie, 1961). Studeerde o.a. bij Duijker en Kouwer. Promoveerde (1963, R.U. Groningen) op een experimenteel onderzoek naar de samenhang tussen bewegingsmodaliteiten en menselijke relaties: Grondvormen van menselijke relaties. Werd in 1975 benoemd tot hoogleraar aan de Landbouw Hogeschool te Wageningen. Leeropdracht: sociale psychologie. Houdt zich bezig met: sociale perceptie, affiliatiepsychologie, gedragsmodificatie en attitudeverandering; cognitieve codering en fysiologische correlaten van (sociale) angst. Voelt zich beïnvloed door het werk van Michotte, Kouwer, Schachter, Lewin en vertegenwoordigers van de leerpsychologie. Is lid van het Hoofdbestuur van het NIP en redacteur van het handboek Hulpverlenen en Veranderen (Nationaal Centrum voor Geestelijke Volksgezondheid/Van Loghum Slaterus). Publiceerde over menselijke relaties, psychologische afstand tussen personen, sociale perceptie en sociometrie, angst en affiliatiebehoefte etc.

Publiceerde verder in: Nederlands Tijdschrift voor de Psychologie, Pedagogische Studiën, Acta Psychologica, Mens en Onderneming, Gawein, De Psycholoog, Sociologische Gids, etc.

Dirken, J.M., 1935–
Studeerde psychologie (1956–1962) aan de Universiteit van Amsterdam bij o.a. A.D. de Groot. Promoveerde (Amsterdam 1967) op: Het meten van stress in arbeidssituaties. Hield zich aanvankelijk bezig met arbeidspsychologie en -fysiologie, methodologie en statistiek. Heeft zich later in een andere meer technische richting ontwikkeld: produktontwikkeling, ergonomie, organisatieleer en methodologie. Werd in 1972 benoemd tot hoogleraar aan de Technische Hogeschool te Delft. Leeropdracht: ergonomische produktontwikkeling. Voelt zich beïnvloed door A.D. de Groot en R.A.M. Bergman en tevens door het werk van Carnap en Von Bertalanffy.
Publiceerde in boekvorm: Stress in de industrie (1967); Energiegebruik van industriearbeiders (1970); Functional Age of Industrial Workers (1972) en Leesbaarheid (1976). Publiceerde verder ca. 125 artikelen in o.a. De Ingenieur, Ergonomics en vele andere, waaronder tevens populariserende periodieken. Werd in 1976 benoemd tot voorzitter van het bestuur van de Consumentenbond.

Dooren, F.J.P. van, 1921–
Studeerde psychologie aan de Katholieke Universiteit van Nijmegen (1941–1947) bij o.m. Rutten. In 1954 promoveerde hij aan deze universiteit op het onderwerp: Aspecten van de Industriële Sociale Psychologie. In dat jaar werd hij hoogleraar in de sociale en organisatiepsychologie aan de Katholieke Hogeschool te Tilburg. Sinds 1950 was hij daar als lector werkzaam.
Een greep uit zijn wetenschappelijke publikaties: Persoonlijkheid als Uitgangspunt voor de Psychologie toegepast in het Bedrijf (1950); Kennen en Beoordelen van de Arbeidsprestatie (1954); Spanning in de Top (1962); Over Verruiming van de Inhoud van het Personeelsbeleid (1959) (laatste twee titels verschenen in het tijdschrift Sociale Wetenschappen); De Creativiteit van de Ondernemer (1966).

Ex, J., 1922–
Studeerde psychologie te Utrecht (tot halverwege het jaar 1941) en verder te Leuven, waar hij in 1949 zijn doctoraal examen aflegde. Aan de laatste Universiteit studeerde hij bij Albert Michotte. Promoveerde (Nijmegen, 1957) op: Situatie-analyse en sociaal psychologisch experiment. Werd in 1969 benoemd tot hoogleraar te Nijmegen (leeropdracht: massacommunicatie) en in 1972 aan de Erasmus Universiteit te Rotterdam (leeropdracht: bedrijfspsychologie). Houdt zich bezig met sociaal-psychologische experimenten en met interactie-ethologie (met accent op 'kinesics'). Publiceerde over: aanpassing na migratie (1966), culturele academie (1960), relatie tussen personen en communicatie en vele andere onderwerpen.

Graaf, M.H.K. van der, 1914–
Studeerde aan de V.U. te Amsterdam rechten (1934–1939) en psychologie (1934–1941), onder Prof. Waterink. Houdt zich bezig met diverse onderwerpen uit de bedrijfspsychologie, met name problemen in de werkstructurering en organisatie-ontwikkeling. Werd in 1960 benoemd tot buitengewoon hoogleraar in de psychologie van arbeid en organisatie aan de Technische Hogeschool van Delft. Sinds 1972 is hij hier werkzaam als gewoon hoogleraar. Was voorzitter van het college van toezicht van het N.I.P. Schreef recentelijk: Psychologische Aspecten van de Organisatie (1975).

Hoesel, A.F.G. van, 1920–
Studeerde psychologie te Utrecht, doctoraal in 1946. Promoveerde in 1948 (promotor: Prof. Dr. M.J. Langeveld) op: De jeugd die wij vreesden, een bijdrage tot de psychologie en pedagogiek der jeugdige politieke delinquenten. Werd in 1969 benoemd tot hoogleraar aan de Technische Hogeschool Twente; leeropdracht: algemene bedrijfspsychologie. Was van 1945–1947 pedagogisch adviseur heropvoedingskampen voor jeugdige politieke delinquenten. Heeft daarna enige tijd gewerkt bij de Nederlandse Spoorwegen en is in 1949 in dienst getreden bij de Algemene Kunstzijde Unie (AKU) waar hij tot 1962 chef was van de psychologische dienst. Is sinds 1970 adjunct-directeur stafafdeling personeelszaken bij de AKZO. Publiceerde over: politieke delinquenten, de psychologie der Duitse methoden, management development, communicatie in organisaties, etc. Is zeer actief in het onderwijs, vooral onderwijs op het gebied van management development.

Hutte, H.A., 1917–
In 1943 studeerde hij af aan de Universiteit van Amsterdam onder de psycholoog Prof. Révész. Promoveerde in 1953 op: De Invloed van Moeilijk te Verdragen Situaties op Groepsverhoudingen, aan dezelfde universiteit. Is van 1955 tot en met 1976 hoogleraar in de sociale psychologie aan de Groninger universiteit geweest. Hij was van 1955 tot 1970 directeur van het Instituut voor Sociale Psychologie aan deze universiteit. Voelt zich beïnvloed door Emery (tijdens diens werkzaamheden aan het Londense Human Resources Institute), Festinger en Likert. Hield zich bezig met vraagstukken van sociale perceptie, het generatievraagstuk, theorie en methodiek der organisatie-ontwikkeling.
Hij publiceerde onder meer (in) de volgende boeken: De Invloed van Moeilijk te Verdragen Situaties op Groepsverhoudingen (1953); Het Bedrijfsspel als Leersituatie (samen met Van der Woerd, 1965); Sociatrie van de Arbeid (1966); Maatschappelijke Volwassenheid (1968); Moderne Magiërs in het Ochtendgloren (1972). Voorts tijdschriftartikelen,

Als u een bepaald woord hier niet kunt vinden, raadpleeg dan het zoekregister (blz. 3 en verder).

waaronder: Decisionmaking in a Management Game (1965); An Experimental Investigation of the Effect of Unstable Personal Relations in a Group (samen met Festinger, 1954).

Jaspars, J.M.F., 1934–
Studeerde psychologie aan de Rijks Universiteit van Leiden (1955–1961). Studeerde enige jaren in de Verenigde Staten bij Cattell en Kelly. Promoveerde in 1966 in Leiden op het proefschrift: On Social Perception. Was in de periode 1967–1969 lector in de sociale psychologie aan de Rijks Universiteit van Leiden. Hierna een jaar Associate (Fullbright) Professor of Social Psychology aan de Amerikaanse University of Delaware. Werd in 1970 benoemd tot hoogleraar in de sociale psychologie aan de Nijmeegse universiteit. Werd in 1976 benoemd op de 'Algemene Wisselleerstoel Sociale Wetenschappen' aan de Leidse universiteit. Heeft gedoceerd aan de universiteiten van Leuven, Oslo, Konstanz, Jakarta, Stellenbosch. Is momenteel lid van de redactie van het Nederlands Tijdschrift voor de Psychologie; European Journal of Social Psychology. Voorts is hij lid van het Executive Committee of the European Association for Experimental Social Psychology en lid van het Psychology Committee of the British SSRC. Hij is eveneens bestuurslid geweest van het N.I.P. (1966–1968) en voorzitter van de sectie sociale psychologie van het N.I.P. (1963–1967). Heeft zo'n 50 publikaties op zijn naam staan.

Katona, George, 1901–
Amerikaans psycholoog én econoom. Geboren in Hongarije en voor de tweede wereldoorlog in Duitsland werkzaam geweest. Was oprichter van het Survey Research Center aan de Universiteit van Michigan. Hij is de 'vader' van de economische psychologie. Ontwikkelde een attitudeschaal waarmee men consumentenoptimisme en -pessimisme meet. Hiermee poogt men enige economische verschijnselen te voorspellen.
Zie ook: Economische psychologie/Attitudeschaal.

Koene, G.B.M.L., 1926–
Studeerde psychologie aan de Katholieke Universiteit van Leuven (1945–1950) bij A. Michotte en J. Nuttin. Promoveerde (1961, Leuven) op: Een onderzoek naar de determinanten van de beroepsvoorkeur, een bijdrage tot de studie der arbeidsmotieven. Weet zich beïnvloed door het werk van L. Knops en P. (Patricia) Cain Smith. Houdt zich bezig met bedrijfspsychologie, organisatiepsychologie en organisatie in de ziekenhuisverpleging. Werd bij Koninklijk Besluit van 6 sept. 1971 benoemd tot hoogleraar aan de Koninklijke Militaire Academie en aan de Katholieke Hogeschool te Leuven (het laatste tot 1974). Opdracht: organisatie-psychologie. Publiceerde over: beroepsvoorkeur, industriële psychologie, personeelsbeleid, etc. Is intensief betrokken bij het ontwerpen en invoeren van nieuwe verpleegvormen in de Belgische ziekenhuizen. Is lid van het Provinciaal Utrechts Genootschap voor Kunsten en Wetenschappen en is Officier in de Orde van Leopold II.

Likert, Rensis, 1912–
Amerikaans psycholoog. Houdt zich bezig met sociaal wetenschappelijk

onderzoek. Hoogleraar aan de University of Michigan. Hij is ontwerper van de Likert-schaal. Dit is een attitudeschaal, die gebaseerd is op uitspraken, die men een ondervraagde voorlegt. De ondervraagde moet aangeven of hij instemt met de uitspraak of niet.
Zie ook: Likert-schaal/Attitude.

McDougall, William, 1871–1938
Veelzijdig wetenschapper van Engels origine. Heeft zijn voor de psychologie belangrijke werken in de Verenigde Staten geschreven, waar hij hoogleraar was aan o.a. de Harvard universiteit. Heeft de hormische psychologie, een school in de psychologie opgericht. Hij was een der eersten, die gedrag tot sleutelbegrip in de psychologie benoemde. Was voorloper van de sociale psychologie. De meeste van zijn denkbeelden en theorieën zijn achterhaald.
Zie ook: Hormische psychologie.

Meuwese, W.A.T., 1931–
Sinds 1971 is hij hoogleraar in de sociale psychologie aan de Technische Hogeschool van Eindhoven. Studeerde van 1955 tot 1961 psychologie aan de Universiteit van Amsterdam. Voltooide zijn promotie in 1964 aan de faculteit der wis- en natuurkunde van de Amsterdamse universiteit. (Titel: The Effect of the Leader's Ability and Interpersonal Attitudes on Group Creativity under Varying Conditions of Stress.) Heeft invloeden ondergaan van A.D. de Groot (bij wie hij studeerde) en Fiedler. Zijn belangstelling binnen de psychologie gaat uit naar onderwijsresearch, agressie en protestgedrag, omgevingspsychologie.
Publikaties: Onderwijsresearch (1970) en de volgende tijdschriftartikelen: Evaluation Mechanisms for Educational Systems (1971); Some Possible Effects of Educational Technology (1973); On Laboratory Experimentation with Violent Behavior (1973); Psychology and Systems Technology (1975).

Moreno, Jacob Levy, 1892–1972
Amerikaans psycholoog/psychiater. Van huis uit Oostenrijks arts. De technieken sociometrie en psychodrama zijn door hem ontwikkeld. Heeft de psychologie met verschillende termen verrijkt, waaronder bovengenoemde, groepstherapie, encounter groep. Zijn technieken en theorieën worden toegepast bij psychotherapie en bij sociaal-psychologisch onderzoek.
Zie ook: Sociometrie/Psychodrama/Groepstherapie/Encountergroep.

Mulder, M., 1922–
Studeerde psychologie (1945–1951) aan de Universiteit van Amsterdam, o.a. bij G. Révész. Promoveerde (Amsterdam, 1958) op: Groepsstructuur, Motivatie en Prestatie. Is sociaalpsycholoog en houdt zich met name bezig met experimentele sociale psychologie en organisatiewetenschap. De volgende onderwerpen hebben zijn aandacht: organisatie- en groepsstructuren in hun wisselwerking met externe factoren, macht, leiderschap en besluitvorming (participatie), agressie en vriendelijkheid, leerprocessen van mensen en groepen. Ontwikkelde met enkele medewerkers de zgn. 'Algemene Organisatie Beschrijving I', een 42-itemlijst, die een achttal invloedsfactoren (macht en on-macht factoren) meet. Is beïnvloed door het werk van Lewin, Festinger en Emery. Werd in 1960 benoemd tot

buitengewoon hoogleraar aan de R.U. te Utrecht (leeropdracht: sociale psychologie). Is thans hoogleraar aan de Erasmus Universiteit te Rotterdam. Is lid van de Scientific Advisory Group van het European Institute for Advanced Studies in Management te Brussel en lid van de Council for the Quality of the Working Life. Is zeer geïnteresseerd in de integratie van theorie en praktijktoepassing. Publiceerde in boekvorm o.a. over groepen en organisaties, macht, organisatie en management. Daarnaast ca. 50 publikaties in tijdschriften.

Ouweleen, H.W., 1914–
Studeerde aan de Universiteit van Amsterdam wis- en natuurkunde en psychologie. In beide haalde hij in 1940 het doctoraal diploma. Hij studeerde onder Révész. Werd in 1953 aan de toenmalige Nederlandse Economische Hogeschool van Rotterdam benoemd tot buitengewoon hoogleraar in de bedrijfspsychologie. Sinds 1969 geeft hij, als gewoon hoogleraar, colleges bedrijfskunde aan het Interuniversitair Instituut Bedrijfskunde (Leiden/Rotterdam). Hij voelt zich beïnvloed door Argylis. Hij houdt zich bezig met onderwerpen uit de bedrijfspsychologie, sociale psychologie en ergonomie. Voorheen was hij sterk geïnteresseerd in problemen rond personeelsselectie. Prof. Ouweleen schreef een aantal artikelen over o.m. selectiemethoden, sociale aspecten van mechanisering en automatisering.

Peeters, H.F.M., 1931–
Studeerde geschiedenis en psychologie (1952–1960) te Nijmegen en tevens in Parijs (1963), o.a. bij Dr. H. Fortmann en Prof. Dr. S. Strasser. Promoveerde te Nijmegen (1966) op: Kind en Jeugdige in het begin van de Moderne Tijd. Voelt zich beïnvloed door het werk van S. Strasser, N. Elias, L. Febvre en K. Thomas. Houdt zich bezig met historische gedragsleer (studie van het menselijk gedrag-op-de-lange-termijn) en met historische veranderingen in aard en behandelingen van geestesziekten. Werd in 1972 benoemd tot hoogleraar in Tilburg. Leeropdracht: psychologische geschiedenis.
Publiceerde over kind en jeugdige (1966) en mensen veranderen, een historisch psychologische verhandeling (1974). Verder artikelen in Tijdschrift voor de Geschiedenis, Spieghel Historiael, Paedagogica Historica en in International Journal of the History of Education.

Rabbie, J.M., 1927–
Studeerde sociale psychologie (PSF, Universiteit van Amsterdam, 1947–1954) en sociale psychologie en persoonlijkheidsleer (Yale University, USA, 1957–1961). Studeerde in de USA bij Irving Janis en Arthur R. Cohen. Promoveerde (Yale, 1961) op: Factors influencing the magnitude and direction of affiliative tendencies under stress. Houdt zich bezig met: affiliatietheorie, sociale vergelijkingstheorie, intergroepsrelaties en groepsdynamica, organisatiepsychologie en laboratoriumtraining in sociale relaties. Is beïnvloed door het werk van K. Lewin, L. Festinger, H.B. Gerard en R. Zajonck. Werd in 1968 benoemd tot hoogleraar aan de Rijksuniversiteit Utrecht. Leeropdracht: sociale psychologie, in het bijzonder de experimentele sociale psychologie. Publiceerde over: reacties

op cognitieve dissonantie, gedrag in bedreigende situaties, leiderschap, gevolgen van interne en externe conflicten op verhoudingen tussen groepen, etc. Is decaan subfaculteit psychologie aan de Rijksuniversiteit te Utrecht (1974–1976).

Stalpers, J.A., 1922–
Studeerde sociale en economische wetenschappen in Tilburg (1938–1945), verder psychologie aan de Kansas University (Lawrence, Kan. USA) en psychologie aan de R.U. te Leiden (1949–1952). Studeerde o.a. bij R.G. Barker (Kansas University) en bij H. Fortmann, die ook zijn promotor was. Promoveerde in 1964 (Nijmegen) op een cultuurpsychologische studie: Zelfbehoud, Aanpassing en Cultuur. Houdt zich bezig, zowel methodologisch als inhoudelijk, met cultuurbeleid en wetenschap. Is o.a. beïnvloed door het werk van John Newman, Jose Ortéga y Gasset, H. Fortmann en K. Popper. Behoort (zonder dogmatisch te zijn) tot de dialectische en humanistische psychologie. Werd in 1964 benoemd tot hoogleraar aan de Katholieke Hogeschool te Tilburg. Leeropdracht: psychologie en agologie van het sociaal en cultureel werk. Was 7 jaar voorzitter en is nu vice-voorzitter van de Raad voor de Jeugdvorming (CRM), verder vice-voorzitter van het begeleidingscollege van het Sociaal Cultureel Planbureau. Hij is verder lid van de Wetenschappelijke Raad van de Koninklijke Nederlandse Academie van Wetenschappen. Publiceerde tussen 1952 en 1976 ongeveer 190 artikelen en een tiental boeken.

Strien, P.J. van, 1928–
Sinds 1966 hoogleraar in de arbeidspsychologie aan de Rijks Universiteit van Groningen. Studeerde ook aan deze universiteit (1947–1953). Behaalde hier in 1964 de doctorstitel: Problemen van de Bedrijfspsychologische Rapportering. Heeft gestudeerd bij Brugmans en Plessner en voelt zich sterk beïnvloed door Kouwer.
Enige officiële functies in de psychologie: directeur van het Instituut voor Sociale en Bedrijfspsychologie (Groningen), hoofdredacteur van het tijdschrift De Psycholoog (1968–1972), lid van het College van Advies in Beroepsethische Zaken van het Nederlands Instituut van Psychologen (1971–1975). Hield en houdt zich met de volgende onderwerpen bezig: personeelsselectie, arbeidsmotivatie en vervreemding, organisatiepsychologie, kantoortuinen, professionaliseringsproblematiek en beroepsethiek, methodologie en wetenschapstheorie, geschiedenis van de psychologie.
Naast genoemde dissertatie schreef hij o.m.: Kennis en Communicatie in de Psychologische Praktijk (1966); Het Betere Werk (1967); Van Raden-Universiteit naar Open Arbeidsorganisatie (1970, red.); Vervreemding in de Arbeid (1975, red.); Personeelsselectie in Discussie (1976).
Tijdschriftartikelen: Van Psychotechniek tot Maatschappijkritiek (1969); Psychologie van de Inkomensverdeling (1971); Prestatiemotivatie (1972); De Uitblijvende Eeuw van de Psychologie (1972); Maslow's Halve Humanisme (1975); Vorm en Vent in Theorie en Praktijk (1975); Naar een Methodologie van het Praktijkdenken in de Sociale Wetenschappen (1975). Voorts schreef hij talrijke artikelen over professionele problemen van de psycholoog en over kantoortuinen (1972–1974).

Taylor, Frederick Winslow, 1856–1915
Amerikaans ingenieur, die beter bekend is onder de naam Speedy Taylor. Ontwerper van een denkwijze en techniek om fabrieksarbeid efficiënter te maken. Hij onderzocht daartoe alle handelingen van fabrieksarbeiders en bepaalde de tijd die men nodig had om bepaalde dingen te doen. Op deze wijze spoorde hij overbodige activiteiten op. Hij maakte de arbeiders hierop attent. Zij konden hierdoor sneller werken. De produktiviteit nam wél toe, maar de bevrediging van de werkers niet. Er is toenemende kritiek gekomen op de techniek van Taylor (slavenwerk). Taylor wordt als een pionier op het gebied van de bedrijfspsychologie/ergonomie gezien.

Vlist, R. van der, 1937–
Sinds 1975 hoogleraar aan de Rijks Universiteit van Leiden, in de algemene sociale psychologie. Is als socioloog benoemd tot hoogleraar. Hij studeerde van 1958 tot 1963 aan de Rijks Universiteit van Utrecht. Hij specialiseerde zich in methoden en technieken van onderzoek en sociale psychologie. Zijn leermeester M. Mulder heeft invloed op hem gehad, evenals Lewin, Festinger, Emery (F.E.), Trist en Herbst. Houdt zich bezig met organisatiepsychologie, met name sociotechniek, organisatieprincipes en democratisering. Voorts is hij zeer geïnteresseerd in sociale psychologie, met name in de onderwerpen 'risky shift problematiek', leiderschap, autonome groepen en 'veranderkunde'. Bekleedt diverse functies op het gebied van de psychologie: lid Dagelijks Bestuur van de Nederlandse Vereniging van Bedrijfspsychologie, secretaris van de Associatie van Sociaal Psychologische Onderzoekers en voorzitter van de Vakgroep Sociale Psychologie aan de Leidse Universiteit.
Publikaties: Verschillen in Groepsprestaties in de Nederlandse Zeevisserij (dissertatie aan de Utrechtse Universiteit in 1970); Sociaal Wetenschappelijk Onderzoek in de Nederlandse Trawl Visserij (1971); Veranderen zonder Macht in Kleine Groepen (1974).

Vollebergh, J.A., 1925–
Hoogleraar aan de Katholieke Universiteit van Nijmegen (sinds 1968), doceert hier de leer der interne organisatie. Studeerde van 1945 tot 1950 psychologie aan deze universiteit. (O.m. bij Rutten en Oldendorff.) In 1958 promoveerde hij in Nijmegen op: Bijscholing van Volwassenen: een leerpsychologische studie. Is voormalig voorzitter van het College van Advies in Beroepsethische Zaken van het Nederlands Instituut van Psychologen (N.I.P.). Naast zijn hoogleraarschap is hij directeur van de Stichting G.I.T.P. te Nijmegen (Gemeenschappelijk Instituut voor Toegepaste Psychologie). Houdt zich bezig met o.m. organisatievraagstukken, medezeggenschap en democratisering, management development.
Dit blijkt o.m. uit zijn vele publikaties: Menselijke Vrijheid in het Georganiseerde Bedrijf (1960); Creativiteit en Ondernemingsbeleid (1963); Vorming van Volwassenen in een Industriële Wereld (1965); Kennis en Macht (1968); Het Ziekenhuisbestuur (1971); Management Development: een Mogelijke Strategie (1971); Organisatie en Veranderend Leiderschap (1971); De Bedrijfspsycholoog tussen Mensen en Systemen (1972); Leiderschap en Organisatie (onder red. van Drenth, P., Willems en De Wolff, 1973); Ziekenhuis en Ondernemingsraad (1975).

Wentholt, R., 1924–
Studeerde psychologie in Nieuw-Zeeland (University of New Zealand, 1947–1954) bij de etno-psycholoog Ernest Beaglehole. Promoveerde in 1961 te Utrecht (zijn promotor was de socioloog Groenman en zijn co-promotor de psycholoog Duijker). Onderwerp: Kenmerken van de Nederlandse emigrant. Houdt zich bezig met 'environmental' psychologie; verder met de verhouding van organische en transculturele universalia van het menselijk gedrag tot sociale en culturele variabelen. Is verder werkzaam op het gebied van de motivatieleer en de theoretische methodologie. Is beïnvloed door Kant, Margaret Mead, Popper en Tolman, niet zozeer door hun theorieën, maar meer door de wijze waarop zij problemen zien en vragen stellen. Is niet te klassificeren als aanhanger van een bepaalde richting in de psychologie. Voelt zich een generalist en is van mening dat iemand die het menselijk gedrag bestudeert thuis hoort te zijn in de psychologie, zowel als de sociologie en de culturele antropologie. Publiceerde o.a. over buitenlandse arbeiders in Nederland, ras en wetenschap, de binnenstadsbeleving in Rotterdam, motivatie.

Wiegersma, S., 1919–
Studeerde scheikunde (1936–1946, Utrecht en Groningen) en psychologie (1942–1946, Groningen). Studeerde o.a. bij H.J.F.W. Brugmans. Promoveerde (1958, Amsterdam) op: Belangstellingsonderzoek bij de differentiatie na de Lagere School. Voelt zich beïnvloed door het werk van D.E. Super en T. Husén. Houdt zich bezig met arbeidspsychologie (in het bijzonder beroepskeuze en selectie) en onderwijskunde. Werd in 1964 benoemd tot hoogleraar (Universiteit van Amsterdam) met als leeropdracht: arbeidspsychologie. Publiceerde over beroepskeuze, arbeidspsychologie, selectieproblemen, wiskundeonderwijs (met M. Groen), schreef ca. 90 tijdschriftartikelen en ontwikkelde een drietal psychologische tests. Is voorzitter van: RITP, CITO, Nederlandse Vereniging Beroepskeuzewerk en van de Commissie Voorbereiding Herprogrammering Academische Raad en is lid van de Academische Raad (Kroonlid), Commissie Ontwikkeling Hoger Onderwijs en de Raad voor de Beroepskeuzevoorlichting.

Wilke, H.A.M., 1940–
Studeerde psychologie in Utrecht (1963–1967), waar hij werd beïnvloed door M. Mulder. Een jaar na zijn doctoraalexamen verscheen aan deze universiteit zijn dissertatie: Coalitieformatie. Bestudeert diverse sociaal-psychologische onderwerpen: sociaal vergelijkingsgedrag, fysiologische sociale psychologie, attituden, massa-communicatie, beloning en motivatie, simulatie. Zijn leeropdracht aan de Groningse Universiteit (sinds 1973) luidt: sociale psychologie, voornamelijk de experimentele benadering ervan. Hij is redactiesecretaris van het Nederlands Tijdschrift voor de Psychologie, voorzitter van de Associatie van Sociaal-Psychologisch Onderzoek en

Als u een bepaald woord hier niet kunt vinden, raadpleeg dan het zoekregister (blz. 3 en verder).

bekleedt deze functie ook in de Vakgroep Sociale Psychologie van de Rijks Universiteit. Leverde diverse bijdragen aan het Nederlands Tijdschrift voor de Psychologie, Journal of Experimental Social Psychology en European Journal of Social Psychology. Samen met Keers, C. schreef hij: Oriëntatie in de Sociale Psychologie (1971, tweede druk in 1974).

Willems, P.J., 1924–
Studeerde psychologie in Nijmegen (1946–1952). Promoveerde in 1959 (Nijmegen) op: Voorspelbaarheid van studiegeschiktheid voor hoger onderwijs. Werd in 1970 benoemd tot hoogleraar te Tilburg. Leeropdracht: functieleer en technopsychologie. Houdt zich bezig met psychodiagnostiek, ergonomie en procesbesturing.
Publiceerde in boekvorm: Bedrijfspsychologie (met Drenth en De Wolff, 1970), Psychologie van Arbeid en Organisatie (met Drenth en De Wolff, 1973), Ergonomie (met P. van Wely, 2e druk 1973) en Vademecum Ergonomie (met Kellerman e.a., 5e druk 1975). Publiceerde verder vele artikelen in diverse tijdschriften.

Wolff, Ch.J. de, 1930–
Prof. De Wolff bekroonde zijn psychologiestudie (o.a. bij Waterink) aan de Vrije Universiteit in Amsterdam (1947–1953) met een proefschrift over personeelsbeoordeling (1963, V.U.). Werd in 1971 benoemd tot buitengewoon hoogleraar in de psychologie van arbeid en organisatie in Leiden. In 1976 is dit omgezet in een gewoon hoogleraarschap, maar nu in Nijmegen. Hij houdt zich bezig met personeelsselectie, criteriummeting, personeelsbeleid en professionalisering in het kader van de arbeids- en organisatiepsychologie. Hij is hoofd van de Psychologische Dienst van de Hoogovens, lid van het Executive Committee van de International Association of Applied Psychology en voormalig voorzitter van het N.I.P. (1969–1971). Samen met Drenth, P.J. en Willems, P.J. voerde hij de redactie van Bedrijfspsychologie (1971) en Arbeids- en Organisatiepsychologie (1973).

Meer biografische gegevens treft u aan bij de andere basisgebieden. Raadpleeg steeds eerst het zoekregister (blz. 3 e.v.). Daar vindt u een complete lijst van alle begrippen (en persoonsnamen!) die in dit woordenboek voorkomen.
Als er naar uw mening (hier of elders) namen of woorden ontbreken, die volgens u in een volgende druk wel zouden moeten worden opgenomen, dan verzoeken wij u vriendelijk contact op te nemen met de uitgever: Van Loghum Slaterus, Postbus 23 Deventer. Bij voorbaat dank voor de moeite!

Attitudeschaal
Een schaal of vragenlijst waarmee men attituden (= houdingen van mensen) meet.
Zie ook: Attitude.

Bogardus schaal
Een attitudeschaal waarmee men attituden meet jegens personen van bijvoorbeeld een ander ras, godsdienst, nationaliteit e.d. De schaal is genoemd naar de ontwerper. Voorbeeld van een vraag uit deze schaal: zou u een neger tot schoonzoon/-dochter willen hebben? En als buurman? En als lid van uw voetbalclub? etc. Men meet in hoeverre men een neger naast zich duldt. Men gaat stapje voor stapje verder weg van de ondervraagde persoon (hier: van schoonzoon via buurmanschap tot landgenoot).
Zie ook: Attitudeschaal.

Cultuurvrije test
Een test die pretendeert overal in de wereld geldig te zijn. Deze tests zijn meestal non-verbaal. Er zijn dan geen taalproblemen bij deze test.
Zie ook: Test.

Groepsobservatietest
Psychologische test waarbij men tegelijkertijd meerdere personen (een groep) observeert.
Zie ook: Groepstest/Observatietest.

Guttmanschaal
Nogal omstreden en weinig praktische attitudeschaal. De vragen van de schaal vertonen een duidelijke onderlinge samenhang. Kenmerkend is dat iemand die op de eerste vraag een bevestigend antwoord geeft dit ook *moet* doen op alle volgende vragen. Iemand die op de eerste vraag nee zegt en de tweede ja, moet de volgende vragen ook met een ja beantwoorden. Etc. Zo'n schaal is moeilijk te construeren.
Voorbeeld:

uitspraak	*ja*	*nee*
a. De E.G. is de belangrijkste Europese instelling die er ooit is geweest.	...	...
b. De E.E.G. is van zeer groot belang voor de toekomst.	...	...
c. De E.E.G. is een nuttige instelling.	...	...
d. Nederland moet lid van de E.E.G. blijven.	...	...

Zie ook: Attitude/Attitudeschaal.

Image onderzoek
Image (Engels): beeld. Sociaal-wetenschappelijk onderzoek dat als doel heeft na te gaan (te meten) welk beeld iemand heeft van een groep mensen, een bedrijf, een instelling, een stad etc. Dit beeld hoeft niet op kennis te berusten, het kan ook op een gevoel berusten. Image onderzoek wordt nogal eens in de economische psychologie toegepast.
Zie ook: Image.

Likertschaal
Attitudeschaal, genoemd naar de ontwerper, de Amerikaan Likert (spreek uit: likkert). De eenvoudigst attitudeschaal. De kern is dat de onderzochte of ondervraagde personen uitspraken moeten beoordelen aan de hand van de keuzemogelijkheden: helemaal mee eens/mee eens/niet mee eens, maar ook niet mee oneens/oneens/helemaal oneens.
Zie ook: Attitude/Attitudeschaal/Likert.

Niet-cultuurvrije test
Een test, die alleen binnen een bepaalde cultuur kan worden gebruikt. Cultuurgebonden test.
Zie ook: Cultuurvrije test.

Niet-verbale niveau test
Test waarbij verbale factoren (spreken) geen rol spelen. Psychologische test die intelligentie meet bij analfabeten, vreemde volkeren (taalproblemen!) en doven. De instructie voor deze test is niet-verbaal (gebarentaal).
Zie ook: Intelligentie.

Omnibusonderzoek
Onderzoekvorm in het marktonderzoek. Een groot aantal verschillende onderzoeken worden gebundeld tot één onderzoek. Hiervoor wordt één steekproef getrokken. Bijvoorbeeld: men vraagt één groep proefpersonen naar hun mening over een (groot) aantal verschillende produkten.
Zie ook: Marktonderzoek/Steekproef.

Opiniepeiling
Het meten van opinie(s) (meningen) bij een (grote) groep personen. Bijvoorbeeld: het meten van de opinie van de Nederlandse bevolking over het toelaten van landen tot de E.E.G. Dit gebeurt aan de hand van een representatieve steekproef uit de Nederlandse bevolking.
Synoniemen: Poll/Enquête.
Zie ook: Opinie/Representatieve steekproef.

Panel
Een representatieve groep (veelal huisvrouwen) die in de economische psychologie dient om het economische gedrag te kunnen bestuderen. Een vaste langdurig bestaande steekproef. Bij panelonderzoek noteren de deelnemers bijvoorbeeld hun aankopen in een soort dagboek.
Zie ook: Economische psychologie/Gedrag/Representatieve steekproef.

Poll
Een Engelse term, vaak gebruikt als synoniem voor opiniepeiling.
Synoniemen: Opiniepeiling/Enquête.
Zie ook: Steekproef/Opiniepeiling.

Projectieve vraag
Soort vraag die o.a. in attitudevragenlijsten voorkomt. Men hoopt hierbij een antwoord van de ondervraagde te krijgen dat eigenlijk op *hem* betrekking heeft, terwijl de vraagstelling op *anderen* slaat. Voorbeeld: Wat denkt u dat de meeste Nederlanders vinden van Surinamers? (Niet wat vindt *U*...... etc.) Doel van dit soort vragen is eerlijker en betrouwbaarder antwoorden te krijgen. Men neemt aan, dat de ondervraagde *zijn* meningen en ideeën op anderen projecteert (en dat gebeurt ook vaak).
Zie ook: Attitude.

Raven Progressive Matrices Test
Een bekende cultuurvrije psychologische test. Zij bestaat uit een aantal platen, waarop figuren zijn afgebeeld. Een deel van de figuren op de platen ontbreekt. De geteste persoon moet een keuze maken uit een aantal figuren die op de lege plaats passen. Slechts één figuur hiervan past. De test meet logisch denken. (De test is ontwikkeld door de psycholoog Raven; de figuren heten matrices.)
Zie ook: Cultuurvrije test.

Selectietest
Psychologische test die gebruikt wordt bij het selecteren van personen voor allerlei functies. Op basis van de testresultaten worden mensen aangenomen of afgewezen.
Zie ook: Test.

Social Desirability Variable
Letterlijk (Engels): sociale-wenselijkheidsvariabele. Een belangrijke variabele bij persoonlijkheidstests en bij tests met attitudeschalen. Ondervraagden geven vaak antwoorden, die sociaal wenselijk zijn. Dit zijn echter niet altijd de antwoorden die de ondervraagden zouden geven wanneer ze eerlijk zouden zijn.
Voorbeeld: men geeft niet graag als antwoord op dat men voorstander is van de herinvoering van de doodstraf, of van apartheidspolitiek. (Sommige ondervraagden doen dat echter juist wel!)
Zie ook: S.D.-sleutel.

Strong Vocational Interest Blank
Een door de Amerikaanse psycholoog Strong ontworpen psychologische test (afkorting S.V.I.B.) die interesse meet. Basis van de test is dat elke beroepsbeoefenaar bepaalde interesses heeft, die niet of in meerdere of mindere mate voorkomen bij andere beroepsgroepen. Voorbeeld: timmerlieden zullen andere interesses hebben dan accountants of landbouwers. Deze test wordt gebruikt in de praktijk van de beroepskeuzepsycholoog.
Zie ook: Test/Beroepskeuzepsychologie.

Survey Methode
Survey (Engels) = overzicht.
Methode in het sociaal-wetenschappelijk onderzoek die men met behulp van grote steekproeven verricht. Het gaat er om een overzicht te krijgen van een groter gebied van meningen etc. Voorbeeld: een studie van de veranderingen van meningen van het Nederlandse volk over ontwikkelingshulp in de periode 1960–1970.

S.V.I.B.
Afkorting van Strong Vocational Interest Blank.
Zie ook: Strong Vocational Interest Blank.

Thurstoneschaal
Attitudeschaal, genoemd naar de ontwerper de Amerikaanse psycholoog Louis Thurstone. Het ontwerpen van deze schaal vraagt veel tijd. Bij deze test moet de ondervraagde een twintigtal uitspraken beoordelen ('mee eens' of 'niet mee eens).
Voorbeeld:

uitspraak	*mee eens*	*niet mee eens*
a. beroepsvoetbal is het belangrijkste vertier voor de moderne mens	...	...
b. wanneer ik naar een voetbalwedstrijd ga is de sfeer in het stadion steeds goed	...	...
c. ik heb een hekel aan het harde spel en de mentaliteit van de spelers	...	...

Zie ook: Thurstone/Attitude/Attitudeschaal.

Transcultureel onderzoek
Elk onderzoek dat (tegelijkertijd) in verschillende culturen wordt gehouden. Het doel is verschillende culturen met elkaar of met de eigen cultuur te vergelijken. Voorbeelden: eetgewoonten van Papoea's vergelijken met die van Nederlanders. Omgang tussen leerlingen in Griekenland en Zweden bestuderen.

Waardentest
Soort attitudetest, waarmee men meet welke waarden een persoon aan aspecten van het leven, de maatschappij etc. toekent.
Zie ook: Attitudeschaal.

Aliënatie
Letterlijk: vervreemding.
Zie ook: Vervreemding.

G
Afkorting van gedrag, symbool voor gedrag.
Zie ook: Gedrag.

Gedragsdeterminanten
Determineren = bepalen.
Factoren van allerlei aard die het gedrag kunnen beïnvloeden. Voorbeeld: klimaat, leeftijd, situatie etc.

Gedragsleer
Een van de vijf basisgebieden van de psychologie. De gedragsleer probeert kennis te verwerven van het menselijk gedrag, zoals dit voortvloeit uit de *totale situatie*. Binnen de gedragsleer bestudeert men o.m.: attituden, groepen, normen. Gedragsleer is een ruimer begrip dan sociale psychologie.
Zie ook: Sociale psychologie/Attitude/Groep/Norm/Basisgebieden van de psychologie.

Gedragspsychologie
Naam voor de (moderne) psychologie die zich bezighoudt met de studie van het gedrag. Dit in tegenstelling tot de oudere psychologie van Wundt die het bewustzijn bestudeerde. De psychologie van Wundt noemt men bewustzijnspsychologie.
Zie ook: Gedrag/Bewustzijn/Bewustzijnspsychologie.

Godsdienstpsychologie
Een specialisme binnen de psychologie van hoofdzakelijk theoretische aard. Men bestudeert het gedrag van de mens als gelovige (of juist als ongelovige). Men bestudeert de invloed van de religie op de mens en andersom.
Zie ook: Pastorale psychologie.

Halo-effect
Halo is een lichtkrans, stralenkrans (om het hoofd). De neiging om een ander te hoog of te laag te beoordelen, uitsluitend door de aanwezigheid van één bijzonder opvallend kenmerk.

Als u een bepaald woord hier niet kunt vinden, raadpleeg dan het zoekregister (blz. 3 en verder).

Hormische psychologie
Een school in de psychologie die eigenlijk uit één man bestond: de uit Engeland afkomstige Amerikaan McDougall. Fundamenteel voor de school waren de termen instinct en doel. De school heeft relatief weinig invloed uitgeoefend.
Zie ook: Scholen in de psychologie/McDougall/Propensities.

Mensenkennis
De capaciteit van sommige mensen om anderen snel door te hebben, te begrijpen e.d. Het heeft niets te maken met wetenschappelijke psychologie. Het is een (prettige) eigenschap. Het is niet duidelijk hoe men deze zou kunnen verwerven (soms: ervaring) of waaruit zij bestaat.

Milieu
Omgeving van waaruit men komt (dorps of stedelijk bijvoorbeeld).
Omgeving waarin men verkeert (misdadig milieu).

Pastorale psychologie
Specialisme binnen de psychologie dat zich voornamelijk bezighoudt met de praktijk van de relatie tussen de gelovige (kerklid) en de pastoor/priester e.d. Het is te beschouwen als een soort 'toegepaste klinische en sociale psychologie' op dit specifieke terrein. De pastorale psychologie wordt door 'zieleherders' in de praktijk beoefend.
Zie ook: Godsdienstpsychologie.

Psychologische druk
Een term uit de spreektaal. Men bedoelt zoiets als de ontastbare, geestelijke druk die op iemand wordt uitgeoefend, of waar iemand aan is blootgesteld. (Hij moet werken onder een zware psychologische druk.) Het is eigenlijk een wat onduidelijke term.

Psychologische oorlogsvoering
Het gebruik maken van beïnvloedende middelen om het moreel van de tegenstander te verminderen. Voorbeeld: het droppen van demoraliserende pamfletten ('jullie kunnen hier in de frontlijn creperen, terwijl jullie bazen lekker veilig zitten'. Of: 'jullie zitten aan het front: met wie vrijt je vrouw nu?'). Komt ook in niet-oorlogssituaties voor.

Ras
Een indeling van de mensheid, die uitsluitend berust op erfelijke lichamelijke kenmerken. Niet op psychologische kenmerken. Er zijn enkele hoofdrassen en vele subrassen. Ras zegt ons *niets* over iemands eigenschappen, capaciteiten, attituden etc.

Self Fulfilling Prophesy
Letterlijk (Engels): zichzelf waarmakende voorspelling. Een gedane voorspelling komt uit, dankzij het doen van die voorspelling, de publikatie hiervan. Voorbeeld: de Minister van Onderwijs voorspelt dat het aantal studenten aan universiteiten af zal nemen. Omdat de Minister dit zegt (en hij is een autoriteit op dit gebied) denken toekomstige studenten dat er wel een

reden voor deze vermindering zal zijn. Velen besluiten daarom maar niet te gaan studeren... De voorspelling komt dus uit!

Situatie
Het geheel van factoren die op een bepaald moment het gedrag bepalen.
Zie ook: Gedrag.

Situationele equivalentie
Equivalent = gelijkwaardig.
Situaties die vanuit psychologisch oogpunt volkomen gelijk zijn en tot hetzelfde (soort) gedrag leiden. Deze situaties hoeven objectief gezien niet gelijk te zijn.
Zie ook: Situatie.

Sociale psychologie
Een deelgebied van de gedragsleer. Men bestudeert in de sociale psychologie de mens in relatie tot andere mensen. De sociale psychologie vertoont verwantschap met de sociologie.
Zie ook: Gedragsleer/Sociologie.

Sociofarmacologie
De studie van de gevolgen die geneesmiddelen of drugs hebben op groepen, personen en organisaties. Voorbeeld: verandert een schoolklas doordat de helft van de leerlingen drugs gebruikt? Welke invloed heeft marijuanagebruik op een Amerikaanse Indianenstam?

Sociologie
Een studiegebied, dat evenals de psychologie deel uitmaakt van de sociale wetenschappen. Onderwerpen van de sociologie zijn onder andere maatschappelijke structuren, groepen, ontwikkelingen in de maatschappij, rollen, posities, etc.
Zie ook: Sociale psychologie.

Socionomie
De wetenschap die bestudeert welke invloeden niet-sociale factoren (zoals klimaat, landstreek) hebben op (sociaal) gedrag.

Vervreemding
Proces van afstand nemen van anderen, instellingen, arbeid, organisaties. Men vindt geen aansluiting meer. Men komt los te staan.
Synoniem: Aliënatie.

Verwachting
Een in de sociologie en gedragsleer veel gebruikt begrip. Een opvatting over hoe een ander zich zal gaan gedragen.

Alternatieve norm
Een norm die men naar keuze kan hanteren, maar die niet algemeen wordt erkend als geldend voor iedereen. Voorbeeld: het dragen van een das. Normen ontstaan vaak in groepen. Groepsleden houden zich meestal aan die normen. Alternatieve normen hoeft men echter niet per se te onderschrijven.
Zie ook: Norm.

Androcentrisch
Anèr (Grieks) = man.
De man als centrum van bijvoorbeeld een gezin, cultuur. Het tegengestelde is gynocentrisch.
Zie ook: Gynocentrisch.

Anomie
Letterlijk: zonder norm.
Normloos gedrag. Het afwezig zijn van normen.
Zie ook: Norm.

Assimilatie
Assimileren = gelijkmaken.
De versmelting van een kleine groep met een grotere. De kleine groep wordt geleidelijk in de grote opgenomen. Door dit sociale proces 'verdwijnen' soms minderheidsgroepen in een bevolking of een cultuur.

Autocratisch leiderschap
Een vorm van leiderschap waarbij de leider erg veel macht heeft en waar inspraak/medezeggenschap vrijwel geheel afwezig is.
Zie ook: Leiderschap.

Commune
Samenlevingsvorm van meerdere mannen, vrouwen en soms kinderen.

Deïndividualisering
Een streven (van een groep, organisatie of regering) om personen zoveel mogelijk van hun eigen identiteit te ontdoen. Dit komt voor in legers (persoonlijke kenmerken verdwijnen, men draagt uniformen), concentratiekampen (men wordt kaal geschoren, krijgt een nummer in de huid gebrand – de naam doet er niet toe) en in psychologische isolatie-experimenten.

Democratisch leiderschap
Een vorm van leiderschap waarbij de leiding inspraak/medezeggenschap toestaat en waar de atmosfeer mild en plezierig is.
Zie ook: Leiderschap.

Democratisering
Proces waarbij betrokken personen in de besluitvorming worden gekend en waarin zij medezeggenschap hebben. Voorbeeld: de democratisering op de universiteiten.

Dyade
Een groep die uit twee personen bestaat. Dit is de kleinst mogelijke groep.
Zie ook: Groep.

Endogamie
Gamein (Grieks) = huwen, trouwen.
Een gewoonte bij sommige culturen, volkeren, stammen etc. om uitsluitend huwelijken goed te keuren, tussen leden van de(zelfde) stam, volk, kaste etc.
Zie ook: Exogamie.

Exogamie
Een gewoonte bij sommige culturen, volkeren, stammen, etc. om de stamgenoten uitsluitend te laten trouwen met een partner van buiten de stam. Het tegengestelde van endogamie.
Zie ook: Endogamie.

Extended family
Letterlijk (Engels): 'uitgebreid gezin'. Een gezin, dat bestaat uit meer familieleden dan alleen ouders met hun kinderen, bijvoorbeeld ooms, tantes, grootouders en neven en nichten. In moderne westerse landen komt de extended family bijna niet meer voor.

Face to face group
Face to face (Engels): van aangezicht tot aangezicht. Groep waarvan de leden elkaar zeer vaak zien.
Synoniem: Primaire groep.
Zie ook: Primaire groep.

Formeel leider
Leider van een groep die officieel is aangesteld (of die zichzelf als leider heeft aangesteld). Voorbeelden: eigenaar, schipper, majoor, voorzitter, Eerste Minister. Maar ook: dictator.
Zie ook: Leiderschap.

Formele norm
Een norm, een regel die is vastgelegd in bijvoorbeeld wetten, codes, reglementen en dergelijke.
Zie ook: Norm.

Georganiseerde groep
Een groep waarin enige structuur aanwezig is. Zo'n groep wordt gekenmerkt door de aanwezigheid van leiders, vertegenwoordigers van subgroepen, regels, normen etc. Men gebruikt de term tegenover de begrippen menigte, massa, ongeorganiseerde groep.
Zie ook: Groep.

Gesloten groep
Groep die geen (nieuwe) leden (meer) toelaat.
Zie ook: Open groep.

Groep
Een in de sociologie en de gedragsleer zeer veelvuldig gebruikt begrip:
1. Twee of meer personen die aan de volgende voorwaarden voldoen:
a. De relaties tussen de leden zijn onderling afhankelijk; het gedrag van het ene lid beïnvloedt het gedrag van de andere leden.
b. De leden delen een ideologie.
2. Een verzameling van individuen die sommige karakteristieken gemeen hebben en die een gemeenschappelijk doel nastreven.
Zie ook: Ideologie.

Groepsactiviteit
De werkzaamheden die (gemeenschappelijk) door de groepsleden worden uitgevoerd. Deze werkzaamheden verlopen meestal via allerlei regels en zijn gebonden aan allerlei patronen. De positie van een bepaald lid bepaalt de activiteiten (soort, hoeveelheid) van dat lid.
Zie ook: Groep.

Groepscohesie
Cohesie = samenhang.
De mate van aantrekkingskracht van een groep voor zijn leden.
Zie ook: Groep.

Groepsdynamica
Een studiegebied waarvan het studieonderwerp de groep is. Het behelst het onderzoek naar de aard van groepen, de 'wetten' van de ontwikkeling van groepen en de relaties van groepen met individuen, andere groepen en grotere gehelen (instellingen).
Zie ook: Groep.

Groepsfunctie
De functie of zin die een groep heeft voor de leden. Men wordt lid van een groep:
1. Omdat de groep zelf behoeften bevredigt;
a. door de mensen in de groep (bijvoorbeeld een studentenclub of een ander soort gezelligheidsvereniging);
b. door de activiteiten van de groep (bijvoorbeeld een sportclub);
c. omdat de groep een doel heeft dat mensen aantrekt (bijvoorbeeld een vereniging voor het beschermen van dieren of monumenten).
2. Omdat lidmaatschap van de groep een manier is om behoeften te bevredigen die buiten de groep liggen. Voorbeeld: Men kan lid worden van

Als u een bepaald woord hier niet kunt vinden, raadpleeg dan het zoekregister (blz. 3 en verder).

een bepaalde prestigeuze club waardoor men ook buiten de club allerlei voordelen heeft: Rotary club.
Zie ook: Groep/Groepsactiviteit.

Groepsideologie
De heersende ideologie binnen een groep of organisatie.
Zie ook: Ideologie.

Groepsleiding
Zie ook: Leiderschap.

Groepsnorm
Een norm die in een bepaalde groep geldt en niet daarbuiten.
Zie ook: Norm.

Groepsstructuur
De opbouw van een groep, met subgroepen, leiders, onder-leiders, (souschefs), volgers, e.d.
Zie ook: Groep.

Groepswaarden
Meningen in een groep over datgene wat men goed vindt en datgene wat men niet goed of slecht vindt.
Zie ook: Groep.

Gynocentrisch
Gunè (Grieks) = vrouw.
De vrouw als centrum van bijvoorbeeld een gezin, cultuur. Het tegengestelde is androcentrisch.
Zie ook: Androcentrisch.

Ideologie
Het geheel van waarden en normen dat het gedrag tussen individuen reguleert.
Zie ook: Norm/Gedrag.

Informeel leider
Leider van een groep die niet officieel benoemd is. Hij is leider vanwege prestige, ervaring, ouderdom, sympathie e.d. Voorbeeld: leider van een groep spelende jongens.
Zie ook: Formeel leider/Leiderschap.

Informele norm
Een norm, een ongeschreven regel over hoe men zich moet gedragen.
Voorbeeld: als heer helpt men een dame in haar jas.
Zie ook: Norm.

Inwijdingsrite
Inlijvingsceremonie van de nieuweling, die in een groep wordt opgenomen. Deze plechtige ceremonie komt o.a. voor bij studentenverenigingen (de

zogenaamde ontgroening) maar ook bij allerlei stammen (indianen, negers, papoea's etc.).

Laisser-faire 'leiderschap'
Laisser-faire (Frans) = laten gaan.
Een vorm van leiderschap waarbij de leiding eigenlijk niet bestaat. De leiding geeft geen richting, geen regels en geen verboden.
Zie ook: Leiderschap.

Leiderschap
1. Het uitoefenen van gezag, het geven van leiding aan een groep personen.
2. De verzameling van persoonlijkheidstrekken waardoor iemand personen kan leiden en eventueel een groep kan controleren.

Leiders hebben o.a. de volgende functies:
- uitvoerder (werkzaamheden delegeren);
- planner (toekomst van groep aangeven);
- expert in aantal belangrijke zaken;
- vertegenwoordiger van groep naar buiten;
- controleur van groepsleden;
- rechter (deelt straffen uit, maar ook beloningen);
- symbool en lichtend voorbeeld (Mao Tse Tung);
- ideoloog;
- vervanger van persoonlijke verantwoordelijkheid.

Life style
Letterlijk (Engels): levensstijl. De kenmerkende manier van leven van een persoon of een groep personen. Deze kenmerken komen tot uiting in taalgebruik, kleding, activiteiten, haardracht, bezit etc.

Machtshiërarchie
Een onderscheid in hoog en laag bij groepsleden. Sommige leden hebben veel macht, andere minder, weer anderen weinig of geen. De macht is verdeeld. Binnen een groep kunnen een formele *en* een informele machtshiërarchie bestaan. Formeel: directeur van het restaurant, chef-kok, sous-chef, leerling-kok. Informeel: sous-chef, chef-kok, directeur, leerling-kok.

Massapsychologie
Een nogal vaag omschreven deelgebied van de psychologie. Men houdt zich binnen dit deelgebied bezig met het bestuderen van het gedrag van menigten, massa's of los-georganiseerde groepen.

Matriarchaat
Mater (Latijn) = moeder.
1. Gezin, familie, commune, waar de vrouw de meeste macht uitoefent.
2. Een maatschappij waarin de erfopvolging langs vrouwelijke (moeder/dochter) lijn verloopt en niet via de mannelijke lijn.

Miscegenatie
Huwelijk of samenleving van twee personen van verschillend ras.

Monogamie
Monos (Grieks) = alleen, enige, enkel.
Huwelijk- of samenlevingsvorm tussen één man en één vrouw.

Norm
Een gedragsregel (geschreven of ongeschreven) die aangeeft hoe men zich in situaties wel en niet dient te gedragen.

Ongeorganiseerde groep
Groep waarin een formele structuur ontbreekt. Een massa of menigte mensen is een ongeorganiseerde groep. Zo'n groep kent geen leiders, normen of waarden.
Zie ook: Groep.

Open groep
Elke groep die openstaat voor nieuwe leden. Het tegengestelde is een gesloten groep, die geen (nieuwe) leden aanneemt.
Zie ook: Groep.

Outgroup
Letterlijk (Engels): buitengroep.
Elke groep waarvan men niet lid is of deel uitmaakt. Een 'outgroup' kan een referentiegroep zijn.
Zie ook: Groep/Referentiegroep.

Polyandrie
Polus (Grieks) = veel; anèr (Grieks) = man.
Huwelijks- of samenlevingsvorm waarbij één vrouw meerdere mannen heeft.

Polygamie
Huwelijk- of samenlevingsvorm van één man met meerdere vrouwen, of één vrouw met meerdere mannen.

Polygyny
Gunè (Grieks) = vrouw.
Huwelijks- of samenlevingsvorm tussen één man en meerdere vrouwen.

Pressiegroep
Groep personen die druk op iemand of een organisatie uitoefenen teneinde hun wensen/verlangens kracht bij te zetten. Het kan om een kleine groep gaan met een aantal kenmerken, maar ook om een losse verzameling personen, die een gemeenschappelijk kenmerk heeft (bijvoorbeeld ijveren voor belastingverlaging).
Synoniem: Pressure group.

Pressure group
Het Engelse woord voor pressiegroep.
Zie ook: Pressiegroep.

Prestigehiërarchie
Sommige personen in een bedrijf of organisatie hebben door hun vakkennis en hun ervaring een groot prestige opgebouwd. Dit hoeft niet parallel te lopen met hun rang: deze mensen kunnen erg laag op de machtshiërarchische ladder staan. Toch zal iedereen rekening houden met deze personen, al was het alleen maar omdat men vaak niets gedaan krijgt zonder hun medewerking.
Zie ook: Machtshiërarchie.

Primaire groep
Een kleine groep waarin men elkaar regelmatig ziet en waar de contacten intiem zijn. Het gezin is een primaire groep bij uitstek.
Synoniem: Face to face group.
Zie ook: Groep.

Psychegroep
Een groep die gebaseerd is op de persoonlijke relaties van de leden onderling. De groep steunt op wederzijdse vriendschap.

Referentiegroep
Een groep waaraan het individu zich refereert. Dit is een groep waarvan men graag lid zou willen zijn of waarvan men met veel genoegen (vrijwillig) lid is. Het is niet noodzakelijk dat men zich refereert aan de groep waartoe men werkelijk behoort. Voorbeeld: personen die graag in artistieke kringen verkeren. Zelf zijn zij geen artist. Of: iemand die zich gedraagt als een student zonder zelf student te zijn.

Scapegoating
Scapegoat (Engels) = zondebok.
Het (agressief) afreageren van gevoelens (van agressie) op een persoon of een groep, die eigenlijk niets te maken heeft met het object van deze gevoelens (van agressie). De agressie wordt verplaatst naar onschuldige personen. (Voorbeeld: schooljongen die, ten onrechte, overal van wordt beschuldigd. Bevolkingsgroep de schuld geven van economische malaise.)

Sociale aanpassing
Het aanpassen aan de sociale omgeving, aan de medemensen. Ook: het aanpassen aan de groepen waarvan men lid is, aan de normen en waarden van de buurt waarin men woont etc.

Sociale controle
De controle die leden van een groep op elkaar uitoefenen om ervoor te zorgen dat de groep haar normen en waarden behoudt en niet uit elkaar valt. Deze controle is vaak 'onzichtbaar' voor de buitenstaander. Zij kan bijvoorbeeld bestaan uit afkeurende blikken.

Sociale organisatie
Een geheel van rangen, posities, taken en functies.

Sociale stratificatie
Letterlijk: sociale gelaagdheid.
Structuur van de gelaagdheid van groepen ten opzichte van elkaar.
Voorbeeld: artsen plaatst men in een hogere sociale 'laag' dan bakkers.
Synoniem: Stratificatie.

Socialisatie
Een proces waarbij het individu de normen, de waarden, de gewoonten en de zeden van een bepaalde cultuur of groep leert en overneemt.
Zie ook: Norm/Cultuur.

Sociogroep
Een groep mensen die bij elkaar zijn om met elkaar samen te werken.
Meestal een groep met een duidelijk omschreven (soms eenmalig) doel.
Zie ook: Groep.

Speciale norm
Een norm die alleen geldt voor bepaalde groepen in de maatschappij (bijvoorbeeld militairen, monniken, popzangers).
Zie ook: Norm/Maatschappij.

Stereotype
Een niet op ervaring berustende, binnen een sociale groepering algemeen voorkomende opvatting over een categorie personen. (Voorbeeld: Amsterdammers zijn brutaal.)
Zie ook: Groep.

Stratificatie
Letterlijk: gelaagdheid.
Zie ook: Sociale stratificatie.

Subgroep
Deel van een groep, soms met bepaalde kenmerken die niet in de grotere groep voorkomen.

Taboe
Eigenlijk: verbod (verboden aan te raken), taboe is een Polynesische term.
In breder verband: verbod wat betreft bepaalde, meestal geheiligde voorwerpen of regels in een samenleving, of in een godsdienst. Voorbeeld: in West-Europa is het taboe om grapjes te maken over kanker, de dood, de Paus, de Koningin (in bepaalde groepen) etc.

Tetrade
Tetra (Grieks) = vier.
Groep die uit vier personen bestaat.

Totem
Een voorwerp, plant of dier dat vereerd wordt als symbool van de groep, stam of maatschappij. De totem zou onheil afweren. De totem komt voor in primitievere samenlevingen, (maar ook in 'moderne': de totem van een regiment, een stad, een land, etc.).

Triade
Treis (Grieks) = drie.
Groep die uit drie personen bestaat.

Universele norm
Een norm die voor iedereen geldt in een bepaald gebied of bepaalde cultuur.
Voorbeeld: niet naakt op straat lopen, gij zult niet doden, help zwakkeren (ouderen, kinderen).
Zie ook: Norm/Cultuur.

Waarde
Concrete of abstracte zaak die iemand of een groep belangrijk vindt.
Voorbeeld: waarde hechten aan een democratisch bestel, aan het met mes en vork eten, aan vaderlandsliefde etc. Waarden zijn niet 'vast', zij kunnen in de tijd veranderen. Waarden die in Nederland gelden, hoeven niet in Griekenland te gelden.

Walden Two
De titel van een door de Amerikaanse psycholoog Skinner geschreven roman. Hij beschreef hierin een ideale levensvorm, een commune, die gebaseerd is op principes van het Behaviorisme. De hieruit voortgekomen commune Walden Two bestaat overigens nog steeds, hoewel een aantal principes van Skinner niet toepasbaar bleken.
Zie ook: Skinner/Behaviorisme.

Als u een bepaald woord hier niet kunt vinden, raadpleeg dan het zoekregister (blz. 3 en verder).

Basisgebied:
Gedragsleer

Sectie:
Attituden

Attitude
Letterlijk (Engels): houding. Een relatief stabiele en langdurige geneigdheid om zich op een bepaalde manier te gedragen of te reageren wat personen, objecten, instellingen of onderwerpen betreft.

Cognitieve dissonantie
Cognitie = kennende functies, denken, leren etc. Dissonant = wanklank, niet overeenstemmend, niet samengaand.
Toestand van een persoon, die niet met elkaar verenigbare ideeën, attituden, gevoelens ondervindt. De persoon zal trachten hierin verandering te brengen.
Zie ook: Consistentietheorie.

Consistentietheorie
Consistentie = samenhang.
De door de Amerikaan Festinger gelanceerde theorie die stelt dat iemands ideeën, attituden, gevoelens en gedragingen consistent (samenhangend, verenigbaar) moeten zijn. Wanneer dit niet het geval is spreekt men van cognitieve dissonantie. Volgens de theorie streeft men ernaar deze dissonantie zo snel mogelijk op te heffen.
Zie ook: Cognitieve dissonantie.

Opinie
(Subjectieve) mening, die al dan niet op kennis gebaseerd is.

Sentiment
1. Synoniem van attitude. Deze term wordt vooral in de Verenigde Staten gebruikt. Zoals bij consumer sentiments: attituden jegens de Amerikaanse economie, zoals die leven bij consumenten.
2. Neiging om emotioneel te reageren ('sentimenteel persoon').
3. Aangenaam gevoel.
Zie ook: Attitude.

Vooroordeel
Een attitude die niet berust op kennis, maar op meestal onjuiste denkbeelden en/of gevoelens. Deze attitude is zeer stabiel. Vrijwel nooit is iemand van deze attitude af te brengen door logische argumenten.
Voorbeeld: vooroordeel jegens negers bij iemand die zelden of nooit een neger heeft gezien of er mee te maken heeft.

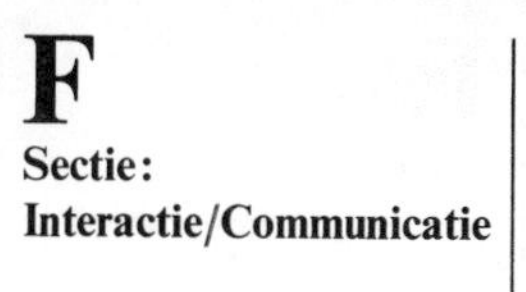

Communicatie
(Stroom van) informatie van de ene persoon naar de andere(n). Elke mededeling, elk bericht of nieuwtje kan als communicatie worden aangemerkt, wanneer de mededeling voor een ander bestemd is of door een ander wordt opgemerkt. Wanneer de communicatie voor zeer veel personen bestemd is, spreekt men van massacommunicatie. Communicatie behoeft niet noodzakelijkerwijze uit woorden te bestaan. Zij kan ook bestaan uit gebaren, gelaatsexpressies, lichaamsbewegingen. Men spreekt dan van non-verbale communicatie.
Zie ook: Massacommunicatie.

Encounter group
Letterlijk (Engels): ontmoetingsgroep. Een groep mensen die bij elkaar komt om hun eigen gedrag ten opzichte van anderen en hun relaties met anderen (beter) te leren kennen en te verbeteren. Meestal kennen de deelnemers van zo'n groep elkaar bij de aanvang niet. Een encounter group staat meestal onder leiding van een psycholoog.
Zie ook: Sensitivity training/T-group.

Expressieve dispositie
Een soort interpersona. response trait; de stijl van het interpersoonlijk functioneren. Voorbeeld: mensen die in elk interpersoonlijk contact agressief reageren.
Zie ook: Dispositie/Interpersonal response trait/Trait.

Functioneel contact
Een soort interpersonal response trait; de stijl van het interpersoonlijk zien als vervuller van een bepaalde functie (voorbeeld: kelner-cliënt, agent-weggebruiker). Het schept een zekere afstand tussen beide personen in tegenstelling tot persoonlijk contact.
Zie ook: Persoonlijk contact.

Institutionalisatie
Het proces van structurering der interacties en communicaties door cultuurvorming en vice versa. Voorbeeld: het huwelijk is een 'instituut' geworden in de loop der eeuwen. Het is vastgelegd in wetten en in formele regels. Andere 'instituten' of 'instituties': Rotary Club, het verkeerswezen (met alles wat daarbij hoort), het onderwijs, de vakbond etc.

Interactie
Een relatie waarbij personen elkaar kunnen beïnvloeden.

Interactiesituaties
Situaties waarbij mensen met elkaar omgaan en elkaars gedrag (sterk) beïnvloeden door hun eigen gedrag.
Zie ook: Interactie.

Interpersonal response trait
Letterlijk (Engels): interpersoonlijke antwoordtrek. (Afkorting: I.R.T.) Gedragsgeneigdheden die tussen personen bestaan. Geneigdheid om op een bepaalde manier te reageren op andere personen.

Interpersoonlijke waarneming
Het waarnemen van anderen, het waarnemen van elkaar. Dit is niet alleen een ander *zien*, maar ook de handelingen van een ander *interpreteren*. Iemand die op straat loopt *zien* we lopen, maar hij doet meer, *concluderen* wij: hij winkelt, doet boodschappen, loopt gejaagd, ontmoet (kennelijk) aardige mensen e.d.
Zie ook: Perceptie.

I.R.T.
Afkorting van Interpersonal Response Trait.
Zie ook: Interpersonal Response Trait.

Life space
Letterlijk (Engels): levensruimte. Een van de Duits-Amerikaanse psycholoog Lewin afkomstige term: de directe ruimte (levensruimte) om de persoon. Het gebied waarin hij woont, werkt, speelt, leeft. De nadruk in deze levensruimtetheorie ligt op de interactie van de persoon met zijn omgeving.
Zie ook: Lewin.

Maatschappelijk werk
Activiteiten die gericht zijn op het bevorderen van een wederkerige aanpassing van individuen, gezinnen, groepen en de speciale milieus waarin deze leven (E.E.G.-definitie).
Synoniem: Sociaal werk.

Massacommunicatie
Alle vormen van communicatie, waarbij een zender een boodschap door middel van een medium verspreidt onder een in principe onbeperkt aantal personen. Informatie, opinie, propaganda en amusement worden verspreid via radio, televisie, krant, tijdschrift en films (Massacommunicatie, I.T.S., Nijmegen, 1970).

Medium
Medium (Latijn) = het midden.
Middel waardoor iets doorgegeven kan worden, tussenstof.
1. In de parapsychologie: iemand die als tussenpersoon functioneert in de communicatie tussen geesten en personen of tussen gestorven personen en levenden.
2. In de communicatieleer: een instrument dat informatie overbrengt (bijvoorbeeld: dagblad, televisie).

Non-verbale communicatie
Communicatie die niet uit woorden bestaat, maar uit (bijvoorbeeld) gebaren.
Zie ook: Communicatie.

Pecking order
Letterlijk (Engels): pikvolgorde. Term die stamt uit de dierpsychologie. De volgorde waarin dieren hun voedsel oppikken. Wordt ook voor mensen gebruikt om de hiërarchie (rang) aan te duiden.
Zie ook: Pikvolgorde.

Persoonlijk contact
Een vaak open en nauw contact waarbij de betrokken personen elkaar zien en beschouwen als personen. Men ziet elkaar hier niet in de eerste plaats als dienstvervuller of als mogelijke bron van gewin, zoals bij het functioneel contact.
Zie ook: Functioneel contact.

Pikvolgorde
De volgorde in macht en/of kracht, zoals die bij dieren voorkomt. Voorbeeld: de machtigste kip pikt het eerste voedsel op, de één na machtigste is hierna aan de beurt etc. Pikvolgorde duidt op een hiërarchie in een sociale eenheid, zoals bij kippen. Het gaat ook op bij mensen: de baas mag het eerst een koekje van de schaal nemen, hij heeft voorrang op allerlei gebieden etc. Wordt vaak wat spottend gebruikt (als het om mensen gaat!).
Synoniem: Pecking order.

Positie
Een veel gebruikt begrip in de sociologie en de gedragsleer. Het om een bepaalde persoon gecentreerde 'knooppunt' van sociale betrekkingen en verhoudingen.

Prestige
Letterlijk (Frans): aanzien, gezag. Invloed die iemand uitoefent vanwege zijn status, uiterlijk, succes, kennis, e.d. Men kan alleen prestige uitoefenen wanneer het om een aantrekkelijk iets gaat. Onaantrekkelijke beroepen kunnen *nooit* prestigevol zijn.
Zie ook: Status.

Propaganda
Het verstrekken van informatie ten behoeve van ideële doeleinden. Dit kan zijn: informatie over een politieke partij, het Rode Kruis, de muziekvereniging in de buurt etc. Door middel van massacommunicatie probeert men attituden en ideeën van anderen te beïnvloeden. Deze term heeft een geladen bijklank (propaganda in dictaturen, Goebbels etc.)
Zie ook: Massacommunicatie.

Als u een bepaald woord hier niet kunt vinden, raadpleeg dan het zoekregister (blz. 3 en verder).

Romantische liefde
Een emotionele band tussen een man en een vrouw, exclusief en geïndividualiseerd, die als het nodig is allerlei obstakels overwint en waarbij een zekere idealisering een rol speelt.

Sanctie
Beloning of straf, na het verrichten van bepaalde activiteiten. Een beloning zorgt voor een stabilisatie (opnieuw vertonen) van dit gedrag. Een straf zorgt voor het verminderen of verdwijnen van deze activiteiten.

Sensitivity training
Letterlijk (Engels): gevoeligheidstraining/-opvoeding. Een vorm van intermenselijk contact, waarbij de deelnemers aan de training gedurende enige tijd bij elkaar komen met als doel:
a. de persoon een (beter) inzicht te geven in zichzelf;
b. de persoon inzicht te geven in zijn medemens;
c. de persoon inzicht te geven in zijn contacten met zijn medemens.

S.E.S.
Afkorting van socio-economische status.
Zie ook: Socio-economische status.

Sociaal proces
De interactie tussen twee of meer personen. Deze wordt gereguleerd door wederzijdse afspraken, normen of een ideologie.
Zie ook: Norm/Ideologie.

Sociaal werk
Synoniem van maatschappelijk werk.
Zie ook: Maatschappelijk werk.

Social contact hypothesis
Een bekende hypothese in de sociale wetenschappen, die stelt dat mensen die elkaar vaak zien, vaak samenwerken of in elkaars nabijheid vertoeven, elkaar veelal positief (gaan) waarderen.

Sociale facilitatie
Letterlijk: sociale vergemakkelijking.
Verandering van gedrag in een bepaalde situatie door de invloed van anderen in deze situatie. De anderen maken het voorkomen van het gedrag gemakkelijker. Voorbeeld: 'zien eten doet eten'. Dankzij anderen gaat men eten. Eetlust ontstaat. Ander voorbeeld: lid zijn of deel uitmaken van een groep verhoogt meestal de prestaties van de individuele leden (teamwork). Dit ontstaat door bemoedigende woorden en knikken met het hoofd, of bij minder positief gedrag door veroordelen en straffen.

Socio-economische status
De status van een persoon in een bepaalde omgeving, milieu, buurt etc. Deze status wordt o.m. bepaald door diens inkomen, opleiding, leeftijd, welstand, soort en plaats van huisvesting ('goede buurt'), e.d.

T-group
Afkorting van: training group. Een groep personen die een bepaalde relatie met elkaar hebben (bijvoorbeeld afdeling van een bedrijf). Zij komen bij elkaar om d.m.v. bepaalde groepsprocessen als groep en als individu binnen deze groep beter te gaan functioneren. Doelstellingen van een t-group zijn vrijwel gelijk aan die van een encounter group.
Zie ook: Encounter group.

Veldtheorie
De theorie van de Duits-Amerikaanse Gestaltpsycholoog Lewin. De theorie is nogal wiskundig van aard. Elke gebeurtenis of situatie komt tot stand door psychologische wetten welke de interactie tussen de omgeving en de persoon verklaren. Het is de taak van de psychologie al deze wetten op te sporen en te mathematiseren.
Zie ook: Gestaltpsychologie/Lewin.

Waarderingsdispositie
Een soort interpersonal response trait. De manier waarop men anderen in interpersoonlijke relaties beoordeelt en waardeert, zowel in positieve als in negatieve zin.
Zie ook: Interpersonal Response Trait.

Acculturatie
Het van generatie op generatie overdragen van cultuur.
Zie ook: Enculturatie.

Antropologie
Anthroopos (Grieks) = mens.
Synoniemen: Culturele antropologie/Etnologie/Volkenkunde.
Zie ook: Culturele antropologie.

Culturele antropologie
De sociale wetenschap die zich bezighoudt met het bestuderen van niet-westerse culturen. Voorbeeld: de studie van het seksuele gedrag op het eiland Samoa in de Stille Zuidzee, of de studie van sociale verhoudingen op het Chinese platteland.
Synoniemen: Antropologie/Etnologie/Volkenkunde.

Cultuur
1. Het bouwwerk van normen en waarden, het totaal van menselijke voortbrengselen op materieel en immaterieel gebied, dat we (steeds) aan onze kinderen overdragen.
2. Het totaal van menselijke verworvenheden, die door meerderen worden gedeeld en overdraagbaar zijn.
Zie ook: Normen/Acculturatie.

Cultuurpsychologie
(Vaag omschreven) specialisme binnen de psychologie. Het betreft de studie van de invloed van de cultuur waarin men leeft, op het gedrag van de persoon. Men kan hierbij bijvoorbeeld nagaan of cultuur invloed heeft op bepaalde ziekten etc.

Enculturatie
De overdracht van de cultuur (culturele waarden) op het individu.
Zie ook: Acculturatie.

Etnologie
Ethnos (Grieks) = volk.
Etnologie is 'volkenkunde'.
Synoniemen: Antropologie/Culturele antropologie.
Zie ook: Culturele antropologie.

Fetisjisme
1. Het vereren van voorwerpen, waaraan men magische krachten toekent. Dit komt voor bij diverse stammen in o.m. Afrika.
2. Een ziekelijke aantrekkingskracht van voorwerpen, meestal

kledingstukken, van het andere geslacht. Deze voorwerpen wekken seksuele verlangens op, het zien en betasten van deze voorwerpen kan leiden tot seksuele bevrediging.

Immateriële cultuur
Vormt tezamen met de materiële cultuur de cultuur. Het omvat bijvoorbeeld: tafelmanieren, godsdienstige opvattingen, verkeersregels, concertbezoek.
Zie ook: Materiële cultuur.

Maatschappij
(Samenleving.) Een verzamelwoord voor: de mensen, de cultuur, de normen en de waarden om ons heen.

Materiële cultuur
Vormt tezamen met de immateriële cultuur de cultuur. Het omvat bijvoorbeeld: eetstokjes, tankschepen, bommenwerpers, gevangenissen.
Zie ook: Immateriële cultuur.

Nationaal karakter
Het gedrag, normen, waarden, attituden e.d. die kenmerkend zouden zijn voor een natie, volk, of staat. Zo zou bijvoorbeeld het nationaal karakter van België anders zijn dan dat van Nederland.
Zie ook: Karakter.

Patriarchaat
Pater (Latijn) = vader.
1. Gezin, familie, commune waar de man de meeste macht uitoefent.
2. Een maatschappij, waarin de erfopvolging langs mannelijke (vader op zoon) lijn verloopt.
Zie ook: Matriarchaat.

Samenleving
Synoniem van maatschappij.
Zie ook: Maatschappij.

Segregatie
Scheiding van mensen, elementen, items etc. Voorbeeld: segregatie van rassen. Kinderen van een bepaald ras krijgen onderwijs aan een school, waarvan kinderen van andere rassen zijn uitgesloten.

Sociale klasse
Een indeling van groepen mensen, aan de hand van diverse criteria (inkomen, opleiding, godsdienst e.d.).

Sociale mobiliteit
Het bewegen van de ene sociale positie naar de andere. Voorbeeld: de beweging van een lage sociale klasse naar een hoge (van warme bakker naar president-directeur van een groot bakkerijconcern).
Zie ook: Positie.

Subcultuur
Sub (Latijn) = onder.
Een onderdeel van de grote(re) cultuur. Zij heeft een aantal eigen opvattingen, normen en waarden die soms niet in de overkoepelende cultuur voorkomen, maar de belangrijkste elementen van deze overkoepelende cultuur heeft zij wél. Voorbeeld: de hippie-subcultuur in Nederland.
Zie ook: Norm/Cultuur.

Volkenkunde
Verouderde term voor culturele antropologie.
Synoniemen: Culturele antropologie/Antropologie/Etnologie.
Zie ook: Culturele antropologie.

Whorf's hypothese
Een door de Amerikaanse antropoloog Whorf opgeworpen hypothese. Volgens hem zouden verschillen in taal leiden tot verschillen in gedrag. Voorbeeld: alleen al door de taal zou een Spanjaard zich in het algemeen anders gedragen dan een Nederlander. Een Zwitser kent een aantal soorten sneeuw, een Nederlander maar één.
Zie ook: Hypothese.

Als u een bepaald woord hier niet kunt vinden, raadpleeg dan het zoekregister (blz. 3 en verder).

5
Basisgebied:
Gedragsleer

H
Sectie:
Sociale rol/Sociale status

Attractie
Een in de psychologie weinig, maar in de spreektaal veel gebruikt begrip. De aantrekking(skracht) die van een persoon of voorwerp uitgaat.
Aangetrokken worden tot iets.

Attributie
Letterlijk: toekenning, toeschrijving. De eigenschappen die wij toekennen aan personen. Iemand die in een café bijvoorbeeld aan het praten is kunnen we extraversie toeschrijven. Misschien is deze persoon een introvert leraar die iets aan een (oud)leerling, die toevallig in het café is, uitlegt... Het toeschrijven van eigenschappen gebeurt op een subjectieve basis.

Psychodrama
Een soort rollenspel waarbij een individu een bepaalde rol moet spelen (meestal zijn eigen rol), in een situatie waarmee hij moeite heeft. Doel hiervan is de persoon zijn problemen beter te leren kennen, teneinde deze te verhelpen.
Zie ook: Rollenspel.

Rol
Een veel gebruikt begrip in de sociologie en in mindere mate in de gedragsleer. Het geheel van normen en verwachtingen, die men koestert jegens personen in een bepaalde situatie.
Zie ook: Norm.

Rolconflict
De situatie waarbij twee (of meer) rollen, die een persoon moet vervullen, in conflict komen. De rollen botsen. Zij zijn niet met elkaar te verenigen.
Voorbeeld: de rollen van werkende vrouw en moeder kunnen botsen. Maar ook de rol van directeur (veel werk, weinig thuis) en die van vader (tijd voor de kinderen).
Zie ook: Rol.

Roldispositie
Een soort interpersonal response trait. De manier waarop een persoon zijn rol speelt in interpersoonlijke contacten.
Zie ook: Interpersonal response trait.

Rollenspel
Het spelen (acteren) van een bepaalde rol, met andere spelers. De term is afkomstig uit de toneelwereld. In de psychologie gebruikt men de term en de techniek o.m. in de psychotherapie en in de bedrijfspsychologie.
Men leert door het *nadoen* van iemands gedrag (klant of verkoper bijvoorbeeld) de zwakke en sterke punten kennen van dit gedrag. Ook leert

men hoe een ander denkt dat men is. De dochter speelt moeder en moeder dochter. Moeder ziet hoe streng zij in de ogen van haar dochter is!

Sociabiliteit
Het verlangen naar de aanwezigheid van andere mensen. Het gezelschap van mensen op prijs stellen.

Sociale macht
De macht, die iemand heeft, of het gezag dat hij uitoefent op anderen. Deze macht komt voor bij informele en formele leiders. Dankzij deze macht kan men zijn wil aan anderen opleggen, taken laten uitvoeren e.d.
Zie ook: Formeel leider/Informeel leider.

Sociale status
Meestal spreekt men van status: de hoogte van een positie of rang.
Synoniem: Status.
Zie ook: Status.

Sociodrama
Een soort rollenspel, waarbij het doel is de personen allerlei sociale vaardigheden bij te brengen.
Zie ook: Rollenspel.

Sociogram
Het resultaat van een sociometrische procedure. Een sociogram geeft een relatiepatroon aan van mensen in een groep. Het toont bijvoorbeeld wie met wie omgaat, wie graag met wie bepaalde activiteiten zou doen etc. Zo'n patroon, lijnenspel kan men bijvoorbeeld verkrijgen door alle antwoorden op vragen als: 'met wie zou je het liefst alleen op een onbewoond eiland willen zijn' te verwerken.
Zie ook: Sociometrie.

Sociometrie
Een door de arts/psycholoog/psychiater Moreno geïntroduceerde techniek, die een sociogram oplevert. Het bepalen (meten) van afstanden tussen mensen, de manier waarop mensen in groepen samenwerken, de manier waarop een grote groep uiteenvalt in kleinere groepjes (ik wil wel in de groep van Jan, niet in de groep van Piet).
Zie ook: Sociogram/Moreno.

Status
Bepaalde relatieve positie (rang) die iemand heeft of die aan iemand wordt toegekend. Iemand kan een hoge status hebben of een lage.
Synoniem: Sociale status.
Zie ook: Positie.

Statushiërarchie

Het begrip status verwijst naar een bepaalde plaats in de maatschappij. Een voorbeeld: een onderwijzer kan veel macht of zelfs prestige hebben, hij heeft zeker geen hoge status. Status verwijst naar het behoren tot een bepaalde maatschappelijke categorie waarvan het lidmaatschap bepalend is: academici, notabelen, adel, blanken (in een koloniale maatschappij), artsen, etc.

Zie ook: Status/Prestige.

Consument
De ge-, of verbruiker van allerlei goederen en diensten.
Zie ook: Consumentengedrag.

Consumentengedrag
Het gedrag van consumenten, verbruikers. Dit is een van de belangrijkste objecten van studie van de economische psychologie. Consument is een verbruiker van allerlei produkten (voorbeeld: melk) en diensten (voorbeeld: spoorwegen). Er zijn drie soorten consumentengedrag:
1. communicatiegedrag (bijv. het lezen van een advertentie),
2. koopgedrag (bijv. het gebruiken van een boodschappenlijstje in de supermarkt),
3. gebruiksgedrag (bijv. het eten van een boterham).
Zie ook: Economische psychologie.

Consumer psychology
Letterlijk (Engels): psychologie van de consument. Eigenlijk een onderdeel van de economische psychologie.

Economische psychologie
Een specialisme binnen de psychologie waarbij men het economisch gedrag van de mens bestudeert, met name allerlei beslissingsprocessen. Het betreft de mens als koper en gebruiker (consument) van diensten en produkten.

ESOMAR
Afkorting van: European Society for Opinion and Marketing Research.
Zie ook: European Society for Opinion and Marketing Research.

European Society for Opinion and Marketing Research
Afgekort tot Esomar. Een Europese, overkoepelende organisatie op het gebied van opiniepeiling en marktonderzoek. Het is een multidisciplinaire organisatie, die o.m. congressen organiseert. Zij heeft een beroepsethiek, waaraan de leden zich dienen te onderwerpen.

Image
Letterlijk (Engels): imago, beeld. Het beeld dat iemand van een persoon, organisatie, produkt heeft. Het is gedeeltelijk op kennis en/of ervaring gebaseerd.
Zie ook: Imageonderzoek.

Als u een bepaald woord hier niet kunt vinden, raadpleeg dan het zoekregister (blz. 3 en verder).

Kwalitatief marktonderzoek
Marktonderzoek dat gehouden wordt met kleine steekproeven (30–50 personen). Men probeert achter koopmotieven van consumenten te komen of men onderzoekt of gemaakte advertentieontwerpen duidelijk zijn, hun beoogde doel bereiken. Men 'graaft diep' naar achterliggende motieven. Waarom koopt de heer Jansen een Volkswagen en niet een Opel, wanneer beide auto's evenveel kosten?
Synoniem: Psychologisch onderzoek. (Alleen synoniem op het terrein van marktonderzoek!)
Zie ook: Kwantitatief marktonderzoek.

Kwantitatief marktonderzoek
Een vorm van marktonderzoek, waarbij men werkt met grote steekproeven. Doel is kennis te verstrekken voor marketingbeleid. Men verzamelt middels de representatieve steekproef gegevens over het voorkomen van bepaalde produkten in die groep. Men registreert de merken van deze produkten, de prijs die men ervoor betaalt etc. Men gaat niet na welke aankoopmotieven er zijn. Dit gebeurt middels kwalitatief marktonderzoek. Grote steekproeven zijn nodig i.v.m. statistische generalisaties. Een uitspraak over de steekproef wordt 'overgebracht' naar bijvoorbeeld alle Nederlandse huisvrouwen.
Zie ook: Marktonderzoek/Representatieve steekproef/Kwalitatief marktonderzoek/Generalisatie.

Marketing
Een commerciële denkwijze, waarbij de behoeften en wensen van de consument centraal worden gesteld. Marketing is een interdisciplinair toegepast wetenschappelijk gebied. Er is o.m. inbreng van economen, psychologen en sociologen.

Marktonderzoek
Een onderdeel van de marketing. Het is één interdisciplinair toegepast wetenschappelijk gebied met grote inbreng van psychologen, sociologen, en economen. Het marktonderzoek peilt (o.a.) de behoeften en wensen van consumenten.
Zie ook: Marketing.

Motivation research
Letterlijk (Engels): onderzoek naar de beweegredenen. Een stroming in de commerciële wereld die zich bezighoudt met het onderzoek naar de motieven, beweegredenen van de consument om bepaalde artikelen te kopen. Motivation research is uitgedacht door de Amerikaanse (in Oostenrijk geboren) psycholoog Ernst Dichter. Deze stroming maakte vooral in de jaren 50 furore. Deze nu verouderde stroming werd uitvoerig beschreven door de journalist Packard, die er enige bestsellers aan overhield.
Zie ook: Motivatie.

Nielsenonderzoek
Een vorm van continu marktonderzoek. Men registreert in een steekproef van winkels wat voor produkten, en welke hoeveelheden, verpakkingen etc.

worden verkocht. Aan de hand van deze tellingen schat men de totale afzet in het gehele land.
Zie ook: Marktonderzoek.

P.R.
Afkorting van Public Relations.
Zie ook: Public Relations.

Product test
Vorm van marktonderzoek. Een steekproef van consumenten wordt verzocht een nieuw of verbeterd produkt (enige tijd thuis) te gebruiken. Door middel van een mondeling interview voor en na het gebruik wordt vastgesteld welke opinie men over het produkt heeft. Men gaat tevens de houding na tegenover bijvoorbeeld smaak, geur, kleur, prijs e.d.
Zie ook: Marktonderzoek/Steekproef.

Psychologisch onderzoek
Een in het marktonderzoek gebezigde term voor kwalitatief marktonderzoek.
Synoniem: Kwalitatief marktonderzoek.
Zie ook: Kwalitatief marktonderzoek.

Public Relations
Letterlijk (Engels): openbare betrekkingen. Een vorm van massacommunicatie. Een stelselmatige bevordering – in hoofdzaak door voorlichting – van goede verhoudingen tussen een organisatie en haar publieksgroepen.
Zie ook: Massacommunicatie.

Reclame
Vorm van massacommunicatie, met meestal, maar niet altijd, commerciële doeleinden. De niet-persoonlijke, meervoudige presentatie van een produkt of dienst, door een met name genoemde aanbieder (fabrikant bijvoorbeeld). Dit gebeurt door gebruik te maken van massamedia als bijvoorbeeld televisie, dagblad etc.
Zie ook: Massacommunicatie.

Reclamepsychologie
Misleidende en onduidelijke naam voor de inbreng van psychologische kennis in de reclame. De term reclamepsychologie is verouderd. Eigenlijk is zij een deel van de economische psychologie. Communicatie is het sleutelwoord in de reclamepsychologie.
Zie ook: Reclame/Economische psychologie/Communicatie.

Survey Research Center
De bakermat van de economische psychologie. Dit onderzoekinstituut van de Amerikaanse Universiteit van Michigan begon in de jaren vijftig onderzoek naar het gedrag van consumenten. Oprichter was Katona.
Zie ook: Katona.

Criminaliteit
Alles wat met misdadigheid samenhangt. Zoals: soorten wetsovertredingen, oorzaken van misdadigheden, preventie, correctie maatregelen etc.
Criminaliteit wordt bestudeerd door o.m. psychologen, juristen, sociologen.

Criminele psychologie
Synoniemen: Forensische psychologie/Criminologische psychologie/ Gerechtelijke psychologie.
Zie ook: Forensische psychologie.

Criminologie
Een specialisme binnen de rechtswetenschap, waarbinnen men zich bezighoudt met de mens als wetsovertreder. Men gebruikt deze term soms ten onrechte als synoniem van forensische psychologie. Criminologie wordt door juristen beoefend, niet door psychologen.
Zie ook: Forensische psychologie.

Criminologische psychologie
Synoniemen: Forensische psychologie/Gerechtelijke psychologie/Criminele psychologie.
Zie ook: Forensische psychologie.

Forensische psychologie
Forum (Latijn) = plein, markt, rechtbank.
Psychologisch specialisme dat zich bezighoudt met de studie van de mens als wetsovertreder, misdadiger en dergelijke.
Synoniemen: Gerechtelijke psychologie/Criminologische psychologie/ Criminele psychologie.

Gerechtelijke psychologie
Synoniemen: Forensische psychologie/Criminele psychologie/ Criminologische psychologie.
Zie ook: Forensische psychologie.

Penologie
De wetenschappelijke studie van behandeling van wetsovertreders. Men houdt zich bezig met de gevolgen van de toegediende straf, maar ook met het voorkomen van straffen.

Recidivisme
1. De (telkens) terugkerende misdadige gedragingen bij een persoon.
2. De terugkeer van een (genezen) geestesziekte of neurose.

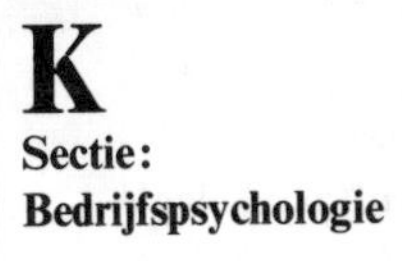

Accident prone
Letterlijk (Engels): vatbaar zijn voor een ongeluk. Aanduiding voor personen, die altijd ongelukken maken (in het verkeer o.a.), 'brokkenmakers'.

Arbeidspsychologie
Synoniemen zijn bedrijfspsychologie, industriële psychologie.
Zie ook: Bedrijfspsychologie.

Bedrijfspsychologie
Specialisme binnen de psychologie. Men tracht door het toepassen van methoden en technieken uit de psychologie, industriële problemen op te lossen.
Synoniemen: Arbeidspsychologie/Industriële psychologie.

Ergograaf
Een elektronisch apparaat dat de bewegingen van spieren in een arbeidssituatie registreert. Men gebruikt het apparaat om de zwaarte van arbeid en vermoeidheid experimenteel te onderzoeken.

Ergonomie
De interdisciplinaire wetenschap die zich bezighoudt met de problemen van het aanpassen van de mens aan de machine en de arbeid(ssituatie) en het aanpassen van de machine en de arbeid(ssituatie) aan de mens.
Synoniem: Human engineering.

Fietsergometer
Een fiets (home trainer) die men in het laboratorium gebruikt voor allerlei experimenten. Men verbindt vele elektroden aan de fietsende proefpersoon om een aantal fysiologische reacties bij deze vorm van lichamelijke inspanning te meten. (Men neemt aan dat fietsen op dit apparaat gelijk staat met andere vormen van lichamelijke inspanning. Deze manier leent zich goed voor experimentatie.)

Hawthorne onderzoeken
Klassieke onderzoekstudie in de psychologie. Een der eerste onderzoeken op het gebied van de bedrijfspsychologie. Amerikaanse psychologen bestudeerden aan het eind van de jaren 20 werknemers in de Hawthorne fabrieken (onderdeel van General Electric). Zij toonden destijds aan (en dat was toen nieuw) dat werknemers beter werken als men meer *aandacht* aan

Als u een bepaald woord hier niet kunt vinden, raadpleeg dan het zoekregister (blz. 3 en verder).

hen schenkt en meer *waardering* voor hun werk opbrengt. Een persoonlijke behandeling werpt meer vruchten af dan alleen geldelijke beloning. Dit ontdekte men bij toeval. De groep werknemers die onderzocht werd ging harder werken door alle belangstelling en aandacht van de onderzoekers.

Human engineering
Eigenlijk (Engels): 'sleutelen aan de mens'.
Synoniem van ergonomie.
Zie ook: Ergonomie.

Industriële psychologie
Synoniem van bedrijfspsychologie, arbeidspsychologie.
Zie ook: Bedrijfspsychologie.

Job analysis
Letterlijk (Engels): ontleding van arbeid, werk, baan. Het bepalen van alle factoren en taken die deel uitmaken van een baan, functie, beroep. Deze analyse maakt men om (bijvoorbeeld) een test te ontwikkelen, die succes voor zo'n baan moet voorspellen.

Legerpsychologie
Is in feite een onderdeel van de bedrijfspsychologie.
Synoniem: Militaire psychologie.
Zie ook: Militaire psychologie.

Luchtvaartverkeerspsychologie
Een onderdeel van de verkeerspsychologie. Zij houdt zich bezig met problemen als:
- Hoe dienen piloten in de cockpit te zitten?
- Wat is de invloed van hoge snelheden op de luchtreiziger?
- Welke invloed heeft alcohol op de luchtreiziger?

Zie ook: Verkeerspsychologie.

Managerial psychology
Manager (Engels) = leider, bestuurder.
Onderdeel van de bedrijfspsychologie. Men geeft (naar aanleiding van onderzoek) adviezen aan de bedrijfs*leiding* over psychologische aspecten van het bedrijf. Voorbeeld: welke personen moeten bevorderd worden tot opzichter? Hoe moet men leidinggeven? etc.
Zie ook: Bedrijfspsychologie.

Militaire psychologie
Psychologisch specialisme. Nauw verwant aan de bedrijfspsychologie. De naam militaire psychologie kan worden gebruikt om de werksituatie mee aan te duiden, hoewel in acht genomen moet worden dat het beslist geen speciale richting betreft. In de militaire psychologie ligt, vergeleken met de bedrijfspsychologie, relatief veel nadruk op selectie. Per jaar moeten vele tienduizenden jonge mannen worden gekeurd voor de militaire dienst. Tevens vinden allerlei keuringen plaats voor kaderopleidingen.

Synoniem: Legerpsychologie.
Zie ook: Bedrijfspsychologie.

Organisatiepsychologie
Een specialisme binnen de psychologie waarbij men zich bezig houdt met studie en problemen van organisaties. Het is nauw verwant aan de bedrijfspsychologie. Het is te beschouwen als een onderdeel van de sociale psychologie.

Personeelsselectie
Het selecteren van personeel door middel van psychologische tests.
Zie ook: Beroepskeuzepsychologie/Selectie.

Scheepvaartverkeerspsychologie
Een onderdeel van de verkeerspsychologie. Zij houdt zich bezig met problemen die analoog zijn aan de luchtvaartverkeerspsychologie.
Zie ook: Verkeerspsychologie/Luchtvaartverkeerspsychologie.

Screening
To screen (Engels) = ziften, keuren, testen, beschutten.
Synoniem: Selectie.
Zie ook: Selectie.

Selectie
Letterlijk: uitzoeken, uitkiezen. Door middel van (o.a.) psychologische tests uitmaken welke personen wél en welke personen niet geschikt zijn voor bepaalde werkzaamheden, banen, functies. Selectie is een van de belangrijkste gebieden binnen de bedrijfspsychologie en beroepskeuzepsychologie.
Zie ook: Bedrijfspsychologie/Beroepskeuzepsychologie.

Selectie ratio
Ratio = verhouding.
Het percentage sollicitanten dat voor een baan, functie wordt aangenomen, na afname van psychologische tests.

Taylorisme
De denkwijze en techniek van Taylor om de efficiency van ondernemingen te verhogen.
Zie ook: Taylor.

Time and motion studies
Letterlijk (Engels): tijd- en bewegingsonderzoek. Bedrijfspsychologische studies, waar men nagaat hoeveel tijd en welke bewegingen nodig zijn om bepaalde handelingen in de fabriek (lopende band) te verrichten. Doel is de efficiency en produktiviteit te verhogen. (Dit soort onderzoeken geniet weinig populariteit!)

Verkeerspsychologie
Psychologisch specialisme. Men bestudeert hier vanuit een aantal

invalshoeken het gedrag van de mens in het verkeer. Binnen de verkeerspsychologie maakt men onderscheid in:
- wegverkeerspsychologie,
- scheepvaartverkeerspsychologie,
- luchtvaartverkeerspsychologie.

De verkeerspsychologie houdt zich bezig met vragen als:
1. Hoe komt het toch dat bepaalde automobilisten zo vaak betrokken zijn bij ongelukken? Komt dat door onhandigheid? Komt dat door angst of traag reageren? Is dat een kwestie van persoonlijkheid?
2. Wat maakt een piloot tot een goede piloot? Aan welke eigenschappen moet zo iemand voldoen?
3. Hoe snel verloopt de waarneming in het wegverkeer? Kan een persoon een drietal verkeersborden op één paal wel waarnemen, als hij passeert met een snelheid van honderd kilometer per uur?
4. Wat is de beste zithouding in een auto? Wat is de beste plaats om de handrem of de lichtschakelaar te bevestigen? Hoe ontstaat vermoeidheid in het verkeer? Na hoeveel tijd treedt vermoeidheid op?
5. Wat is de invloed van alcohol op (verkeers)gedrag? Is het waar dat alcoholgebruik leidt tot (soms fataal) traag reageren? Welke hoeveelheid alcohol kan een bestuurder verdragen zonder dat dit invloed uitoefent op zijn rijden?

Wegverkeerspsychologie
Een onderdeel van de verkeerspsychologie. Zij bestudeert problemen als: Waarom maken sommige automobilisten veel brokken in het verkeer? Wat zijn dit voor mensen, die brokkenmakers?
Hoe moeten verkeersborden er uit zien, wanneer een automobilist deze bij een snelheid van 120 km. per uur nog moet kunnen waarnemen?
Waar moet de handrem in de auto bevestigd zijn? (I.v.m. handbereik, veiligheid etc.)
Zie ook: Verkeerspsychologie.

Work sample test
Work sample (Engels): steekproef uit het werk. Een test, die bestaat uit de steekproeven van iemands werk, teneinde de persoon te beoordelen. Dit gebeurt in een natuurlijke situatie (arbeidsplaats) en niet op een laboratorium.
Voorbeeld: elke vier minuten gaat men na hoe de kwaliteit is van met de hand vervaardigde bonbons van de banketbakker.
Zie ook: Steekproef.